D1074774

Читайте романы
примадонны иронического детектива
Дарьи Донцовой

Сериал «Любительница частного сыска Даша Васильева»:
1. Крутые наследнички
2. За всеми зайцами
3. Дама с коготками
4. Дантисты тоже плачут
5. Эта горькая сладкая месть
6. Жена моего мужа
7. Несекретные материалы
8. Контрольный поцелуй
9. Бассейн с крокодилами
10. Спят усталые игрушки
11. Вынос дела
12. Хобби гадкого утенка
13. Домик тетушки лжи
14. Привидение в кроссовках
15. Улыбка 45-го калибра
16. Бенефис мартовской кошки
17. Полет над гнездом Индюшки
18. Уха из золотой рыбки

Сериал «Евлампия Романова. Следствие ведет дилетант»:
1. Маникюр для покойника
2. Покер с акулой
3. Сволочь ненаглядная
4. Гадюка в сиропе
5. Обед у людоеда
6. Созвездие жадных псов
7. Канкан на поминках
8. Прогноз гадостей на завтра
9. Хождение под мухой
10. Фиговый листочек от кутюр
11. Камасутра для Микки-Мауса

Сериал «Виола Тараканова. В мире преступных страстей»:
1. Черт из табакерки
2. Три мешка хитростей
3. Чудовище без красавицы
4. Урожай ядовитых ягодок
5. Чудеса в кастрюльке
6. Скелет из пробирки
7. Микстура от косоглазия

Сериал «Джентльмен сыска Иван Подушкин»:
1. Букет прекрасных дам
2. Бриллиант мутной воды
3. Инстинкт Бабы-Яги

Дарья Донцова

Микстура от косоглазия

Москва

ЭКСМО

2003

ИРОНИЧЕСКИЙ ДЕТЕКТИВ

УДК 882
ББК 84(2Рос-Рус)6-4
Д 67

Разработка серийного оформления
художника *В. Щербакова*

Д 67
Донцова Д. А.
    Микстура от косоглазия: Роман. — М.: Изд-во Эксмо,
2003. — 416 с. (Серия «Иронический детектив»).

    ISBN 5-699-02504-9

Вы бывали когда-нибудь в морге? Надеюсь, что нет! А вот мне, Виоле Таракановой, пришлось посетить сие заведение в ходе очередного расследования. В погоне за сюжетом для своего нового детектива чего только не сделаешь. А началось все очень прозаично: как-то по дороге с рынка я заскочила в секонд-хенд и купила себе новую белую куртку с биркой. Придя домой, я обнаружила за подкладкой паспорт на имя Ани Кузовкиной. Я очень удивилась! Чтобы вернуть удостоверение личности, я поехала по указанному адресу. Дверь открыла пожилая женщина. Увидев меня, она тут же упала в обморок. Оказывается, Аня пропала год назад. Я решила все выяснить, для чего и вернулась в секонд-хенд. Поиски привели меня в... угадали, именно в морг... Хотите узнать, чем дело кончилось? Тогда купите мой новый детектив. Удовольствие вам гарантировано!

УДК 882
ББК 84(2Рос-Рус)6-4

Глава 1

Если вы, укладываясь спать, абсолютно уверены, что следующий день пройдет просто замечательно, то, как правило, прогноз сбывается с точностью до наоборот. Во всяком случае, у меня так бывает часто.

Первое декабря я собралась посвятить домашним хлопотам: сходить за продуктами, постирать уже не умещающееся в бачке белье, наконец-то разобрать шкаф Олега, а потом с приятным чувством выполненного долга плюхнуться на диван и уставиться в телевизор. День обещал быть хорошим еще и потому, что все члены нашей шумной семьи намеревались уйти из дома не позже восьми утра. Томочка должна была отвезти на прививку Никитку, Сеню поджидал в девять какой-то особо выгодный рекламодатель, Кристинка, естественно, отправлялась в школу, а Олег на работу. Только не подумайте, что я не люблю домашних, нет, мы живем довольно дружно, в просторной квартире, но остаться в одиночестве — это очень большая удача, которая выпадает мне крайне редко. А я так люблю проснуться с осознанием того, что дома никого нет, и пойти в ванную, не натягивая халат. Как правило, мне приходится одеваться, своего мужа Олега и Томочки я не стесняюсь, но Сеня-то не мой супруг, а Тамарин. И хотя нас связывает крепкая дружба, халат — обязательное условие.

Но сегодня можно было идти умываться в неглиже. Я откинула одеяло и мигом схватила байковый халат. Ну и холод! Олег опять открыл форточку нараспашку. Ежась от ледяного ветра, я захлопнула ее и пошлепала по коридору, отличное настроение вдруг куда-то улетучилось.

Следующая неудача подстерегала меня за завтраком. Налив кофе, я взяла сахарницу, и в тот же миг она, невесть как вырвавшись из рук, шлепнулась на пол, мгновенно превратившись в груду красных осколков.

Тот, кто хоть один раз собирал с пола рассыпанный сахарный песок, поймет, как я обозлилась! Сколько ни маши веником, сколько ни три пол тряпкой, все равно ноги будут прилипать к полу.

Затем от зимних сапог отвалился каблук. Эту неудачу я попыталась пережить стоически и даже провела сама с собой сеанс психотерапии.

«Ничего, Вилка, — бормотала я, вертя в руках испорченную обувь, — это абсолютная ерунда, давно пора выбросить опорки на помойку, не стоит расстраиваться, можно взять сапожки Кристи, те, которые стали ей малы».

Сказано — сделано. Я слазила на антресоли, вытащила коробку, вынула замшевые «скороходы» и приободрилась: конечно, они мне велики, Кристя носит теперь сороковой размер, но ведь намного хуже было бы, имей девочка, допустим, тридцать четвертый, вот тогда шансов надеть сапоги просто бы не осталось.

Наконец, преодолев все трудности, я очутилась в магазине и начала бросать в тележку необходимые продукты. Медленно двигаясь между рядов с банками и пачками, я добралась до отдела, где торговали сыром и колбасой. Тут товар отпускала продавщица, приятная, веселая тетка лет сорока.

— Что желаем? — ласково пропела она. — Душа чего просит?

— Скорей желудок, — улыбнулась я.

— Теперь, слава богу, себя порадовать можно, — охотно поддержала диалог торговка, — всего навалом.

— Дайте граммов триста сыра.

— Какого?

Я уставилась на витрину. Сегодня, когда дефицита продуктов нет и в помине, основная сложность — выбрать из моря предлагаемого товара нужный. А это сделать порой непросто. Ну какая, скажите, разница, между «Радамером», «Маасдамом» и «Дамталером»? На вид совершенно одинаковые круги с большими дырками, и цена у них одна и та же.

— Мне, наверное, — начала я и взвизгнула: — Ой, мама!

— Что случилось?

— У вас там мышь! — взвыла я.

— Где?

— В витрине! Вон смотрите, сидит и ест сыр.

— Какой?

Вопрос слегка удивил меня. Ее что, интересует сорт сыра, который предпочитает грызун?

— Ну, кажется, «Ольтерман», — дрожащим голосом ответила я.

Если я чего и боюсь, так это совершенно безобидных мышей.

— Вот зараза, — с чувством воскликнула продавщица, — разбирается, дрянь серая, небось на «Атлет» не села, к «Ольтерману» подобралась. Ну, ща тебе мало не покажется!

С этими словами она исчезла в подсобке. Мы с грызуном остались тет-а-тет. Мышь как ни в чем не бывало быстро-быстро жевала лакомство, изредка приподнимая остренькую мордочку, я же просто оцепенела, вцепившись в тележку.

Через секунду появилась продавщица, неся огромного рыжего котяру.

— Ну-ка, Василий, — сурово произнесла она, зашвыривая кота в витрину, — начинай!

Я просто одеревенела. Сейчас усатый разбойник разорвет мышку! Но Василий спокойно обвел взглядом пространство, затем фыркнул, сел задом на сосиски, зевнул и преспокойно откусил от батона «Докторской» колбасы. Теперь в витрине обедало двое: справа — мышка, слева — кот.

— Ах ты паразит! — завопила продавщица. — Мышей уже не жрешь! Зря только кормим бездельника! И ведь что интересно...

— Что? — машинально поинтересовалась я.

— Да тут много чего лежит, — задумчиво протянула она, — говядина запеченная, буженина, окорок, курочка копченая... Все вроде бы натуральное, отчего же Ваську на вареную колбасу повело, а? Понимаешь?

— Нет, — откровенно призналась я.

— Животное-то не обмануть, — вздохнула продавщица, — небось в этих натуральных кусках одни консерванты, а в «Докторской» ничего такого и в помине нет! Вот Василий и жрет! Давно заметила, он продукцию Таганского мясокомбината предпочитает, Останкинский даже не тронет. Надо мне самой этой колбаски домой прихватить, той, что Васька обжевал, небось она самая свежая!

С этими словами продавщица выдернула кота

из витрины, вытащила батон докторской, отрезала обкусанную часть и быстро сунула в прилавок. Василий развалился у весов и начал степенно умываться. Мышь, очевидно, наевшись до икоты, шмыгнула куда-то в глубь витрины.

— Так какой сыр вешать станем? — Торговка приступила к выполнению профессиональных обязанностей.

Я в задумчивости посмотрела на обгрызенный «Ольтерман». Интересно, почему именно этот сорт привлек мышь? Права продавщица, животное не обмануть.

— Мне вон тот кусок, который мышка ела, — отважно решила я, — только обкусанный краешек отрежьте!

— Конечно, — улыбнулась продавщица и шмякнула желтый кругляш на весы.

С туго набитыми пакетами я вышла из магазина. Улица, которая ведет от метро к нашему дому, достаточно оживленная, буквально на каждом шагу тут находятся всевозможные торговые точки, правда крохотные: «Канцтовары», «Конфеты», «Все для дома», «Счастье рыболова»... Я остановилась, передохнула и двинулась дальше. Сейчас будет кафе «Плюшка», и я сверну налево. Но что это? Вместо оранжевой вывески с черными буквами над кофейней висела другая табличка, голубая. «Эксклюзивный секонд-хенд». Значит, «Плюшка» разорилась, что, в общем, вполне объяснимо. Один раз я заглянула туда и была поражена: крошечное пирожное стоило триста рублей, а за чашечку капуччино просили почти полтысячи. А теперь здесь торгуют подержанным шмотьем. Я снова остановилась, опустила сумки на ступеньки и вздохнула. Надо же,

«Эксклюзивный секонд-хенд», очень смешно звучит, вроде как «Самые вкусные объедки». Внезапно дверь распахнулась, из проема высунулся растрепанный мальчишка.

— Заходите, не стесняйтесь, мы только сегодня открылись! Ну, идите, по случаю первого дня работы скидка сорок процентов.

Не понимая зачем, я шагнула внутрь и очутилась в помещении, где на вешалках висело огромное количество одежды.

— Чего хотите? — суетился паренек. — Верхнее, нижнее? Куртку?

— Куртку можно, — пробормотала я, — с капюшоном, теплую, но легкую.

— Сюда. — Юноша начал подталкивать меня в глубь лавки. — Вот, гляньте.

Быстрым движением он выхватил вешалку с мрачной, бордовой курткой.

— Классная вещь, немаркая.

Я поморщилась.

— Очень темная.

— Тогда берите эту!

В руках продавца оказалась кислотно-розовая куртенка, похожая на одеяние для гигантской Барби.

— Спасибо, — вздохнула я.

Совершенно зря я зарулила в эту лавку со старьем, хотя я несправедлива. Вещи выглядят совершенно новыми, большинство украшено бирками.

— Может, такая подойдет? — выкрикнул мальчишка.

Я подняла глаза и ахнула. Парнишка держал в руках мою мечту. Снежно-белая, слегка приталенная куртка с меховым воротником из песца.

Неделю назад я, пробегая по Тверской, увидела в витрине одного бутика потрясающую вещь, ноги сами внесли меня в магазин, но уже через секунду я с выпученными глазами вылетела наружу. Очень красивая курточка стоила почти тысячу долларов. Пришлось уйти, бормоча себе под нос:

— Ну и не очень-то хотелось! Подумаешь! Кому нужна белая верхняя одежда! Это же каждый день стирать придется!

— Смотрите, какая элегантная! — частил мальчишка, дуя на воротник. — Мех натуральный, воротничок отстегивается, подкладка тоже, верх в машине стирается...

— И сколько? — робко поинтересовалась я.

— Тысячу рублей.

— Сколько? — подскочила я.

— Это без скидки, — мигом засуетился продавец, — вам она сегодня всего в шестьсот обойдется! Ладно, как самому первому покупателю за пятьсот отдам!

Я надела куртку и подошла к зеркалу. Сидит изумительно и выглядит точь-в-точь как та, из бутика.

— Странно, однако...

— Что? — подлетел ко мне мальчишка.

— Мерила похожую в магазине на Тверской, там она тоже стоила тысячу, только долларов!

Юноша засмеялся:

— Да они небось берут вещи в одном месте с нами!

— А где?

— Крупные универмаги Европы не хранят прошлогодние модели, предпочитают их продавать за бесценок, вот дорогие магазины в Москве этим и пользуются. Купят за двадцать баксов, а лохам впаривают за две тысячи «зеленых», и ведь их покупают. А мы честные, людей не обманываем!

— Значит, здесь все вещи новые?

— Конечно, видите бирочки? И потом, мы называемся «Эксклюзивный секонд-хенд», значит, нашими дилерами отобрано самое лучшее! Берете?

Я кивнула, чувствуя себя совершенно счастливой. Вот это удача, нет, не зря мне казалось, что день пройдет отлично!

Дома я мигом нацепила курточку и принялась вертеться перед зеркалом. Да, это то, что надо, как раз по погоде. В шубе еще жарко, а в кожаном полупальто уже холодно. И как сидит! Тут четыре кармана! И подкладка отстегивается!

Переполненная радостью, я принялась исследовать обновку. Вот что значит настоящая, фирменная вещь! Как все здорово продумано, и очень хорошо, что подстежка прикрепляется при помощи кнопок, потому как «молния» имеет обыкновение заедать.

В ажиотаже я отстегнула слой чего-то толстого и теплого и пришла в еще больший восторг. Значит, курточка многофункциональна, летом ее можно использовать как ветровку на тоненькой шелковой подкладочке, вон даже кармашки еще есть, внутренние.

Я нацепила куртку без подстежки и вновь завертелась перед зеркалом. Какая шмотка! Всего за пятьсот рублей! Ни разу в жизни мне еще так не везло. Тут пальцы нащупали что-то прямоугольное, небольшое, довольно твердое. Я похлопала себя по бокам, потом полезла в карман и обнаружила в нем довольно большую дырку.

«Нечто», очевидно, провалилось между верхом и подкладкой. Я попыталась вытащить это, ровно через секунду в моих руках оказалась тоненькая бордовая книжечка. Паспорт! Я машинально открыла его. Кузовкина Анна Филипповна. С фотографии смотрела круглощекая девица с испуганными глазами. Волосы ее, похоже русые, торчали дыбом. Родилась Анна Филипповна в 80-м году и имела постоянную московскую прописку. Я слегка удивилась: ей всего ничего лет, а выглядит как матрона. И как, скажите на милость, паспорт попал в мою куртку? Напрашивалось только одно объяснение: Анна Филипповна, очевидно, до меня мерила эту вещь и не купила ее. Зачем она положила в карман паспорт? А фиг ее знает! Документ провалился за подкладку да так и остался там. Пока на куртке была пристегнута толстая подстежка, паспорт не прощупывался, но я отстегнула утепление и сквозь тоненький шелк мигом его обнаружила.

И как поступить? Отнести паспорт в секонд-хенд? Я тяжело вздохнула и стала пристегивать подкладку. Один раз я потеряла паспорт и помню, какую кучу неприятностей получила потом. Делать нечего, придется ехать к этой Маше-растеряше, хорошо хоть она живет не так далеко, возле метро «Динамо». Надеюсь, кто-нибудь окажется дома. Впрочем, если никого не будет, тоже не беда, опущу паспорт в почтовый ящик, а заодно и обновлю курточку.

До нужной станции метро я добралась без всяких приключений, тут же вскочила в подошедшее маршрутное такси и вскоре стояла перед мрачным, серым домом, построенным в середине пятидесятых годов двадцатого века.

Подъезд оказался огромным, а лифт допотопным. Кабина скользила внутри шахты, ограждённой сеткой. Двери следовало открывать и закрывать самой. Я побоялась пользоваться этим чудом техники и пошла на пятый этаж пешком.

Дверь в нужную мне квартиру выглядела обшарпанной — простая деревянная створка без всякой обивки. «Глазок» тоже отсутствовал.

Я стояла на половичке, слушая, как внутри помещения звенит звонок. Что ж, понятно, никого нет. На часах ровно три, в это время люди, как правило, либо на работе, либо на учёбе. Ладно, пойду положу документ в почтовый ящик.

Но не успела я сделать шага, как щёлкнул замок, и на пороге появилась довольно полная женщина. Секунду она, растерянно моргая, смотрела на меня, потом вытянула вперёд руки и, воскликнув: «Ах!», — потеряла сознание и упала навзничь.

Я перепугалась и кинулась к ней. Поднять её многокилограммовую тушу было практически невозможно. Я бросилась к соседней двери и принялась жать на звонок.

— Кто там такой нетерпеливый? — раздался голос, и на лестницу вышла девушка лет двадцати пяти.

Увидав меня, она сначала вскрикнула, отшатнулась, но потом, перекрестившись, спросила:

— Вы кто?

— Виола. Помогите мне, пожалуйста.

— Что случилось? — тихо спросила девушка.

— Пришла к вашей соседке, а та открыла мне дверь и упала в обморок.

Девица выскользнула на лестничную клетку и вбежала в квартиру Кузовкиной.

— Елена Тимофеевна! Вам плохо?

— М-мм, — застонала женщина, пытаясь сесть. — Анечка, там Анечка... Кто здесь? Кто?

— Это я, Лиза, — ответила девушка, — не узнали меня?

— Лизочка! — пробормотала Елена Тимофеевна. — Там Анечка! Господи, вернулась!

Лиза посмотрела на меня, потом тихо сказала:

— Сними куртку, брось ее ко мне в прихожую и помоги поднять Елену Тимофеевну.

Я не поняла, зачем, для того чтобы помочь встать упавшей тетке, нужно снять верхнюю одежду, но не стала спорить. Кое-как мы с Лизой проволокли тяжеленную даму по коридору до спальни и взгромоздили ее на кровать.

— Анечка, — шептала Елена Тимофеевна, — Анечка, Поля спит в своей комнате.

— Вы только не нервничайте, — ответила Лиза, — я сейчас ваши капли принесу.

Через полчаса Елена Тимофеевна заснула. Лиза накрыла ее еще одним одеялом и прошептала:

— Пошли на кухню.

Сев возле небольшого стола, покрытого клеенкой в бело-красную клетку, я спросила:

— Часто с ней такое приключается?

Лиза выключила чайник.

— На фоне стресса бывает, у Елены Тимофеевны больное сердце, ей нельзя пугаться.

— Но я никого не пугала! Просто позвонила в дверь, а она открыла, вскрикнула и упала!

Лиза порылась в небольшом ящичке, висевшем над холодильником.

— Чай будешь?

— Спасибо, с удовольствием.

Пододвинув мне чашку с кирпично-красным напитком, Лиза тихо произнесла:

— Елена Тимофеевна приняла тебя за свою дочку, Аню. Вы на первый взгляд дико похожи, да еще куртки совершенно одинаковые, я тоже сначала обозналась и перепугалась, но потом скумекала, что ты не Анька.

— Отчего же так нервничать, если видишь родную дочь? — изумилась я.

Лиза насыпала в чашку сахар и принялась методично болтать ложкой.

— Аня пропала, — наконец сказала она, — год тому назад, в конце ноября. Ушла из дома и не вернулась, Елена Тимофеевна все глаза выплакала.

— Как пропала? — ахнула я. — Совсем?

Лиза угрюмо кивнула.

— Да. Надела куртку, сказала, что идет на почту, перевод получить, ничего с собой не взяла, ни ключи, ни деньги, на минутку уходила, и все. Год прошел.

— И ее искали?

— Искали, — грустно ответила девушка, — а толку? Ты, вообще, кто? Ученица Елены Тимофеевны?

— Спасибо за комплимент, но я давно уже миновала школьный возраст, — улыбнулась я.

Лиза пожала плечами.

— У Елены Тимофеевны полно взрослых, английский сейчас многие зубрят.

— Она преподаватель иностранного языка?

— Да, очень хороший специалист.

— Нет, я не нуждаюсь в репетиторе.

— Тогда зачем пришла?

Последний вопрос прозвучал довольно грубо, но я не стала обижаться, просто достала паспорт и протянула Лизе. Та раскрыла документ и выронила его на стол.

— Господи, ты знаешь, где Аня? — накинулась она на меня. — Немедленно говори! Ты кто? Выкуп хочешь, да? Елена Тимофеевна все отдаст, только скажи правду про Аню, пусть даже самую страшную, все лучше, чем неизвестность!

— Я ничего не знаю!

— Только не ври! — стукнула кулаком по столу Лиза.

— Ты не злись, послушай лучше. Сегодня я купила куртку...

Глава 2

Выслушав мой рассказ, Лиза покачала головой.

— Вот оно как! Значит, Аню убили! Честно говоря, я так и думала.

— Почему? — пробормотала я. — Может, она просто ушла к любовнику, ну надоело ей с мамой жить, такое тоже вероятно!

Лиза покачала головой.

— Только не с Аней!

— С каждым может случиться!

Лиза вытащила из кармана пачку «Вог».

— Аня не такая!

— У нас во дворе, — ответила я, — жила Рая Лапшина, очень тихая девочка. Так вот, она тоже пропала, родители все глаза выплакали. И что? Через десять лет нашлась, во Владивостоке! Просто удрала от папеньки с маменькой!

Лиза ткнула недокуренную сигарету в блюдечко.

— Елена Тимофеевна зануда, характер у нее тяжелый, теоретически Аня могла от нее убежать, хотя куда и с кем? И потом, у Аньки дочка есть. Полечка, ей четыре годика. Вот Полю Аня ни за что бы не бросила, она девочку просто обожала.

— Аня была замужем?

— Нет, родила так, от Вани Краснова, он тут же жил, только на первом этаже, теперь в его квартире Самсоновы поселились.

— Этот Ваня тоже уехал?

Лиза молча кивнула.

— Может, они вместе удрали? — улыбнулась я. — Решили начать жизнь сначала?

Лиза вновь стала чиркать зажигалкой.

— Нет, — выговорила она наконец.

— Но вы же сами только что сказали: любовник уехал и Аня исчезла, напрашивается естественный вывод...

— Они хотели пожениться, — перебила меня Лиза, — только Ваню в армию призвали, а Анька уже после его отправки узнала, что беременна. Ну и давай ему писать, дескать, что делать-то? Ванька ответ прислал: рожай, разве это семья, без детей? Вернусь, и в загс пойдем. Вот Аня и решила не делать аборт. Елена Тимофеевна ее два месяца уговаривала, все зудела: «Обманет он тебя, не женится, останешься одна с ребенком, одумайся, не ломай себе жизнь!»

— Выходит, мать была права, — прервала я Лизу, — Ваня ведь не повел Аню в загс!

Лиза помолчала, потом продолжила:

— Нет, Ваню убили, в Чечню он попал. Анька Полю родила и сказала, что всю свою жизнь девочке посвятит, а потом пропала. Осталась Елена

Тимофеевна с малышкой одна. Все надеется — придет Анька, только сейчас стало понятно: зря! Убили Аню.

— Я бы все же не стала делать столь категоричный вывод, случается, что человек теряет память, оказывается в больнице или интернате для слабоумных. Всегда нужно надеяться.

— Замечательный совет, — фыркнула Лиза, — но мне кажется, что лучше очутиться в могиле, чем стать идиоткой. Только Ани уже нет!

— Ну откуда такая уверенность?

— Ты где куртку взяла? — вопросом на вопрос ответила Лиза.

Я решила, что она хочет переменить тему разговора.

— В магазине.

— В каком?

— Тебе понравилась курточка? Там больше таких нет, одна висела.

— Что за лавка?

Мне страшно не хотелось признаваться, что я приобрела вещь в секонд-хенде, но Лиза была очень настойчива, пришлось выдавить из себя:

— Ну... в комиссионном... таком, совершенно замечательном... Там только новые вещи висят, за копейки, с бирками. Зачем лишнее тратить, когда можно дешево купить? Ну какой смысл переплачивать...

— Это куртка Ани, — перебила меня Лиза.

Я замахала руками.

— Что ты! Новая вещь, с биркой!

— Откуда же паспорт взялся? Как он за подкладку угодил?

— Ну... завалился.

— Это понятно. А в карман каким образом попал?

— Не знаю, — вздохнула я.

— Анька побежала на почту, — тихо сказала Лиза, — хотела получить денежный перевод, ей отец Вани иногда присылал немного деньжат для Поли. Андрей Иванович в Тамбове живет, он с Ваниной матерью давно развелся, но сына не бросал, а когда Ваня погиб, стал Ане помогать, немного, правда, давал, только Анька любой копейке радовалась. Значит, она взяла паспорт, без него на почте ничего не дадут, и ушла. Это куртка Ани. Ее убили, а одежду в магазин сдали.

— Невероятно! — подскочила я. — Там же ценник висел!

— Экая сложность, — нахмурилась Лиза, — я тебе на ксероксе кучу таких сделаю!

— Но продавец меня уверял, что вещь новая!

— Врал.

— Ну-ка принеси сюда куртку, — велела я.

Лиза легко встала и неслышно выскользнула в коридор. Спустя пару минут она вернулась с моей обновкой.

— Ты посмотри внимательно, — сказала я, — куртка совершенно новая, неношеная.

— Так Аня ее за два дня до смерти принесла, — пробормотала Лиза, разглядывая рукава.

— Интересно, однако, — протянула я, — странно получается...

— Что? — спросила Лиза, включая настольную лампу.

— Ты говорила, будто Аня нуждалась в деньгах...

— Конечно, сама рассуди: ребенок маленький, растет быстро, вещи прямо горят, один раз надела — мало. Елена Тимофеевна содержала и дочку, и внучку. Полечку она одевала, обувала, а

Аньке денег не давала, воспитывала ее таким образом. Дескать, не послушалась меня, родила девочку, теперь сама о себе и заботься. Она Аньку куском хлеба попрекала. Купит детского питания, откроет банку, кормит Полю и приговаривает:

— Ох беда! Сорок рублей сто граммов, а девочке двести пятьдесят давать надо. Да, пока ее на ноги поставишь и до ума доведешь, много времени пройдет! Ой, беда, беда. Как девочку растить?! Вроде и не говорила ничего плохого, только Аня начинала плакать и убегала.

Я тяжело вздохнула. Встречаются такие люди. Есть у меня одна знакомая, Нина Степановна, большой мастер по части подобных проделок. Свою дочь Катю, мою хорошую подругу, она доводит почти до больницы самым простым образом. Нина Степановна — пенсионерка преклонных лет, поэтому день-деньской сидит дома. Несмотря на почтенный возраст, она чувствует себя отлично, но от скуки начинает выдумывать всякие болячки. Стоит только Катюхе, еле живой после тяжелого рабочего дня, появиться на пороге, как любящая мамочка накидывается на нее с одной и той же жалобой:

— Ах, мне плохо, я скоро умру.

По-моему, на такое провокационное заявление следует совершенно спокойно ответить:

— Хорошо, я не против, куплю тебе красивый гроб, чтобы перед людьми стыдно не было.

Старух-эгоисток, вызывающих родственников на скандалы, очень ошарашивает, когда вы с ними соглашаетесь. Ведь чего ждет Нина Степановна? Да того, что Катька станет причитать:

«Ой, мама, перестань! Ты еще проживешь сто лет!»

«Нет, — завоет маменька, услыхав кодовую фразу, — все, воды, валокордина, мне конец!»

Катька начинает метаться по комнатам, успокаивать капризницу. При этом учтите, что у Катюхи за плечами четыре тяжелые операции, а у Нины Степановны — в ее восемьдесят пять лет — железное здоровье. В результате Катя с трясущимися руками подает бедной мамочке ужин, а та, стеная о больных внутренностях с раковой опухолью, ловко поглощает бутерброды с икрой, красной рыбой и копченой колбасой. Подходящая диета для больной с опухолью желудка, не правда ли?

Если у вас дома проживает подобная штучка, шантажирующая семью возрастом и состоянием здоровья, советую спокойно отвечать на все стенания:

— Умирать собралась? Заверяю тебя, поминки справлю на высшем уровне, стол порадует твоих подружек.

И упаси вас бог выйти из себя. Старуха-вампир только этого и ждет. Вы начнете орать, топать ногами, а она, сладко улыбаясь, примется бормотать:

«Ах-ах, не следует так нервничать, детка! Ах-ах, я так люблю тебя! Ах-ах, все только тебе!»

Что же получится в результате? Вы свалитесь в кровать с головной болью, а бабуся, бодрая и веселая, отправится смотреть телик. Она достигла своей цели, довела вас до скандала, получила эмоциональный заряд. Поэтому никогда не спорьте с подобными старухами, разговаривайте с ними только подчеркнуто вежливо и всегда соглашайтесь, например, так:

— Я сейчас умру!

— Да, мама.

— Ты бессердечна!!

— Конечно, мама.

— За что ты так меня не любишь!!!

— Ты права, мама.

— Я вырастила чудовище!

— Абсолютно верно.

На этой стадии диалог, как правило, выдыхается и «умирающая» кидается к пирожным. Не получив вашей энергии, она хочет добыть ее из пищи — как правило, старухи-вампиры обожают сладкое. Кое-кто из них любит бродить по улицам и цепляться к прохожим.

Если в магазине вам в спину упирается острый кулачок и раздается гневный голос: «Встала тут, корова, людям не пройти», — не следует мигом кидаться в атаку со словами: «Сама такая». Нет, надо просто улыбнуться и ответить: «Вам к прилавку? Проходите, дорогая!»

Помните, что скандал для такого человека — привычная среда обитания, он им питается, а вот милая улыбка полностью выбьет у него почву из-под ног...

— Непонятно получается, — повторила я, — ты говоришь, будто Аня нуждалась... Значит, она не имела денег на приличную одежду... Откуда же тогда появилась хорошая куртка? Мне она, конечно, досталась дешево, но, наверное, для твоей подружки пятьсот рублей большая сумма. Может, все-таки у нее имелся любовник? С ним она и удрала!

— Да нет, — отмахнулась Лиза, — Анька пристроилась к одной тетке, с собаками гулять! В соседнем подъезде она живет, в сотой квартире,

Лиана Варкесовна. Богатая семья, три пса у них здоровенных! Просто лошади, а не собачки, уж не знаю, какой породы! Два раза в день Анька с ними во дворе шаталась: в восемь утра и в восемь вечера, по часу выгуливала, а Лиана Варкесовна ей платила. Так вот, куртка ее дочери принадлежала! Зите!

— Кому?

— Девочку так зовут, Зита, имя дурацкое, но ей подходит, очень уж она противная! Капризная такая, вечно со всеми ругается, права качает... Просто персонаж из анекдота! Знаешь, почему такую замечательную, совершенно новую куртку Ане отдали?

— Нет.

— Смотри, — велела Лиза и показала мне крохотное, еле заметное пятнышко на левом рукаве со стороны подкладки. — Видишь?

— Да, испачкано чуть-чуть, но ведь совсем не заметно! Я бы ни за что не увидела! Как только ты углядела!

— Так я знала, где искать, — вздохнула Лиза. — За день до исчезновения Анька прибежала ко мне в этой куртке, давай прыгать от радости и кричать: «Смотри, что мне перепало! Да такая вещь стоит тысячу долларов!»

Лиза очень удивилась. Куртка и впрямь была великолепная.

— Где взяла? — полюбопытствовала она.

Аня объяснила. Лиана Варкесовна купила Зите куртку. Избалованная девчонка сначала ныла, что с ней не посоветовались и приобрели дрянь. Но мать все же уговорила дитятко примерить обновку. Зита влезла в курточку и подняла скандал:

— Отвратительная шмотка! Да такими только на Черкизовском рынке торгуют!

Лиана Варкесовна обозлилась и сухо сказала:

— Другой не будет.

Зита притихла и ушла к себе, но через полчаса она вновь возникла перед матерью и категорично заявила:

— Не надену ее! Она испорчена!

— Чем же? — спросила Лиана Варкесовна.

— Вот, лаком для ногтей измазана!

— Где? — удивилась мать. — Кто ее измазал?

— Я, — нагло улыбаясь, ответила Зита, — стала снимать эту гадость и ноготь смазала, теперь из-за тебя, мама, на занятия опоздаю!

Лиана Варкесовна оторопела и спросила:

— При чем тут я?

— А при том, — презрительно сморщила нос Зита, — ты меня заставила эту мерзость мерить, а я только маникюр сделала, и теперь ноготь на указательном пальце выглядит отвратительно! Придется перекрашивать, из-за этого я опоздаю на занятия. Куртку не надену, она испорчена!

Лиана Варкесовна сначала растерялась, но потом, очевидно, решила, что наглость должна быть наказана. Аня, ставшая невольной свидетельницей ссоры, стараясь казаться незаметной, аккуратно вытирала собакам лапы после прогулки. Лиана Варкесовна выхватила у дочери из рук курточку и протянула ее Ане.

— На!

— Зачем? — не поняла та.

— Тебе не нравится куртка?

— Замечательный прикид! — с жаром воскликнула Аня.

— Забирай себе!

— Ой, что вы... она такая дорогая...

— Мама, — заорала Зита, — зачем побирушке такая куртка, ну-ка, верни ее мне!

— Ты от нее отказалась, — усмехнулась Лиана Варкесовна, — значит, станешь прошлогоднюю донашивать.

— Верни, — затопала ногами Зита, — немедленно! Хочу эту куртку!!!

Пока капризная девица орала в истерике, Лиана Варкесовна повернулась к Ане:

— Берешь? Если нет, то я ее сейчас в окно вышвырну, Зите все равно не достанется, она совсем охамела!

Анечка схватила подарок и была такова.

— Пятнышко крохотное, — тихо объяснила Лиза, — абсолютно незаметное, но оно есть, следовательно, куртка Анина. У Аньки вещей мало, никогда бы она куртку не бросила, опять же паспорт... Как без него жить?

— Чей паспорт? — раздалось за спиной.

Я обернулась, в кухню, зябко кутаясь в пуховый платок, входила Елена Тимофеевна. Лиза растерянно замолчала, я же мгновенно схватила бордовую книжечку и попыталась сунуть ее в сумочку, но женщина неожиданно оказалась проворней. Она ловко выдернула из моих пальцев паспорт, раскрыла его и вскрикнула:

— Анин! Немедленно все рассказывайте!

— Может, не стоит? — пробормотала я.

Елена Тимофеевна схватила меня за плечо ледяными руками, и я невольно вздрогнула.

— Говори, — прошептала она, — ну, живо!

Пришлось повторить рассказ. Когда фонтан сведений иссяк, несчастная мать просидела несколько минут молча, потом решительно заявила:

— Нет, не верю! Анечка жива, просто куртку кто-то украл и продал.

— Да-да, — поспешила согласиться я, — именно так и было!

— Аня скоро вернется!

— Всенепременно!

— Может, вам прилечь? — вклинилась в наш разговор Лиза.

Елена Тимофеевна покачала головой, потом решительно сказала мне:

— Я много зарабатываю, кое-что отложила, хочу поехать с Полей к морю. Если ты узнаешь, каким образом курточка оказалась в магазине, хорошо заплачу. Может, Аню где-то прячут! Держат на цепи в подвале!

Я с сомнением посмотрела на курточку. Вещь белоснежная, никаких следов, кроме крохотного мазка лака, на ней нет, в версию с подвалом и цепью верилось с трудом.

— Так как, узнаешь? — настаивала Елена Тимофеевна. — Я отлично тебя вознагражу.

— Спасибо, мне не нужны деньги.

Елена Тимофеевна вновь вцепилась в мое плечо.

— Сама бы побежала, да не могу! Во-первых, девочка приболела, в садик не ходит, дома сидит, а во-вторых, ученики потоком идут, мне уроки не отменить.

Очевидно, на моем лице отразились какие-то колебания, потому что Елена Тимофеевна применила иную тактику. Большие карие глаза ее наполнились слезами.

— Помоги мне, — прошептала она, — я измучилась вся. Если скажут, что с трупа курточку сняли, поплачу и успокоюсь. Сил больше нет никаких!

Да уж, лучше ужасный конец, чем ужас без конца.

— Ладно, — кивнула я, — сейчас вернусь в секонд-хенд и попробую разведать что к чему!

Елена Тимофеевна бурно зарыдала, Лиза кинулась к холодильнику за лекарством. Женщина выпила микстуру и прошептала:

— Спасибо, у тебя лицо доброго и хорошего человека. Спасибо. Естественно, я отблагодарю тебя по-царски.

Елена Тимофеевна явно решила, что я собираюсь помочь ей из корыстных побуждений. Конечно, лишние деньги никогда еще никому не мешали, но я вовсе не из-за финансового интереса полезу в эту историю. С одной стороны, мне жаль женщину. Оказаться в ситуации, когда ничего не известно о дочери, — ужасно. Но есть еще одно обстоятельство: я стихийно превратилась в писательницу, создающую криминальные романы. Любовь к детективам сидит во мне с юности, с тех самых пор, когда отец Томочки привез из-за границы чемодан с яркими томиками. Как я вдруг из репетиторши превратилась в литератора, рассказывать тут не стану[1]. Скажу лишь, что писать книги намного интересней, чем читать. Одна беда! Я совершенно не понимаю, откуда писатели берут сюжеты для своих повестей и романов. У меня начисто отсутствует фантазия. Зато, если требуется описать произошедшие события... О, тут мне нет равных. Редактор Олеся Константиновна постоянно хвалит Арину Виолову, это мой псевдоним, за яркий стиль и запоминающиеся образы. Правда, начав за здравие, она обычно заканчивает за упокой:

---

[1] См. книгу Дарьи Донцовой «Чудеса в кастрюльке».

— Виола Ленинидовна, вы, безусловно, талантливы, но писать следует чаще! Работайте упорней, вот Смолякова молодец, что ни месяц — то рукопись! А вы! Еле-еле, с остановочками, так и читателей потерять можно! Ну-ка, принимайтесь за работу!

Я, как правило, киваю головой, улыбаюсь и клятвенно обещаю, что через пару недель принесу готовую рукопись. Но выхожу на улицу, и улыбка мигом стекает с лица. Эта Смолякова просто пионер, любимец старших! Где она берет материал для книг, где?

Теперь понимаете, чем меня привлекла ситуация с курткой? Из этой истории может получиться книга. А не далее как вчера Олеся Константиновна мне сурово заявила:

— Наше издательство предпочитает пишущих авторов!

Эти слова прозвучали как последнее предупреждение, и я испугалась, а потом приуныла. И вот сегодня судьба посылает мне настоящий подарок. Дело за малым, узнать, что стало с Аней.

Я выскочила во двор, накинула на голову капюшон и быстрым шагом направилась к автобусной остановке.

Глава 3

Продавец скучал в одиночестве. Увидав меня, он несказанно обрадовался.

— Еще разок заглянуть решили? Правильно. У нас есть джинсы клевые, хотите?

— Нет, спасибо, — мягко остановила я его.

Но юноша просто фонтанировал энтузиазмом:

— Тогда свитерок, а? Розовый, вам пойдет.

— Успокойся, — сурово сказала я, — покупать я ничего не буду, за другим пришла, ответька, дружок, где вы вещи берете для продажи?

Мальчишка принялся самозабвенно врать. Якобы у него есть хороший приятель, бывший одноклассник Павел Рихт. Павлик из немцев, его родители, как только представилась возможность, слиняли на историческую родину. В Германии Павлик превратился в Пауля, но больше никаких изменений с ним не произошло. Он как дружил с Аликом — так звали продавца, — так и дружит до сих пор.

Алик после десятилетки в институт не поступил, не добрал баллов, пришлось ему искать работу, хорошо хоть родители подсуетились и сделали ему белый билет, иначе бы стоял он сейчас с ружьем около какого-нибудь сарая.

— Ты очень-то в подробности не вдавайся, — рассердилась я, — всю свою жизнь мне не выкладывай, только про одежду расскажи.

— Ага, — кивнул Алик и снова затарахтел.

Думал он, значит, думал, чем заняться, а тут Павлуха, то есть Пауль, звонит и предлагает наладить совместный бизнес. Немцы — люди капризные, избалованные, давно живут в товарном изобилии, и если у магазинов одежды остались не распроданные в сезон вещи, то избавиться от них практически невозможно. На следующий год никто не купит залежавшийся товар. Поэтому многие универмаги с радостью...

— Эту версию я уже слышала, — прервала я Алика, — ты мне, дружочек, правду расскажи.

— Какую? — удивился парень.

— Правда бывает одна, — ласково улыбнулась я, — правдивая, остальное — ложь!

— Чего-то не пойму я вас! — промямлил Алик. — Шмотки Павлуха присылает, а я тут вот торговлю налаживаю, надеюсь, пойдет... Вы же курточку купили?

— Купила.

— Понравилась?

— Чрезвычайно.

— В чем проблема тогда?

— Извини, дружочек, ты врун.

— Я? — подпрыгнул Алик. — Да вы че? В чем обманул-то? Пообещал скидку и дал ее, даже больше, целых пятьдесят процентов сбросил...

— Не о деньгах речь, — продолжала я сладко улыбаться, — вещь не новая, смотри сюда!

Алик уставился на рукав.

— Видишь пятнышко?

— Ну.

— Откуда бы ему взяться на новой куртке?

Юноша потер рукой затылок.

— Скажете тоже! Откуда, откуда... Ерунда сущая, вы куртку в микроскоп разглядывали? Новехонькая она, с бирочкой была. Небось на фабрике испачкали.

— Нет, миленький. Хочешь, объясню, откуда отметина?

— Валяйте, — буркнул Алик.

— Куртку эту надевала женщина, которая только что сделала маникюр, — спокойно заявила я, — мазнула по ногтям, лак и «осел» на рукаве.

— Глупости! — покраснел Алик. — Впрочем, может, на фабрике какая баба когти полировала, чего не случается!

— Твоя версия могла бы показаться интересной, — кивнула я, — кабы не одна деталь. Вот.

Мальчишка уперся глазами в паспорт.

— Это что?

Во время моего краткого рассказа он то краснел, то бледнел, потом воскликнул:

— Вот пакость! Так и знал, что неприятности наживу. У меня тут все новое, ей-богу, кроме этой курточки. Честное слово, шмотки Павлуха привез.

— Куртка откуда?

Алик тяжело вздохнул.

— Галка дала, попросила продать.

— Это кто же такая?

— Соседка наша по квартире, — парень принялся многословно объяснять ситуацию, — ведь не откажешь ей, вместе живем! Лучше дружить.

Я молча слушала Алика. Если отбросить в сторону все причитания и бесконечные, ненужные подробности, суть сводилась к следующему. Галя принесла Алику куртку и попросила продать. Это все. Где девушка взяла шмотку, Алик понятия не имел. Курточка выглядела как новая, вот он и решил удружить соседке. Взял одну бирочку, пропустил через цветной ксерокс, привесил на куртенку и вынес ее в зал. Надо же было так случиться, что именно эту вещь и приобрела самая первая посетительница «Эксклюзивного секонд-хенда», то есть я.

— Только жаловаться никому не ходите, — тарахтел Алик, — на меня мигом всякие инстанции наедут.

Продолжая болтать, он открыл кассу, вынул пятьсот рублей и протянул мне.

— Возьмите, снимайте куртку.

— Нет, она меня вполне устраивает, скажи адрес Гали.

— Перово...

— Где?!

— Перово, мы там живем.

— А магазин ты открыл совсем в другом конце города!

— Так искал помещение подешевле, — вновь пустился в объяснения Алик, — а вы чего, с Галкой потолковать хотите?

— Да, говори название улицы.

— Она здесь рядом работает, — выпалил Алик, — знаете за углом магазин «Свет»?

— Конечно.

— Галка там служит продавцом.

— Как ее фамилия?

— Шубина.

Я вышла на улицу, перешла через дорогу и вошла в магазин «Свет». Покупателей тут было мало. Щупленькая старушка выбирала электролампочки, а по просторному залу, задрав головы вверх, бродила, взявшись за руки, парочка. Очевидно, молодожены, обставлявшие квартиру. Продавщицы с самыми скучными лицами маячили за прилавками.

— Где можно найти Галю? — спросила я у одной из девиц, с волосами, выкрашенными в невероятный, нежно-зеленый цвет.

Хлопнув густо намазанными ресницами, девушка лениво поинтересовалась:

— Какую?

— Шубину.

— Зачем она вам?

— По личному вопросу.

Зеленоволосое создание медленно подняло руку и ткнуло пальцем с безобразным ногтем в кнопку.

— Да, — захрюкал стоящий перед ней динамик.

— Слышь, Таньк, — зевнув, спросила продавщица, — где Галька?

— В стиралках, — прохрипело из прибора.

— Пусть подымется, пришли к ней.

— Хр-хр, — донеслось из динамика.

— Ща появится, — обнадежила меня девица и зевнула.

Я принялась ходить по залу, разглядывая витрины. Наконец из двери, ведущей в служебное помещение, появилась фигура и басом крикнула:

— Кто меня искал?

Я слегка испугалась. Галочка выглядела просто устрашающе. Росту в ней было метра два, не меньше, а объему мог позавидовать профессиональный борец сумо. Огромные колонноподобные ноги росли из необъятной филейной части размером с корыто. У моей мачехи Раисы, в деревне Попугаиха, висел на стене сарая такой серебристо-серый ушат, к нему еще прилагалась ребристая доска. Меня привозили в Попугаиху на все лето, Раиса сдавала меня своей матери и уезжала. По четвергам бабка снимала корыто и засовывала туда мои перемазанные землей одежки.

— Эх, грехи наши тяжкие, — бормотала старуха, орудуя куском хозяйственного мыла, — ну-ка, Вилка, вздуй примус, не на газе же белье кипятить, баллон-то дорогой. Эй, куды побегла! Глянь-ка, как с грязным управляться надо!

Но я, не слушая бабку, удирала огородами к подружкам. Старуху я недолюбливала и старательно уворачивалась, когда та пыталась поцеловать меня на ночь. Потом, спустя много лет, я поняла, что старуха была на самом деле замечательной женщиной, по-крестьянски рассудительной и безмерно доброй. Я-то не являлась ее родной внучкой, Раиса, ее дочь, приходилась мне мачехой, но бабка безропотно забирала меня к себе на все лето и даже, если была в хорошем настроении, целовала падчерицу дочери перед сном. Правда, она любила выпить и частенько прикладывалась к бутылке, оправдывая свое поведение весьма незатейливо.

— Праздник севодни, — бормотала бабка, вытаскивая из погребушки «четверть» с мутноватой жидкостью, — грех не отметить.

Накушавшись самогонки, бабуська начинала сначала петь, затем плакать, потом быстро засыпала, прямо там, где сидела. Наутро мне сильно доставалось от нее. Выдернув возле забора крапиву, старуха охаживала меня по ногам, приговаривая:

— Ишь, лентяйка! Баба заболела, спать легла, так помоги! Курей загони, корову подой, ан нет! Эх, девка, не вырастет из тебя толковая хозяйка!

Я стоически сносила наказание. Обижаться на старуху было невозможно, по деревенским меркам девочка в шесть лет уже большая, помощница в доме, мои одногодки готовили обед, пока родители ломались в поле за трудодни...

— Так кому я понадобилась? — прогудела Галя.

Я вынырнула из некстати нахлынувших воспоминаний и ответила:

— Мне.

— И чего вы хотите?

— Вот, видите на мне курточку?

— Ну?

— Ваш сосед по квартире, Алик...

— Знаю Алика, — кивнула Галя.

— ...продал мне ее, — закончила я, — недорого взял, вещь хорошая, качественная...

— А я тут при чем? — нахмурилась она.

— Так Алик сказал — ваша курточка, вроде попросили его ее продать?

— А че? Нельзя? — потемнело лицо продавщицы.

— Конечно, можно, — натужно улыбалась я, — только вот незадача...

— Тьфу, пропасть! — в сердцах воскликнула Галя. — Да говори толком, в чем дело! Не тяни!

— Ваша куртка?

— Что я, по-твоему, чужую вещь продавать стану?

Я вздохнула, с Галей очень тяжело беседовать. Она держит глухую оборону и моментально начинает стрелять из всех орудий, услыхав любой вопрос. Наверное, у нее очень тяжелая жизнь, раз она везде видит подвох.

— Курточка замечательная, очень удобная, но вот как ее стирать?

Галя замерла с открытым ртом, потом спросила совершенно нормальным голосом:

— Как стирать?

— Ну да, — затараторила я, — вещь не новая, у меня на обновки денег не хватает, вы ее до меня носили, уж расскажите, пожалуйста, стирать при какой температуре? Можно ли в машине? Она белая, маркая...

Продавщица неожиданно усмехнулась:

— Я ее не носила.

— Да? Почему же? Отличная шмотка.

— Ты на меня глянь, — засмеялась Галина, — эта куртенка только на мой кулак налезет...

— Но она ведь ваша?

— Иди сюда, — поманила меня пальцем Галина.

Мы прошли в служебное помещение, она плюхнулась на жалобно застонавший под ее весом диван.

— Девки тут противные, — покачала головой продавщица, — уши развесят, подслушают, о чем говорят, а потом давай языками молоть! Куртку мне Генка припер, сволочь!

— Муж ваш?

— Нет, мы не расписаны были, пьяница он подзаборная. Ничего хорошего от него я не видела, одни колотушки.

Я с сомнением покосилась на Галю, интересно, какого размера должен быть мужчина, бьющий такую женщину?

— Только водку трескал, — с возмущением продолжала она, — это он может! За всю совместную жизнь один лишь подарок принес, куртку! Прямо чистое издевательство, зачем мне такая крохотная! Взяла ее, сунула в шкаф и забыла. А тут как-то полезла в шифоньер и наткнулась на нее. Чего, думаю, висит? Надо ее куда-нибудь деть, ну и отдала Алику, хоть сколько выручу, уже хорошо.

— Вот беда, — заохала я, — а где ваш Гена куртку взял?

— Уж не в магазине купил, спер скорее всего, — фыркнула Галя.

— Не подскажете, где его найти можно?

— Генку?

— Ну да.

— Шут его знает, мы уже полгода не виделись, я только рада, — заявила Галя, — лучше совсем без мужика, чем с таким уродом.

— А адрес его помните?

— Не знаю, он у меня жил. Телефон могу дать, рабочий.

— Вот спасибо, — обрадовалась я.

Галя открыла шкафчик, вытащила огромную черную сумку, порылась в ней, выудила записную книжечку, помусолила растрепанные странички и сказала:

— Ага, пиши. Фамилия ему Крысин, очень она ему подходит, крыса он и есть.

Сунув бумажку с номером в карман, я пошла домой. Скорей всего Анны Кузовкиной давно нет в живых, надеюсь, этот Крысин прольет свет на историю.

Возле нашего подъезда стоял роскошный джип. Блестящие, полированные бока машины говорили о том, что ее только что пригнали с мойки. Во дворе ни у кого нет подобного автомобиля, самый дорогой, по названию «РАФ-4», имеет Ольга Костюкова из сорок девятой квартиры, остальные жильцы рулят на подержанных иномарках и «Жигулях». Я обогнула капот и услышала:

— Вилка!

За рулем дорогого внедорожника сидел мой муж, Олег Куприн. Сказать, что я удивилась, это не сказать ничего.

— Что ты тут делаешь? — вырвалось у меня.

— Вот, — развел руками мой майор, — помочь попросили.

— Кто?

Олег разинул было рот, но тут из недр джипа выбрался дядька, больше всего похожий на главного героя анекдотов про «новых русских». Круглая голова была обрита, вместо волос над кожей топорщилась маленькая щетинка. Несмотря на пронизывающий ветер, он был без пальто. Его крепкий, если не сказать толстый, торс обтягивала нежно-голубая футболочка, на шее болталась золотая цепь. У бабки в Попугаихе был пес Дик, живший в конуре, вот он большую часть своей жизни просидел на цепи такого размера, только, естественно, не золотой.

— Ты Виола? — густым басом спросило чудище.

Я кивнула и попятилась.

— Ну давай знакомиться, — прогудел «браток» и протянул мне пухлую ладонь, украшенную толстыми, сарделеобразными пальцами. На указательном и безымянном сверкали перстни.

— Вован, — сообщил он.

Я отступила на шаг.

— Кто?

— Вован, — повторил толстяк и радостно улыбнулся, — вообще-то, Владимир Семенович Кагарлицкий, но для близких друзей просто Вован.

— Э... — забормотала я, — а я Вилка, просто Вилка.

— Владимир, — донесся из кожаного салона дребезжащий старушечий голосок, — доколе мне тут сидеть?

— Сейчас, мама, — ответил Вован и нырнул внутрь джипа.

Я посмотрела на Куприна. Муж сделал вид, что поглощен выуживанием сигареты из пачки. Олегу явно не хотелось вступать в диалог со мной. Но от меня так легко не избавиться!

— Это что? — прошипела я.

Куприн закашлялся и тихо пробормотал:

— Давай не сейчас!

— Почему ты за рулем?

— Потом.

— Нанялся к этому Вовану шофером?

— С ума сошла, — повысил тон супруг.

— Тогда в чем дело?

— Вован помочь попросил, он мой давний приятель, учились вместе.

— Ты в каком классе сидел с этим «братком»?

— Вован мой коллега, — вздохнул Олег.

— Он мент?! Откуда у него такой джип? Небось взятки берет, — не утерпела я.

— Потом объясню, — процедил сквозь зубы Куприн, — «Лексус» принадлежит жене Вована.

— Она что, дочь бухарского эмира? — не успокаивалась я. — Или просто внучатая племянница шейха из Арабских Эмиратов?

— Не пори чушь, — начал злиться Олег, но тут же захлопнул рот, потому что из недр «Лексуса» выбрался Вован, буквально несущий под мышкой маленькую бабенку неопределенного возраста.

— Ужас! — взвизгнула она и ткнула пальцем в наш дом. — Нам придется здесь жить?! Владимир Семенович!!! Это отвратительно! Ах, Лорочка еще ничего не знает!

— Так... вот, — начал запинаться Вован.

Олег вышел из машины и начал успокаивать бабулю:

— Вам понравится, квартира большая, уютная... Комната просторная...

— Вы купили в нашем доме квартиру? — повернулась я к Вовану.

— Ну... нет... вернее...

— Вы всерьез считаете, что я могу приобрести апартаменты в этом месте? — надулась его мать.

— А что плохого? — удивилась я. — Здание расположено недалеко от метро.

— Я не пользуюсь подземкой, — скривилась она.

— Магазины рядом, рынок. Соседи у нас люди приличные.

Она поджала губы. И тут Олег достал из кармана свою связку ключей, подал ее Вовану и предложил:

— Ступайте наверх, пусть Марина Степановна осмотрится.

Когда Вован и недовольно ворчащая тетка ушли, я сказала с укором:

— Зачем ты их к нам отправил? Теперь застрянут до вечера, шли бы сразу к себе!

Олег слегка порозовел и принялся мямлить:

— Так уж вышло, пойми, я не мог не предложить, было бы просто некрасиво...

— Ты о чем? — насторожилась я.

Куприн набрал полную грудь воздуха и сообщил:

— Они у нас поживут!

— Кто? — прозаикалась я.

— Вован и Марина Степановна.

— Зачем? Вернее, почему? Они не москвичи?

— Понимаешь, — забубнил муженек, — дело дурацкое вышло. Жена Вована, Лора, певица, может, слышала когда по радио песню «Он и только он»?

— «Он у моих ног, а я холодна?..»

— Точно! Это Лорка поет. Она вообще-то на учительницу училась, да петь начала.

— При чем тут мы?

— Ну не сердись, — залебезил Олег, — дай объясню!

— Хорошо, — согласилась я, ощущая огромное желание треснуть муженька по затылку.

— Лорка мотается по городам с концертами, — завел Куприн, — у них, у эстрадных артистов, это называется «чес». Деньги она зарабатывает, а Вован при ней. Лорка продала квартиру, где они все жили, и купила новую, в строящемся доме. Апартаменты еще не готовы, здание сдается лишь через месяц. Вот Лора и договорилась с риелторами, что пока семья поживет в проданной квартире. Ее заверили, что никто не тронет Вована и Марину Степановну, поэтому Лора совершенно спокойно укатила на гастроли по Сибири и Дальнему Востоку. Ясно?

— Ну, пока да, — осторожно ответила я.

— Только те, кто купил квартиру, наплевали на все договоренности и въехали в нее! Просто по-хамски поступили! Вован повез Марину Степановну к врачу, возвращаются: вещи перед подъездом свалены, замки в двери новые.

— Что же твой Вован глазами хлопал?

— Так сделать ничего нельзя, — с жаром пояснил Олег, — жилплощадь теми людьми по всем правилам куплена, договоренность об отсрочке их въезда устная... Во дела...

Куприн замолчал. Я постаралась взять себя в руки. Мой муж обладает не столь уж редким среди людей качеством: сначала совершает поступок, а потом думает, следовало ли так поступать в создавшейся ситуации. Сколько раз он приносил домой в день получки жалкие копейки, а на мой удивленный вопрос: «Вам что, теперь платят тысячу в месяц?» — бодро отвечал: «Нет, Вале (Сене, Пете, Мише, Степе...) в долг дал, ему на машину (дачу, отпуск, шубу для жены) не хватает, через неделю вернет».

Сами понимаете, что через семь дней никто ничего не приносил, в лучшем случае долг возвращали спустя полгода, в худшем — деньги исчезали навсегда.

Впрочем, я никогда не ругаю Олега, на жизнь нам хватает, я сама вполне прилично зарабатываю, а домашнее хозяйство мы с Томочкой ведем вместе. Намного больше меня раздражает манера Куприна зазывать в гости всех, кого ни попадя. Наша квартира — просто филиал гостиницы МВД. Большинство ментов из провинции, приезжающие в Москву в командировку, очень хорошо знают: у майора Куприна дома всегда можно остановиться. При этом наивный Олег страшно удивляется, когда «друзья», вернувшись в родной город, напрочь про него забывают. Не далее как месяц назад мой майор, собираясь по служебным делам в Воронеж, стал укладывать в чемодан коробку шоколадных конфет и яркокрасную игрушечную машинку. Я удивилась и спросила:

— Это кому?

— Помнишь, у нас останавливался Федька, такой шумный майор? — спросил Олег. — Я у него теперь поживу, в гостинице-то нас вшестером в номере селят, в Воронеже для милиционеров выстроен не отель, а общага. У Федьки жена и ребенок, так это им подарки.

Когда Олег вернулся домой, я спросила:

— Хорошая квартира у Федора?

— Не знаю, — вздохнул Куприн.

— Ты не у него остановился, — мрачно констатировала я.

— Ага, — кивнул Олег.

— Почему?

— Так ремонт у Федьки, — бодро ответил Куприн, — он сам у тещи живет.

Я тяжело вздохнула. Странная закономерность, однако, — у Феди в Воронеже ремонт, Леня в Ярославле менял окна, Иван из Питера перестилал паркет, Сергей из Петрозаводска красил стены... Только Женя из Екатеринбурга оказался оригиналом: у него дома обнаружилась мама, больная гепатитом.

— Женька с удовольствием бы поселил меня у себя, — рассказывал наивный Олег, — даже комнату приготовил, но гепатит! Женька сказал, жуткая зараза, по воздуху передается. Ладно, если сам заболел бы, так ведь домой бы привез, а у нас Никитка крохотный!

Самое интересное, что Олег ни на минуту не сомневается в том, что «приятели» говорят правду. Остается только удивляться, каким образом Куприн, отличный профессионал, распутывающий сложные дела, может быть столь наивен.

Глава 4

Утром Томочка осторожно сказала:

— Вован не слишком похож на сотрудника правоохранительных органов. Эти жуткие перстни с камнями, цепь на шее...

Я отхлебнула кофе.

— Насколько я поняла вчера из объяснений Олега, Вован — муж эстрадной певицы Лоры. В доме у них она главная — то ли характер боевой, то ли зарабатывает слишком много. Для поддержания собственного имиджа Лора купила мужу «Лексус» и обвешала драгоценностями, а он не сопротивляется.

Неожиданно Томочка чихнула, сначала раз, потом другой. Я хотела было спросить: «Ты простудилась?», но тут до моего носа дошел странный аромат, мне сложно описать его, представьте, что перед вами стоит яблочный пирог, обильно посыпанный молотым черным перцем. Я чихнула, Томочка тоже.

— Откуда этот запах? — спросила Тома.

И тут в кухню вошла Марина Степановна в бордовом велюровом халате. Запах сгустился и стал невыносим. Наша собака Дюшка и кошка Клеопатра, мирно спавшие на диванчике, проснулись и, фыркая, выбежали в коридор. Сидевший в маленьком стульчике Никитка залился гневным плачем и начал тереть кулачками нос.

— Доброе утро, — я решила проявить хорошее воспитание, — как спалось?

— Ужасно, — прошипела Марина Степановна, — так гадко я еще никогда не проводила ночь! Матрас словно из железа сделан! Подушка комками! Одеяло тонюсенькое! Промучилась без сна. Кто здесь подает кофе?

Томочка подошла к плите.

— Нет-нет, — взвизгнула Марина Степановна, — растворимый ни в коем случае, это яд! Натуральный, арабику!

— У нас только «Амбассадор», — ответила я.

Гостья надулась:

— Ужасно! Впрочем, я не капризна и вполне могу терпеть трудности. Тогда чай!

Получив чашку с ароматным чаем, она глотнула и сморщилась:

— Фу! Что за сорт?

Томочка посмотрела на красную коробочку.

— «Брук Бонд», вам он не по вкусу?

— Как может нравиться чай из веника? — заявила Марина Степановна. — «Брук Бонд»! Где только такой взяли?

— А какой надо? — спросила Томочка.

Марина Степановна моментально ответила:

— «Роял Липтон», цейлонский, в таких жестяных темно-оранжевых коробках.

— Ясно, — ответила я, — вам сделать тостики?

— Увольте! — рявкнула Марина Степановна, потом встала, вылила в раковину невыпитый чай и повернулась ко мне: — Э... милейшая, вы хозяйка дома? Виолетта?

— Виола, — поправила я ее.

— Собственно говоря, это мне безразлично, Виолетта или Виола, — заявила Марина Степановна.

— Вовсе нет, — встала на мою защиту Томочка, — Виола и Виолетта разные имена.

— Ерунда!

Мы с Томочкой переглянулись: похоже, с Мариной Степановной разговаривать бесполезно. И тут в кухню вошел Вован, одетый в спортивный костюм. Без дурацких перстней и золотой цепочки он выглядел намного лучше.

— Владимир Семенович, — сурово заявила Марина Степановна, — вы куда меня привезли?

Вован сел на табуретку и осторожно спросил:

— Что-то не так?

— Все! — взвизгнула вредная старуха. — Постель отвратительная! Чай гадкий! И еще их домработница вместо того, чтобы сделать нормальный завтрак, смеет поучать меня! Поломойка должна знать свое место!

Мы с Томочкой разинули рты, Вован растерянно крутил в разные стороны бритой башкой.

— Вы, Виолетта, — скандалистка ткнула в мою сторону пальцем, — должны строго-настрого предупредить домработницу...

Взгляд Марины Степановны переместился на Томочку, я перебила нахалку:

— Тамара хозяйка квартиры.

Если вы думаете, что та смутилась, то ошибаетесь.

— Да? — вздернула она брови вверх. — А вы кто?

— Жена Олега, Виола.

— То, что вас зовут Виолетта, я уже поняла, — отбрила меня Марина Степановна, — какой ваш статус в этом доме?

— Хозяйка, мы обе тут главные.

— Боже, — устало вздохнула Марина Степановна, — грехи мои тяжкие! Коммунальная квартира! Владимир Семенович! Это безобразие! Теперь подумайте, что скажет Лора, когда узнает, в каких условиях оказалась я, ближайшая родственница мегазвезды нашей эстрады! Засим я удаляюсь! Извольте купить до вечера ортопедический матрас!

— Хорошо, — покорно кивнул Вован, — прямо сейчас поеду!

Марина Степановна ушла, но запах ее странных, ни на что не похожих духов остался висеть в воздухе. Несколько секунд мы молчали, глядя на потного мужика, потом я не выдержала:

— Ты свою тещу бить не пробовал? Говорят, помогает.

Вован стал багровым.

— Марина Степановна не мать Лоры.

— А кто она? — хором воскликнули мы.

— Она моя мама!

— Ох, и ни фига себе? — по-детски воскликнула Томочка. — Что же она тебя по имени-отчеству и на «вы» зовет?

Вован пожал плечами:

— Не знаю. У нее каждый день новые заморочки. Как Лорка в звезды выбилась, так все, страшное дело! У Лорки в голове звездит, у матери тоже.

— Может, тебе их обеих побить? — не успокаивалась я.

Вован осторожно покачал головой:

— Нет... не поможет. Надо просто молча выполнять их требования, тогда отстанут.

Я оглядела стокилограммовую тушу, сидевшую с самым несчастным видом на табуретке. Так, понятно. Вован не желает связываться с оборзевшими бабами и избрал тактику непротивления злу насилием. Если помните, такой же позиции придерживался Лев Николаевич Толстой. Уж не знаю, был ли он счастлив в семейной жизни, но Вовану надо научиться стучать кулаком по столу, иначе ничего хорошего его не ждет!

Оставив Вована с Томочкой на кухне, я ушла к себе в спальню и набрала рабочий телефон Геннадия.

— Морг, — раздалось в ухе.

От неожиданности я уронила трубку и повторила попытку.

— Морг, — рявкнула невидимая тетка, — алле, морг!

— Позовите Геннадия, — дрожащим голосом попросила я.

— Которого?

— Крысина.

— Валька, — заорала женщина, — Крысин у нас кто?

— Санитар, — донеслось издалека.

— Мы зовем к телефону только врачей, — сообщила тетка, — вашему Крысину не положено подходить к аппарату.

— Он на работе?

— Должон быть.

— Так да или нет?

— Девушка, — обозлилась она, — я тебе не справочное бюро.

В ту же секунду из трубки понеслись частые гудки. Я вновь потыкала пальцем в кнопки.

— Морг.

— Скажите, где вы находитесь?

— Самохвальная, десять.

— А часы работы?

— Вам взять или привезти?

— Что?

— Взять или привезти?

— Простите, я не поняла.

— О, е-мое, непонятливые все! Взять тело хотите?

— Чье? — окончательно потерялась я.

— Уж не мое, — обозлилась баба с той стороны провода. — Кто у вас помер?

— Э... Крысин.

Послышалось шуршание.

— Такого нет!

— Подскажите...

Но служительница морга опять швырнула трубку.

На Самохвальной улице под номером десять

стоял целый конгломерат зданий из желтого камня. Я побрела по дорожкам, читая надписи на корпусах: «Хирургия», «Урология», «Терапия». Наконец навстречу попалась нянечка с большим эмалированным ведром, из которого торчали какие-то пакеты.

— А туда ступай, в самый конец, — она охотно объяснила мне дорогу, — к забору иди.

Поплутав еще минут десять, я увидела маленькое обшарпанное здание, покрытое серой краской. На двери висело объявление: «Выдача тел с 8 до 13, справок не даем». Я потянула тяжелую створку и оказалась в мрачном холле. Никаких служащих тут не было, впрочем, справочного окошка тоже, только дверь с табличкой «Вход воспрещен». Я приоткрыла ее, увидела стол, заваленный бумагами, и кряжистого мужчину в мятом халате. Оторвав взгляд от документов, он довольно вежливо спросил:

— Ищете кого?

— Геннадия Крысина.

Врач нахмурился:

— Не помню такого, когда привезли?

— Это не труп.

— А кто?

— Ваш сотрудник, санитар.

Доктор схватил трубку:

— Валентина Ивановна, у нас работает Крысин? Ага, понятно! Уволен ваш Геннадий!

— Не знаете, где он сейчас работает?

— Понятия не имею, — ответил врач и потерял ко мне всякий интерес.

— А домашний адрес не подскажете?

Патологоанатом отложил ручку.

— Вы всерьез думаете, что я знаю его? У нас

санитары без конца меняются, дикая текучка. Пришел, ушел.

— Неужели никто не в состоянии мне помочь?

— Ступайте в отдел кадров, они наверняка анкету требуют заполнить, — посоветовал медик.

Я опять пошла кружить по дорожкам, разыскивая административный корпус.

За свою не слишком длинную жизнь я много раз меняла место работы. Поэтому очень хорошо знала, кого сейчас увижу за дверью отдела кадров. Либо отставного военного, либо пожилую женщину со старомодной «халой» на макушке.

— Входите, — донеслось из-за двери, я вошла и едва сдержала возглас удивления.

За серым офисным столом сидела настоящая красавица. Лет ей было около тридцати. Худенькое личико с прозрачно-фарфоровой кожей украшали огромные темно-карие глаза. Изящный носик, красиво вырезанные губы и копна вьющихся волос цвета крепкого кофе.

— Вы ко мне? — улыбнулось небесное создание.

Я кивнула:

— Помогите мне, пожалуйста.

На лице красотки появилась тревога.

— Что случилось?

— Очень нужно узнать домашний адрес Геннадия Крысина, он работал в морге санитаром и был уволен!

Девушка стерла с лица улыбку.

— Я не имею права разглашать подобные сведения.

— Умоляю, пожалуйста!

— В чем дело?

Версия пришла в голову мгновенно.

— Понимаете, — загундосила я, — мы жили с ним вместе, в моей квартире, я мужем его счита- ла. А тут прихожу домой, на столе записка: «Из- вини, полюбил другую». Вот так ушел, по-хам- ски.

— Забудьте вы его, — посоветовала кадрович- ка, — другого найдете.

— Оно верно! Только вместе с Генкой «ушли» телевизор, видак, магнитола и десять тысяч руб- лей.

— В милицию ступайте, — не дрогнула де- вушка, — заведут дело и посадят вора!

Я вытащила из кармана носовой платок и, вытирая сухие глаза, запричитала:

— Будут менты моим делом заниматься! Сама разберусь, помогите только!

— Пожалуйста, не плачьте, — поморщилась красавица, — сейчас дам вам адрес.

Она легко встала и подошла к большому шкафу, я испытала укол зависти. Ну почему одним достается все: рост, красивое лицо, безуп- речная фигура, а другим...

— Стрельбищенский проезд, — сказала она, — здесь недалеко.

Я вышла из административного корпуса и спросила у секьюрити, охранявшего въезд на территорию больницы:

— Где тут Стрельбищенский проезд?

— Туда иди, — махнул рукой парень, — мимо автобазы, за гаражи, вон, видишь, остановка? На ней садись, и через одну выходи.

Я пошла в указанном направлении, и тут в су- мочке затренькал мобильный. Не так давно я об- завелась сотовым аппаратом, все-таки писатель- ница, а не замухрышка какая-нибудь.

— Виола Ленинидовна? — послышался мягкий голос моего редактора Олеси Константиновны. — Как наши дела?

На моем лице появилась идиотская улыбка, и я замямлила:

— Ой, здравствуйте, Олеся Константиновна, что случилось?

— Пока ничего, — мягко ответила Олеся, — вы помните о сроке сдачи рукописи?

— Конечно!

— Надеюсь, не подведете?

— Ну что вы!

— Отлично! — бодро воскликнула редактор. — Теперь следующий момент: сегодня в девятнадцать ноль-ноль вы должны быть в книжном магазине «Огонь знаний».

— Я?

— Вы.

— И что мне там делать?

— Будете подписывать свои книжки.

— Кому? — недоумевала я.

— Тому, кто их купит, — терпеливо ответила Олеся Константиновна, — все наши авторы регулярно встречаются с читателями, пора и вам начинать, а чтобы вы в первый раз не растерялись, мы вас присоединили к Смоляковой. Она приедет в семнадцать, а вы ее смените. Смотрите не опаздывайте.

— Хорошо, конечно.

— Удачи вам, Виола Ленинидовна, и, пожалуйста, не забывайте о сроках сдачи рукописи.

Я сунула мобильный в сумку. Вот удивительное дело, Олеся Константиновна всегда более чем любезно разговаривает со мной, но отчего-то я боюсь ее до дрожи в коленях. Срок сдачи рукописи! Вот кошмар! Книга еще в чернильнице, но Олесе Константиновне об этом знать совершенно незачем.

Крысина дома не оказалось. Я села на подоконник и прислонилась головой к холодному стеклу. Надо купить варежки, сегодня руки в перчатках просто заледенели. Интересно, куда подевался Геннадий? Должно быть, на работу ушел. Ладно, посижу тут, подожду, время пока есть.

Но не успела я примоститься на подоконнике, как ожил лифт. Автоматические двери разъехались в разные стороны, и на лестничную клетку выпало двое «синяков», мужик и баба. Женщина с нежностью прижимала к груди пакет, в котором звякали бутылки. Мужчина, порывшись в кармане, вытащил ключ и принялся тыкать им в замочную скважину.

Глава 5

— Вы Крысин? — обрадовалась я.

Геннадий поднял на меня мутные глазки.

— И чего?

— Меня Галя прислала.

— Какая?

— Шубина.

— Не помню ее, — протянул Крысин.

— Толстая такая, продавщица из магазина «Свет».

— А, Галька, — оживился он и распахнул дверь, — заходи.

Основной моей работой до недавнего времени было репетиторство, я преподавала немецкий язык школьникам, тем, которые не способны самостоятельно справиться с программой. Высшего образования у меня нет, но немецким я владею хорошо, поэтому учеников было много, из самых разных слоев населения, и повидала я многое. У Маши Матюшкиной, в однокомнатной квартире, всегда стояли раскладушки с неубранными постельными принадлежностями, у Вани Репнина меня у двери встречала горничная и, почтительно кланяясь, вела через анфиладу сверкающих бронзовыми люстрами комнат, в стандартной «трешке» Кати Стрельниковой всегда одуряюще вкусно пахло, мама Катюши не работала и целиком посвятила себя домашнему хозяйству.

Первое время родители стеснялись наемной учительницы и наводили относительный порядок перед ее приходом, но потом постепенно начинали считать меня за свою и не слишком церемонились. И теперь я очень хорошо знаю: большинство людей — неряхи, не утруждающие себя тем, чтобы утром убрать постель. Но такой грязи, такого беспорядка, который царил у Крысина, я до сих пор еще не встречала.

Естественно, никто не стал предлагать мне тапочки. Геннадий скинул куртку, его спутница пошла на кухню прямо в верхней одежде. Я огляддела стену, поняла, что роль вешалки тут исполняют вбитые в нее ржавые гвозди, и решила держать свою верхнюю одежду в руках.

Кухня напоминала туалет при вокзале. Меня затошнило от запаха, похоже, помойное ведро не выносилось неделю. Женщина молча вспорола ножом пару банок с дешевыми рыбными консервами, Геннадий вытащил три разномастные чашки, наплескал туда водки и, окинув нежным взглядом стол, заявил:

— Хорошо посидим, в тепле да уюте! Вишь, Светка, как тебе повезло! С интеллигентным человеком связалась, не с шелупонью, с медиком. Если бы не я, где бы ты была, а? На улице бы киряла, у фонаря, так что будь мне благодарна! Ну, поехали!

И он профессионально точным движением опрокинул в рот содержимое чашечки. Женщина молча последовала его примеру. Ее синевато-желтоватое лицо порозовело, а в глазах появился блеск. Проглотив водку, она схватила одну банку частика в томате и принялась ковырять в ней вилкой. Было видно, что есть тетке не хочется.

— Чего тормозишь? — удивился Геннадий, кивая на стоявшую передо мной синюю кружечку. — Давай, угощаю!

— У меня неприятие алкоголя, — ответила я, — выпью пять граммов, и все — умерла!

Между прочим, это чистая правда, я органически не переношу ничего спиртного. Очень часто люди, услышав подобное заявление, мигом отодвигают рюмку с водкой и наливают мне в бокал вино, приговаривая:

— Тогда вот тебе сладенькое, градуса никакого.

Никто не понимает, что от «дамского» крепленого вина мне делается еще хуже, методом «тыка» я выяснила, что единственный напиток, который не сразу отправляет меня на боковую, — виски. Один раз Олегу на день рождения кто-то подарил бутылку «Джонни Уокера», и я с удивлением обнаружила: жидкость, слегка отдающая самогоном, не бьет мне мгновенно в мозг. Вот уж странно! Вроде крепость у виски и водки одна, но последнюю мне достаточно просто понюхать, чтобы достичь той стадии, которая в медицине называется «патологическое опьянение». Самое трудное в моем положении — это отбиваться от тех личностей, которые считают, что я просто кокетничаю, отказываясь пить, и начинают приставать:

— Давай, выпей за компанию! Что с тобой будет! Ну же! Водка плохо не сделает!

Сейчас Геннадий начнет навязывать мне выпивку и еще обидится, если я не «поддержу компанию».

Но он неожиданно взял мою чашку, осушил ее одним глотком и мирно сказал:

— Вот беда! Тогда не пей, а то помрешь. Это я тебе как врач говорю! Значит, в желудке нужного фермента нет.

Неожиданно женщина, продолжая ковыряться вилкой в банке, тоненько захихикала:

— Хорош доктор, ты же санитар в морге.

Геннадий мгновенно отвесил спутнице оплеуху. Она встряхнулась, словно мокрая собака, и опять занялась консервами.

— Да, — с достоинством заявил Крысин, — я сейчас на самом деле временно нахожусь на дне жизни, но у меня диплом врача, я закончил медицинский, между прочим, — нейрохирург.

— Кто? — изумилась я.

— Мозгоковыряльщик, — усмехнулся Геннадий.

— Но как вы в санитарах оказались?

— Люди вокруг жестокие, — покачал головой Крысин, — заболел я, руки трястись начали, вот и уволили. У нас никто инвалида не жалеет!

На его глазах заблестели слезы. Он налил себе водки, выпил и крякнул.

— Чего тебе надо? — спросил он. — Зачем пришла?

Я потрясла перед ним курткой.

— Узнаете эту вещь?

— Нет, — удивленно ответил Гена, — а надо?

— Вы подарили эту куртку Галине.

— Да?

— Да, примерно год назад. Не помните, где ее взяли?

Крысин захлопал красными, опухшими веками.

Все мое детство и большая часть юности прошли в окружении алкоголиков. Мачеха Раиса была большой любительницей заложить за воротник, она, правда, не валялась в грязи на улице, а употребляла водку в квартире, но суть от этого не менялась. В нашем доме пили все соседи: и мужики, и бабы. Причем те, кто наклюкивался раз в неделю — с вечера пятницы до утра понедельника, искренне считали себя трезвенниками и с презрением относились к тем, кто «употреблял» каждый день, называя их «алкоголиками» и «бухальщиками». Поэтому я очень хорошо знаю, как следует вести себя с любителями выпить.

Я вытащила сто рублей.

— Вспомнишь, где куртку взял, — получишь.

В глазах Геннадия вспыхнул огонь, и он забормотал:

— Где взял, где взял...

— Купил! — заржала баба. — На Тверской!

— Заткнись, — рявкнул кавалер, — с девки снял! Ей-то все равно уже было!

Я положила сторублевку на стол, придавила консервной банкой и поинтересовалась:

— Что за девка? Как зовут?

Крысин засмеялся:

— Ну ты даешь! Разве вспомнишь? Столько времени прошло.

— Попытайся, — попросила я и достала из кошелька еще одну розовую ассигнацию.

Геннадий принялся кусать ноготь на большом пальце.

— Ну такая молодая, из неопознанных. Тебе очень надо?

— Да, — кивнула я.

— Тогда журнал посмотри.

— Какой?

Крысин хмыкнул:

— Простой, учета невостребованных тел. Месяц знаешь, когда она к нам поступила?

— Вроде декабрь или конец ноября.

— Откроешь страничку, там все описано: тело, его вид, приметы, одежда, кто доставил. Усекла?

— И кто же мне разрешит в журнал заглянуть?

Крысин ухмыльнулся:

— Еще двести рублей дашь, подскажу ход!

— Сто, больше нет.

— Ладно, — легко согласился Крысин, — ща, погоди.

Санитар встал, подошел к стоящему на подоконнике старомодному телефонному аппарату, покрутил диск и воскликнул:

— Зинка, привет! Как она, жисть? Ну клево! Придет к тебе герла... эй, тебя звать-то как?

Поняв, что последняя фраза относится ко мне, я быстро ответила:

— Виола, можно Вилка.

— Виола, — повторил Гена и засмеялся, — ну да, сыр такой есть плавленый, ты, Зинка, хохмачка! Покажи ей журнал учета невостребованных тел за прошлый год, зиму. Ну спасибо тебе. Лады. Не беспокойся!

Он аккуратно разместил трубку на рычагах.

— Значит, так, поедешь в морг, найдешь Зину Караваеву, купи ей конфет. Зинка не пьет, она сладкое любит, или торт какой, еще сто рублей дашь. Только завтра, сегодня у нее выходной. Все поняла?

— Вроде, — ответила я, — кроме одного, как к тебе курточка попала?

— Да спер я ее, — хрипло засмеялся Гена, — стал вещи в пакет складывать, вижу, шмотка новая, чистая совсем, девке уже не понадобится, родственников небось нет, может, из провинции прикатила... Все равно одежду уничтожат, ну я и прихватил Гальке, добрый я очень, если живу с какой бабой, только о ней и думаю.

Я вышла на улицу, накинула на голову капюшон и потрусила к метро. Ладно, завтра опять смотаюсь в морг, поболтаю с этой Зинаидой. Кажется, все закончилось. Несчастную Анну Кузовкину убили и ограбили. Наверное, какой-нибудь бомж зашел на почту погреться, увидел, что хрупкая девушка получает приличную сумму денег, пошел за ней и убил. Купюры он вытащил, паспорта, завалившегося за подкладку, не заметил, впрочем, его не обнаружили и сотрудники морга, поэтому труп отнесли к разряду неопознанных.

Да, похоже, никакой книги тут не получится, все обыденно, и от этого страшно. Можно даже не ехать в морг, и так ясно, как обстояло дело. Но я все же отправлюсь к Зинаиде. Мне жаль несчастную Елену Тимофеевну, которая терзается от неизвестности. Наверное, действительно лучше узнать в этом случае правду, как бы ужасна она ни оказалась.

Стараясь спрятаться от колючего ледяного ветра, я добралась до подземки, втиснулась в отвратительно набитый вагон, протолкалась к противоположным дверям, навалилась на поручень и закрыла глаза. Холодные ноги и руки начали медленно согреваться. Покачиваясь на стыках рельсов, состав мчался сквозь тьму. В вагоне стояло напряженное молчание, часы показывали половину четвертого. Замечали ли вы, что примерно до шести вечера в метро царит тишина? Люди либо читают, либо тупо смотрят перед собой. Причем после обеда, где-то в два, в три, кое-кто начинает разговаривать, а утром вообще кошмар, все несутся по коридорам, словно зомби, на лицах нет никаких эмоций, толпа движется в абсолютном молчании, слышно только шарканье подошв. Вечером — веселей. Появляются парочки и праздношатающиеся, звучат смех и разговоры. Но утром лично мне, маленькой частице человеческой толпы, несущейся на работу, делается просто страшно. Впрочем, страшно мне стало и сейчас, но не от мрачных лиц соотечественников. Неожиданно в душу вполз ужас: что мне делать в книжном магазине? Как это, раздавать автографы?

К лавке «Огонь знаний» я приплелась в половине пятого, остановилась у входа и перевела дух. Следовало собрать в кулак все мужество, чтобы войти внутрь. У обочины стоял серебрис-

тый «Мерседес», около него жалась кучка девчонок. Потом одна из них прислонилась к передне-
му крылу и оперлась на него. Мигом вылез
шофер, кудрявый парень лет двадцати пяти, и
заорал:

— Так, пошли отсюда, быстро!

— Это машина Смоляковой? — робко спросила одна из девчонок.

— Да, — сбавил тон водитель, — но это вовсе
не значит, что вы ее можете царапать!

— Ой, нам такое в голову не придет! — заве-
рещали девчонки. — Мы обожаем Смолякову.
Можно сфотографироваться на фоне ее тачки?

— Валяйте, — разрешил шофер, — я сегодня
слишком добрый.

Девчонки захихикали и стали позировать у
«Мерседеса».

— Шурик, — раздался тоненький детский голосок, — возьми цветы.

Я посмотрела в сторону магазина. Из «Огня
знаний» валила гомонящая толпа. Впереди шла
маленькая, ростом ниже меня, худенькая блон-
диночка с короткой стрижкой. На ней был коротенький светлый свингер из щипаной норки.
Маленькими ручками она с явным трудом держала пудовые букеты. Шофер бросился на зов.
Он сгреб цветы в одну руку, второй взял писательницу под локоть и повел к «мерсу», приговаривая:

— Осторожнее, лед кругом, еще упадете, ноги
сломаете!

— Ну и хорошо, — защебетала Смолякова, —
зато сколько новых книг напишу, пока в больнице проваляюсь.

— Пишите больше, — загудела толпа, — нам
на радость! Медленно работаете, не ленитесь!

— Побойтесь бога, — обозлился шофер, — убить Миладу Сергеевну решили? Она и так в месяц по книге сдает!

— Так мы за один день читаем! — заголосили тетки, обступая Смолякову. — Ой, можно вас пощупать!

Писательница засмеялась:

— Если очень хочется, то пожалуйста!

— Еще чего! — взъелся шофер. — Придумали тоже! А ну отойдите от Милады Сергеевны, еще попросите кусочек от нее откусить!

— Шурик, — укоризненно прощебетала Смолякова, — не вредничай!

— Вот сфотографироваться можно, — разрешил парень.

Писательница с самой счастливой улыбкой принялась вертеться перед объективами. Наконец она, изящно помахав всем ручкой, влезла в «мерс». На мгновение передо мной мелькнул модный длинноносый сапог на тонком каблуке. Я удивилась, у крохотной Смоляковой, однако, не нога, а лыжа, размер сороковой, не меньше.

Внезапно в передней двери опустилось стекло.

— Вы не успели получить автограф? — прочирикала Смолякова. — Давайте книжку.

— Э... э... — замялась я.

— Не стесняйся, — буркнул Шурик, — Милада Сергеевна не кусается.

— Но... в общем...

Из груди писательницы вырвался легкий вздох.

— Шура, у нас в багажнике есть книги?

Шофер кивнул, вылез и вытащил томик в яркой обложке. Смолякова взяла ручку, простой, копеечный, пластмассовый «Бик», нацарапала пару слов и сунула книгу мне.

— Пожалуйста.

— Спасибо.

Продолжая мило улыбаться, самая продаваемая писательница года подняла стекло. «Мерс» плавно поехал вперед. На секунду передо мной мелькнуло лицо Смоляковой, без приятной гримасы, очень усталое, даже мрачное. Из магазина вышел мужчина и поставил на освободившееся место парковки два железных столбика с цепочкой. Я открыла книгу, интересно, что следует там писать? «С любовью. М. Смолякова».

Глава 6

С самым сладким выражением на лице я вошла в магазин и спросила у охранника:

— Где тут встреча с писательницей Ариной Виоловой.

— Через полчаса, — ответил парень.

— Это я.

— Кто?

— Я Арина Виолова.

Секьюрити изогнул одну бровь.

— Да? Очень приятно. Сейчас открою вам парковку.

— Спасибо, не надо.

— Встали у метро? Велите своему водителю подъехать к входу, мы специально место резервируем.

— Не стоит беспокоиться.

— Нет, пусть приедет, — настаивал противный юноша.

Пришлось сказать, что я без машины.

— Пешком?

— Да!

— На метро??

— Да!!

— Ага, — забубнил охранник, — всяко бывает, оно и правильно, ближе к народу, поднимайтесь на второй этаж, в кабинет директора.

Я нашла нужную дверь, толкнула ее и увидела полную даму со слишком ярким макияжем.

— Вы ко мне? По какому вопросу? — настороженно поинтересовалась она.

— Я Арина Виолова!

— Очень приятно, — засуетилась директриса, — будем знакомы, Тамара Львовна. Чай, кофе? Вам парковку открыли?

— Да! — рявкнула я.

Мигом появились чайничек и тарелка с нарезанным тортом, и тут я ощутила легкий укол. «Птичье молоко» было явно куплено для Смоляковой, она во всех интервью рассказывает, что обожает именно это лакомство. Мне достались объедки.

Выпив чай, я согрелась и расслабилась. Наверное, зря обозлилась. Может, они купили два одинаковых торта. Наконец настал час «икс». Меня с почетом вывели в торговый зал и усадили за слишком маленький, неудобный столик. В качестве стула была предложена вертящаяся табуреточка. Я умостилась на ней и принялась крутить лежащие передо мной ручки. Тамара Львовна кивнула:

— Начинай, Лена.

Высокая худая темноволосая женщина взяла микрофон и завела:

— Уважаемые москвичи и гости столицы, сегодня вы имеете уникальную возможность получить автограф у молодой талантливой писательницы Арины Виоловой, автора суперпопулярных книг «Скелет бегемота» и «Гнездо в шкафу».

— «Гнездо бегемота» и «Скелет в шкафу», — поправила я.

Лена покраснела.

— Бога ради, извините!

— Ерунда, — улыбнулась я.

— Тут до вас Смолякова сидела, — вздохнула Лена, — нас чуть фанаты не разорвали! Вот у меня голова и закружилась, не обижайтесь.

— И в мыслях не было.

— Спасибо, — обрадовалась Лена, схватила микрофон и заявила: — Встреча с Ариной Виоловой, автором великолепных книг «Бегемот в шкафу» и «Скелет в гнезде»... Ой!

— Попробуйте еще раз, — предложила я, чувствуя, как из глубины души поднимается нечто темное, с зубами и острыми когтями.

Но Лена решила не рисковать.

— Поднимайтесь на второй этаж, — предложила она, — Виолова ждет вас.

Потянулись минуты. По залу бродило множество людей, но ни один не проявил ко мне даже легкого интереса.

— Лена, — сердито сказала Тамара Львовна, — не спи, объявляй, может, заинтересуются.

Лена принялась тараторить. Книги мои она предусмотрительно больше не называла, зато без всякого стеснения сыпала эпитетами: блестящая, талантливая, великолепная, умнейшая, супер-вупер-пупер Виолова... но тщетно. Я, глупо улыбаясь, восседала за столиком, чувствуя себя совершенной кретинкой. Интересно, долго мне придется тут торчать? Наконец к столу подошел мужчина в кепке. Я несказанно обрадовалась, схватила ручку... Дядька глянул на меня.

— Девушка, где тут книги по эзотерике?

Стило выпало из моих пальцев. Впервые в жизни мне захотелось убить человека.

— Направо, за стеллажом «Религия», — быстро ответила Лена.

— Я у нее спросил, — обиделась «кепка», — отчего она сидит и молчит?

— Это автор, Арина Виолова, — затарахтела Лена, — купите ее книжку, она вам автограф даст. Берите, не пожалеете!

— Она писатель? — протянул дядька. — И о чем же пишет?

— Детективы, замечательные, не оторваться.

— Я такое дерьмо не читаю, — буркнул он и удалился.

У меня в носу защипало. Тамара Львовна укоризненно покачала головой:

— Ну и народ у нас, никакого воспитания! Что думает, то и говорит!

От ее заявления мне стало еще хуже, и тут к столику подлетели две потные тетки.

— Ой, как хорошо, что мы вас застали! — сказала одна.

— Все ваши книги прочитала, прямо умираю по ним, — добавила другая, — подпишите, меня Варя зовут.

Я взяла ручку, чувствуя огромную радость, значит, не зря пришла, кто-то читал Виолову. Но тут мой взгляд упал на обложку услужливо подсунутой книжонки. «М. Смолякова. Бассейн с пираньями».

— Простите, но я Арина Виолова, — заявила я.

— Да? — растерянно сказала Варя. — То-то я гляжу, вроде Милада Сергеевна по телику другая. А почему на двери объявление про встречу со Смоляковой?

— Так она уже уехала, — ответила Лена, — два часа автографы раздавала, ей прямо руку скрючило.

Я практически никогда не плачу, но сейчас к глазам подступили слезы.

— Купите Виолову, — предложила Тамара Львовна.

— Да, — протянула Варя, — ну... оно, конечно... нет, погодим пока.

Женщины отошли в сторону и зашептались, разглядывая меня.

— Сегодня плохой день для торговли, — заявила Лена.

— Да, — подхватила Тамара Львовна, — народу никого, в следующий раз стойки снесут!

Сотрудницы книжного магазина явно старались утешить не пользующегося популярностью автора, мне же понадобилась вся сила воли, все умение держать себя в руках, чтобы позорно не разрыдаться на виду у читателей чужих книжек.

И тут Варя приблизилась к столику.

— Давайте «Гнездо бегемота», попробуем.

— Правильное решение, — засуетилась Лена, — ах, как хорошо, видите, Арина, как вас любят! Сейчас люди валом пойдут.

Но больше никто не пришел. После окончания встречи я зашла в супермаркет, купила в кафетерии стаканчик сока и, прислонившись спиной к батарее, принялась прихлебывать напиток. На душе было гадко.

— Да не расстраивайтесь вы так, — раздалось сбоку.

На столик шлепнулся пакетик с глазированными сырками. Я подняла глаза и увидела Лену.

— Наплюйте, — сказала она.

— Легко сказать, вон у Смоляковой сколько читателей, — вздохнула я.

Лена обняла меня за плечи.

— Между прочим, пять лет назад ее никто не знал. Очень хорошо помню, как «Молодая гвардия» Миладу впервые на встречу позвала. Еще хуже, чем у вас, получилось, ни одной книжки не продали. И, между нами, пишет-то она ерунду, ваши дюдики намного больше всем нравятся!

Неожиданно Лена показалась мне очень симпатичной.

— Но ее покупают! — возразила я.

— Знаете, в чем дело, — улыбнулась Лена, — она количеством берет, настрогала сорок книжек, вот народу и стало интересно. Попомните мое слово, вы на пятнадцатом детективе станете такой известной, такой знаменитой, такой... в общем, лучше Смоляковой! Ладно, я побежала, меня дома сын ждет.

Схватив пакет с сырками, она растворилась в толпе. Я мрачно посмотрела ей вслед. «На пятнадцатой книжке»! Легко сказать! Их ведь еще написать надо! А у меня полный аут с сюжетами. История с Аней Кузовкиной из загадочного похищения превратилась в банальное ограбление. Вот съезжу завтра в морг, к Зинаиде, а потом... Не знаю, что потом! Куплю водки и напьюсь с горя!

Зинаида оказалась круглощекой, румяной девахой, а книга учета невостребованных тел — компьютером.

Увидев торт с приложенным конвертиком,

Зиночка вспыхнула огнем, быстро спрятала «борзого щенка» в сумочку и радушно предложила:

— Может, чайку? С вашим тортиком.

Но я поспешила отказаться. В помещении, где сидела Зина, было чисто, но в нем стоял очень неприятный запах непонятного лекарственного средства, и никакой охоты вкушать бисквит с кремом у меня не было.

— Кого ищем? — деловито осведомилась Зинаида и включила системный блок.

По экрану заскакали надписи.

— Девушку двадцати лет с небольшим, одетую в белую куртку с меховым воротником. Пропала год назад.

— Ясненько, — протянула Зина и потянулась к мышке.

Во весь компьютер появилось изображение жуткого одутловатого лица. Я поспешила отвернуться.

— Правильно, — одобрила Зина, — с непривычки стошнить может, некоторые совсем отвратительно выглядят.

Какое-то время она молча щелкала клавишами, потом воскликнула:

— Вот, кажется, нашли! Труп молодой женщины, предположительно двадцати лет. Одета в белую куртку с мехом, синие джинсы «Коллинз», красный свитер без ярлыка, черные колготки, трусы белые, сапоги кожаные, серые, на шпильке, производство Италия. Документы и личные вещи отсутствуют, особая примета: на левом предплечье татуировка: сердце, внутри написано «Вадим». Она? Да вы взгляните, не бойтесь, совсем не страшно.

Я осторожно глянула на экран. Передо мной

была самая обычная девушка, с простым, абсолютно незапоминающимся лицом. Небольшой нос слегка вздернут, рот приоткрыт, глаза тоже. Кто-то постарался, чтобы она выглядела как живая, ей даже аккуратно причесали волосы, но все равно отчего-то сразу становилось понятно, что перед вами тело без души, просто оболочка.

— Она? — спросила Зина.

Я заколебалась. До сих пор я видела Аню только на фотографии в паспорте. Я вытащила красную книжечку. Вроде похожа, нос такой же. А может, нет, глаза, кажется, другие, и волосы лежат иначе.

— Не пойму никак, — пожала я плечами.

Зина заглянула в паспорт.

— Ну разве так разобрать. Фотки на документах жуткие, как только в них милиция ориентируется. К нам иногда привезут тело с улицы, ну ДТП, допустим, все документы при нем: права, паспорт, служебное удостоверение, начинаешь смотреть, ну прямо бред, везде разные снимки, на одних блондином смотрится, на других брюнетом, мрак.

— А что с ней случилось?

— Сейчас посмотрю. Ага, понятно, умерла.

Однако замечательный ответ, естественно, что в морг не привезли живую.

— Какая причина смерти?

— Так... — забормотала Зина, — перфорация матки, похоже, аборт она сделала не у профессионала. Эх, дуры девки!

— Что?

Я продолжала смотреть на снимок.

— А откуда ее доставили?

— Секундочку! Ломакинская улица. Жильцы

сообщили, в подъезде она сидела, на лестнице, на ступеньке. Сначала, должно быть, подумали, пьяная. А когда разглядели, перепугались и милицию вызвали.

Я поблагодарила приветливую Зиночку и двинулась в сторону метро. Что ж, дело за малым. Сейчас съезжу к Елене Тимофеевне, узнаю у нее, была ли у Ани татуировка на руке, а потом направлю несчастную мать в морг. Если говорить честно, я ни секунды не сомневалась: в подъезде была найдена Кузовкина Анна Филипповна и по истечении положенного срока похоронена как неопознанная.

Что-то во дворе дома Елены Тимофеевны показалось мне странным. Отчего-то около ее подъезда отсутствовал снег, зато там было полно черных луж. Внутри подъезда пахло гарью, на ступеньках лестницы кучками лежали какие-то тряпки, обрывки бумаги, осколки посуды. Я поднялась на пару пролетов вверх, шагнула в сторону квартиры Елены Тимофеевны и... онемела. Двери не было. Вместо нее зиял обгорелый проем, за ним открывался коридор, вернее, то, что от него осталось. На полу квартиры валялись обгорелые остатки вещей и мебели, в воздухе висел омерзительный запах, повсюду виднелись жирные клочья сажи.

Я вошла внутрь обгоревшего помещения и крикнула:

— Есть тут кто? Отзовитесь!

Послышалось звяканье, и из глубины пожарища вынырнула женщина лет пятидесяти. На руках у нее были резиновые перчатки.

— Вы агент? — мрачно спросила она. — Не

ходите дальше, испачкаетесь, подождите на лестнице, сейчас выйду.

Я покорно втянула голову в плечи, попятилась и снова вздрогнула: дверь в квартиру Лизы болталась буквально на одном гвозде, и внутри, насколько хватало глаз, было черно. Впрочем, вход в третью квартиру, расположенную слева, выглядел не лучше. Похоже, огонь уничтожил все жилье на этом этаже.

— Похороны у нас в пятницу, — сообщила тетка, появляясь передо мной, — никаких излишеств не надо, денег нет. Гроб самый простой, дешевый, без украшательств, один!

— Простите, — я осторожно перебила ее, — где Елена Тимофеевна?

Женщина запнулась.

— Вы кто?

— Э... э... я частный детектив.

— Кто?!

— Елена Тимофеевна пару дней назад наняла меня, чтобы узнать, куда подевалась ее дочь, Аня.

— Деньги ей девать было некуда! — всплеснула руками тетка. — Ну учудила! А я теперь из своего кармана похороны оплачивай! Умерла Лена, сгорели они все.

У меня закружилась голова.

— Все?

Женщина устало прислонилась к стене.

— Звать-то вас как?

— Виола.

— Ну а я Мария Тимофеевна.

— Вы сестра Елены Тимофеевны? — догадалась я.

Она кивнула.

— Вон, видишь, что случилось, один пил, а все пострадали. Убивать таких надо! Но нет! Сам жив остался.

— Кто?

Мария Тимофеевна кивнула в сторону крайней слева квартиры.

— Сережка Лыков, алкоголик чертов. Сколько он тут людям в подъезде пакостил, словами не передать! Нажрется водки, и понеслось. То окна побьет, то дверь входную сломает, то на лестнице наблюет. А самое страшное: курит он. Завалится в кровать с сигаретой и засыпает. Два раза уже горел, но его спасали. В апреле Лена дым унюхала, вызвала пожарных. Очень вовремя успели, у Сережки уже пол занялся. Потом в августе он опять с цигаркой уснул, и вновь ему повезло, огонь по занавескам побежал. Жара, окна открыты. Мужики во дворе увидели, кинулись в дом, дверь пинком выбили и загасили все. Очень уж народ в последний раз перепугался, ведь сгорит подъезд из-за одного дурака! Сережку даже побить хотели, да пожалели, и, выходит, зря. Видите, что получилось? Все выгорело, ночью вспыхнуло, люди крепко спали. Сам он обгорел только, а на тот свет троих отправил: Лену, Полину, соседку Лизу, никого не осталось. Три трупа увезли, да таких страшных, одно названье что люди, головешки черные.

И она судорожно вздохнула, я молча стояла, разглядывая то, что осталось от квартир. Пьяница, засыпающий с непотушенной сигаретой, — настоящее бедствие для окружающих. Рано или поздно тлеющий окурок выпадет из пальцев. Хорошо, если он потухнет, но чаще бывает наоборот, упадет на тряпки или газеты, мигом вспыхнет костер. Очень часто алкоголики гибнут от собственной беспечности, и что уж совсем ужасно, при этом страдают абсолютно невинные люди, которым не повезло с соседями.

— Вот оно как бывает, — прошептала Мария Тимофеевна, — сначала Анечку убили, а потом и Лена с Полей на тот свет ушли. Господи, пошли им там встречу.

— Откуда вы знаете, что Аню убили? — машинально спросила я.

— А что они еще с ней сделали? — удивилась Мария Тимофеевна. — Деньги несла с почты, кто-то и позарился. Анечка-то хорошая девочка была, только бог ей счастья не дал. Сначала Ваня погиб, жених ее, потом сама преставилась. Царствие им всем небесное, земля пухом.

И она начала широко креститься, приговаривая:

— Пресвятая Дева, прости нам грехи тяжкие.

Я продолжала тупо обозревать головешки. В душе было пусто, нужно распрощаться и уйти, но ноги отчего-то отказывались мне повиноваться.

— Ой, — послышалось снизу, — ой, нет, это неправда.

— Ты не волнуйся, — закричал другой голос.

— Ой, что вы говорите, — частило девичье сопрано, — нет! Не может быть! Сейчас умру!

— Стой, погоди!

— Пустите, я посмотреть хочу.

— Не на что смотреть.

— Отвяжитесь!

Послышался грохот, вскрик, шум шагов, и передо мной возникла раскрашенная, растрепанная Лиза с сумкой в руках.

— Лиза! — закричала Мария Тимофеевна, отступая к стене. — Ты жива?

— Ага, — растерянно кивнула девушка, — вроде. Мамочки! Моя квартира!

Бросив на пол сумку, она рванулась на пепелище.

— Кошмар, — послышался ее задыхающийся голосок, — катастрофа! Где теперь жить-то!

Причитания сменились бурными, истерическими рыданиями.

— Во дела, — выкрикнуло новое действующее лицо: полная старуха в синем халате, — Лизка-то живехонька! Кого же из ее квартиры вынесли?

— Не знаю, Клавдия Степановна, — растерянно пробормотала Мария Тимофеевна, — сама никак в чувство не приду, я Лизочку за покойницу посчитала, а тут смотрю — по лестнице идет, вот уж стресс!

— Надо ее оттуда увести, — воскликнула Клавдия Степановна, — еще в обморок упадет!

Мы вошли в квартиру и нашли Лизу около подоконника, вернее, около того, что было когда-то подоконником.

— У меня тут кактус в понедельник зацвел, — растерянно сказала она, увидав нас, — никогда не распускался, и вдруг такая красота. Очень жаль.

— Ты, деточка, лучше радуйся, что жива осталась, — вздохнула Мария Тимофеевна, — чего дома не ночевала?

— К подружке поехала, — пояснила девица, — день рождения у нее был, выпили немного, меня развезло, вот и осталась.

— Считай, второй раз родилась, — покачала головой Мария Тимофеевна.

— Кого же тогда из твоей квартиры вынесли? — полюбопытствовала Клавдия Степановна.

— Как вынесли? — побелела Лиза.

На всякий случай я пододвинулась поближе к ней, еще упадет сейчас в обморок.

— Так Елену Тимофеевну и Полину у них нашли, — заявила не отличавшаяся тактичностью Клавдия Степановна, — Сережка, ирод, у себя был, а у тебя кто? Тело обнаружили, мы-то грешным делом сказали милиции: «Лиза это, она одна жила». Тебе теперь надо поторопиться. Беги к домоуправу, пусть сообщит куда надо, а то объявят умершей, потом намучаешься документы выправлять. Эй, ты чего? Стой!

Лиза сделала шаг вперед, вытянула руки и, вскрикнув:

— Рита! — обвалилась в кучу липкой сажи.

Я, хоть и подозревала, что события могут развиваться подобным образом, не успела подхватить ее.

Глава 7

В себя Лиза пришла часа через два. За это время мы успели отнести ее к Клавдии Степановне, вызвать «Скорую» и милицию. Прибывший из отделения молодой парень начал расспрашивать Лизу, я и Клавдия Степановна тихонько сидели на кухне. Квартира у старухи была крохотной, однокомнатной, и нам было отлично слышно, о чем беседуют Лиза и лейтенант.

Все оказалось очень просто, Лиза собралась на день рождения к своей бывшей однокласснице. В тот момент, когда она раздумывала, какое платье надеть, чтобы вызвать завистливые вздохи присутствующих, ей позвонила Рита Моргулис и попросила:

— Пусти нас с Костей на пару часов к себе.

У Лизы две комнаты, жила она одна и охотно помогала подружкам, которым негде было встречаться с любовниками. Рита жила вместе с ненормальной матерью, которая никогда не разрешала привести в дом мужчину.

Естественно, Лиза ответила:

— Валяйте, вся квартира в вашем распоряжении, вернусь поздно. Только ключ у меня один, тебе придется ждать, пока я вернусь.

— Без проблем, — заверила Рита.

Около полуночи Лиза, понимая, что перебрала и не способна передвигаться, позвонила домой и сказала:

— Не приеду, перепила малость. Ты не уходи, дверь-то без ключа не закрыть.

— Не волнуйся, — заверила ее Рита, — лягу спать. Костик домой побежал, к жене, а я у тебя покемарю, только утром очень не задерживайся, мне на работу надо.

Но Лиза продрыхла под воздействием алкоголя слишком долго, потом проснулась и помчалась домой, даже не попив кофе. По дороге она старательно подбирала слова, которые скажет Рите, опоздавшей из-за нее на службу. Дальнейшее вы знаете.

Записав показания, милиционер ушел. Мы с Клавдией Степановной принялись хлопотать вокруг бледной Лизы.

— Вот несчастье, — причитала старуха, — где же теперь жить станешь?

И тут Лиза рассказала новую историю. Пару месяцев назад ее парень, Юра Кравец, устроился на работу в страховую компанию агентом. Юноше предстояло бегать, стаптывая ботинки, в поисках клиентов. Чтобы помочь любимому, Лиза решила застраховать свое жилье по полной программе, а Юрка, желая угодить любовнице, составил бумаги таким образом, что в случае каких-либо неприятностей Лиза должна получить нехилую сумму в сто тысяч долларов.

— Разве такое возможно? — недоверчиво спросила я. — Уж больно много денег! Квартира столько не стоит.

— Так в страховку включили еще мебель, ковры, сантехоборудование, — принялась перечислять Лиза, загибая пальцы, — ну и Юрка, конечно, немного схимичил, чтобы мне побольше дали! Ой, теперь куплю себе новую жилплощадь, давно хотела из этого барака уехать! Вот радость-то!

Меня передернуло. Она что, забыла про смерть двух взрослых людей и одного ребенка? Клавдии Степановне бурное ликование Лизы тоже показалось странным, старуха перекрестилась и пробормотала:

— Да уж, кому война, кому мать родна...

Лиза внезапно осеклась. Ее счастливый смех перешел в рыдания. Мы вновь кинулись капать ей валерьянку. Через некоторое время, когда Лиза наконец взяла себя в руки, я спросила у нее:

— Где же ты жить будешь?

— У подружки пока, — вздохнула та, — у нее мать хорошая, не выгонит.

Лиза вытащила из сумочки зеркало, старательно напудрила нос и тут только сообразила спросить:

— А вы чего тут? Никак про Аню разузнали?

Я поколебалась секунду, стоит ли сейчас затевать разговор, Лиза только что пришла в себя, но потом все же решилась.

— Скажи, у Ани была татуировка на плече?

Девушка засмеялась:

— Ну вы спросили! Татушка!

— А что особенного, сейчас у многих, в особенности у молодых, наколоты картинки!

— Да Аньку бы Елена Тимофеевна убила, приди ее дочке в голову идея так разукраситься, — заявила Лиза, — на порог бы ее не пустила! Тетя Лена Ане ничего не разрешала, уши проколоть и то запретила. Сколько Анька от нее натерпелась, пока беременная ходила! И не рассказать, мать прямо исшпыняла ее, все ворчала: «Позор, в подоле принесла». А чего такого? Ведь не при царе Горохе живем. Хотя Анька бы сама не стала себя так разукрашивать, не нравились ей тату. А у меня, гляньте.

И Лиза задрала брючину. У щиколотки виднелся маленький красно-синий дракончик.

— Правда, стебно? — спросила она.

Я кивнула, какой смысл объяснять Лизе, что носить татуировку вульгарно? Она уже ее сделала. Впрочем, может, я старею, становлюсь безнадежно немодной? Во времена моего детства иметь наколку считалось дурным тоном. Позволяли их себе только мужики, причем максимум, на что они были способны, — это небольшой синий якорь. Им украшались те, кто проходил службу на флоте. А еще многие накалывали имя любимой женщины, но тут возникали проблемы. Наш сосед Виктор щеголял надписью «Галя», но спустя некоторое время он развелся с женой и со злости переделал тату, просто добавил к ней еще одну черточку, и получилось «Таля». А еще помню, как мачеха, придя с работы, сурово сказала:

— Не смей никогда ходить в гости к Алке Колпаковой!

— Почему? — удивилась я.

— Мать ее с зоны вернулась, — рявкнула Раиса, — вся в наколках! Стыдобища! Вообще срам потеряла! Не баба, а географическая карта, синяя вся! Хватит спорить, велено не ходить, так не ходи! Не пара тебе Алка, ничему хорошему у ней в доме не научат. Тьфу, чистый папуас.

Так что я выросла с сознанием того, что женщине иметь татуировку позорно. Но сейчас иные нравы, поэтому читать мораль Лизе не стану.

— Классно вышло, — она вертела изящной ножкой, — мы вместе с Ксюхой пошли. Больно, правда, но терпеть можно. Ксюха, дура, наколола себе сердечко, а внутри имя «Вадим». Ну не глупость ли? Кто он ей? Не муж же, не родственник. А я умная...

У меня закружилась голова.

— Значит, у Ани татуировок не было?

— Нет, конечно.

— А у твоей подруги Ксюши имелось сердечко с именем «Вадим»?

— Ага.

— И где сейчас Ксюша?

Лиза пожала плечами:

— Понятия не имею.

— Что так?

— Мы уже больше года не встречаемся.

— Почему?

— Она у меня губную помаду сперла, я Аньку предупредила, не дружи с Ксюхой! Только Анька отмахнулась, — надулась Лиза, — и продолжала с ней встречаться.

— Где Ксюша живет?

— На Касаевской.

— Это далеко?

— Минут пятнадцать на автобусе, — пояснила Лиза, — дом у нее такой странный, сам серый,
балконы зеленые. А вам зачем?

— Ты мне телефон Ксюши дай.

— Не помню.

— В книжке посмотри.

Лиза неожиданно замолчала, потом воскликнула:

— Во, блин! Она же сгорела, вместе со всем.
Вы чего, к Ксюхе собрались?

— Да.

— Зачем?

— Можешь адрес назвать?

— До остановки «Молокозавод» на семьдесят пятом, чуть вперед пройдете, увидите дом с
зелеными балконами, ее подъезд первый по
ходу, этаж последний, квартира слева, край-
няя, — оттарабанила Лиза. — А за каким фигом
вам Ксюха?

— Потом объясню, — отмахнулась я и ушла.
На улице совсем стемнело. Тащиться в незнакомый район, когда вокруг стоит чернильная темень, не очень хотелось, поэтому я пошла не на
остановку наземного транспорта, а к метро.
Лучше поеду домой. Утро вечера мудреней. Может, завтра в доме с зелеными балконами меня
встретит веселая девочка Ксюша. Но что-то мне
подсказывало: Ксюши нет в живых, это ее похоронили как неопознанное тело. Почему на девочке была куртка Ани и куда подевалась сама
Аня, оставалось неясно. И если тело Ксюши,
пролежав довольно долгое время в морге, было
кремировано за госсчет, значит, несчастные ро-

дители ничего не знают о судьбе своей дочери и мой долг рассказать им правду.

Дома я застала Тамарочку и Марину Степановну. Мама Вована вполне мирно сидела на кухне, держа на руках Никитку.

— Вы, молодые, — вещала она, — ничего похорошему сделать не умеете. Пихнули мальчонку в стульчик и забыли! Ребенка развивать надо. Вот так! Ай люшеньки, люшеньки, идут агушеньки.

Никитка заливался счастливым смехом, Марина Степановна делала ему козу, оба казались невероятно довольными. Я удивилась, утром гостья не произвела на меня приятного впечатления.

— Вилка, будешь мясо? — спросила Томочка.

Я плюхнулась на стул.

— Да.

— Добрый вечер, Виолетта, — церемонно кивнула Марина Степановна.

Я улыбнулась и вцепилась в отбивную. Виолетта так Виолетта, спорить не стану. Хотя, может, стоит называть ее Маргаритой Степановной? В свое время у меня был кавалер, Женя Редников. У него имелось невероятное количество родственников: тетушек, дядюшек, племянников. За год, что мы провели вместе, нас все время звали на свадьбы, похороны, дни рождения. Так вот, стоило Женьке возникнуть на торжественной церемонии бракосочетания какой-нибудь своей пятиюродной сестры, как присутствующие дамы мигом налетали на него с вопросом: «Женечка, когда же ты станешь следующим, когда пойдешь в загс?» Редников дико злился, но поделать со старухами ничего не мог. Они делали вид, что не замечают, насколько ему неприятно их любопытство, и упорно подталкивали парня к женитьбе. Потом вдруг разом перестали. Я очень удивилась, когда на очередной торжественной церемонии, где женихом выступал родной брат Женьки, никто из присутствующих женщин не накинулся на Редникова.

— Бабушки решили оставить тебя в покое? — хихикнула я.

— Нет, — буркнул Женька, — я побил их тем же оружием.

— Это как? — изумилась я.

— А на похоронах подошел к каждой и мило поинтересовался: «Ах, когда же вы станете следующей»! — рявкнул Женька. — Очень хорошо помогло, мигом охоту приставать потеряли. Имей в виду: кто к нам с мечом придет, тот от меча и погибнет...

— Вилка! — заорала Кристина, влетая в кухню. — Чего расскажу!

Томочка уронила половник, я от неожиданности откусила слишком большой ломоть свинины и чуть не подавилась, а Марина Степановна укоризненно заявила:

— Девочке неприлично издавать такие громкие звуки! Девочку украшает нежный голосок.

Я с трудом проглотила кусок свинины. Интересно, своей невестке, эстрадной певице Лоре, с зычным, густым басом, Марина Степановна тоже повторяет эту фразу?

Но нашу Кристю трудно сбить с намеченного пути. Девочка плюхнулась на диван и радостно заверещала:

— У нас очень интересные суставы в указательном пальце!

— Да? — вежливо изобразила интерес Томочка. — И что в них такого?

Кристя захихикала:

— Оказывается, если ты всунешь палец в горлышко пивной бутылки, то назад ни за что не вынешь!

— Господи! — подскочила Марина Степановна. — Зачем мне палец туда совать!

— Почему же палец не достать? — удивилась я. — Если он внутрь пройдет, то и наружу можно вытащить.

— Нельзя, так нам Алиса Евгеньевна сказала, биологичка!

— Глупости, — рявкнула Марина Степановна, — ваша учительница ненормальная:

— Вовсе нет, — рассердилась Кристина, — она классная! Эх, видели бы вы, какой у нее пирсинг в ноздре.

— Что в носу? — не поняла Марина Степановна.

— Сережка, — вздохнула Тамарочка.

— Что?!

— Серьга.

— Ну и ну, — покачала головой мать Вована, — дожили! Вот какие люди детей учат! Естественно, что от них ничего, кроме глупостей, не услышать! Палец из бутылки не вынуть! Бред!

— А вот и нет! — заорала Кристина.

— Да, — топнула ногой Марина Степановна, — идиотизм!!!

Так, сейчас Кристина закричит: «Вы сами кретинка!» — и тихий, мирный вечер превратится во вселенский скандал. Но девочка, против ожидания, не накинулась на обидчицу любимой преподавательницы с кулаками. Кристина вскочила и вылетела в коридор. Я перевела дух, Томочка, предусмотрительно не принимавшая никакого участия в споре, стала заваривать чай.

— Отвратительно, — злилась Марина Степановна, — серьга в носу! Чему такая особа научит!

Я уткнулась в тарелку, надо бы уйти к себе, да жаль оставлять Тамарочку одну с этой гарпией.

— Здрасьте всем, — сказал папенька, входя в кухню, — во, девки, сварите креветочек.

С этими словами он швырнул в мойку два шуршащих пакета, а потом водрузил на стул сумку, в которой звякали бутылки.

— Никакого пива! — сердито сказала я.

— Ну доча, — заныл Ленинид, — не вредничай, и вообще, мне доктор прописал!

Я удивилась, несколько дней назад папеньку скрутила боль в желудке. Ленинид понесся к докторам и пришел очень грустный.

— Язва у меня, — шепотом сообщил он, — вот до чего жисть довела! Эх, мало хорошего я видел, одни зоны!

Я хотела было справедливо возразить папеньке, что в тюрьму он каждый раз попадал по собственной инициативе. Очень прошу вас, не подумайте, что Ленинид был диссидентом, борцом за социальную справедливость. Нет, мой родитель — банальный вор, правда бросивший криминальную стезю. Сейчас он честно трудится на мебельной фабрике. Впрочем, имея такую жену, как Наташка, не забалуешь. У нее хуже, чем на зоне: даже шагать вправо или влево не понадобится, достаточно лишь подумать о чем-то крамольном, и сразу расстрел без предупреждения. Поэтому я ответила отцу:

— Не стенай. Язва сейчас лечится за неделю, пропьешь курс таблеток, и здоров.

Папенька тяжело вздохнул и теперь не забывает при каждой возможности вспоминать язву.

Ленинид вытащил из сумки «Клинское».

— Что же тебе сказал доктор? — поинтересовалась Томочка.

— Если уж очень захочу выпить, то ни водку, ни коньяк, ни вино, а чуток пива, — ответил Ленинид. — Эх, хорошее дело!

Марина Степановна брезгливо отодвинулась от стола.

— Хотите глоточек? — радостно предложил ей папенька. — Не познакомились мы. Здравствуйте, Ленинид, отец Вилки...

Уж не знаю, что собралась ему ответить мать Вована, судя по ее сжавшимся в нитку губам, ничего хорошего, но тут в кухню влетела Кристина и заорала:

— Вот!

Я с удивлением посмотрела на нее и улыбнулась. На ее пальце висела бутылка.

— Кристина! — сердито сказала Томочка. — Мы все поняли. Пошутила, и хватит. Вынимай палец.

Девочка покачала головой:

— Не получается.

— Отвратительное поведение! — процедила Марина Степановна, прижимая к себе Никитку. — Хотя чего ждать, если бедный подросток живет в такой семье! Вы и этого младенца испортите!

— Немедленно вытащи, — обозлилась я.

Кристя попыталась выдернуть палец, но ничего не вышло.

— Ерунда, — рявкнула Марина Степановна, — потряси сильней!

— Что случилось-то? — засуетился Ленинид.

Я быстренько ввела папеньку в курс дела, Томочка так и этак пыталась вытащить Кристин палец.

— И правда ничего не выходит, — выдохнула она, — рука, наверное, отекла.

— Да разбейте бутылку, — посоветовала Марина Степановна.

Мы подвели Кристю к мойке, и я осторожно ударила по бутылке разделочной доской. Но толстое стекло устояло.

— Мне больно! — заорала Кристя.

— Если даже раскокаем бутылку, горлышко останется на пальце, — засуетилась Томочка, — получится эффект неснимающегося кольца.

— Кристя, одевайся, поедем в травмопункт! — рявкнула я.

Кристя пошла в прихожую.

— Все равно бред! — кипятилась Марина Степановна. — Что влезло, то и вылезти должно! Не верю! Девочка придуряется.

Ленинид вышел в коридор.

— Где полис Кристинки? — спросила я. — Нас без него не примут.

Томочка побежала к себе в спальню. Никитка весело агукал, прыгая на руках у Марины Степановны. И тут в кухню вернулся Ленинид, тихим шагом пересек помещение и молча сел на табуретку. Меня что-то кольнуло, я подняла глаза, глянула на папеньку и заорала:

— С ума сошел!

На пальце у него висела бутылка.

— И правда не вылезает, — грустно сказал он, — вертел-вертел, никак!

— Немедленно ступай за пальто, — прошипела я, — потом побеседуем!

В метро мы произвели фурор. Правда, сначала Ленинид и Кристя, стесняясь окружающих, прикрывали бутылки, но потом им надоело так сидеть. Пассажиры, увидав сладкую парочку, зашушукались. Наконец одна тетка не выдержала и спросила:

— Рекламируют чего? Не пойму никак.

— Нет, — ответила я, — пальцы в горлышко засунули, указательные.

— Зачем? — влезла в разговор девочка, одетая в клочкастую шубейку.

Я глубоко вздохнула и стала объяснять ситуацию. На этом мои мытарства не закончились. Ленинид и Кристя перестали стесняться и принялись рассказывать вновь входящим, каким образом на их пальцах оказались бутылки. Каждый раз рассказ вызывал одну и ту же реакцию: «Не может быть, если туда вошел, то и назад непременно должен выйти».

В травмопункте я ввела парочку в кабинет к доктору. Тот внимательно выслушал «анамнез».

— Понятно, — протянул врач, — сначала ребенок, а потом его дедушка засунули пальцы в горлышко, что ж, бывает.

С абсолютно равнодушным лицом он начал мыть руки. Кристя и Ленинид прижались друг к другу, им явно стало страшно, а у меня возникло очень неприятное ощущение, ну как у главы семейства олигофренов. Вытерев пальцы, врач подошел к Кристе и сделал быстрое движение. Она вскрикнула, палец выскочил наружу. Через секунду та же процедура была проделана с Ленинидом.

— Свободны, — сообщил хирург, — Анна Ивановна, кто следующий?

— Мальчик трех лет с ластиком в носу, — ответила медсестра, потом повернулась ко мне: — Чего стоите?

— Но у них пальцы похожи на сардельки, — робко сказала я.

— А вы чего хотели! — рассердился хирург. — Теперь только часа через три отек спадет.

— Почему?

— Ступайте себе, — сурово заявила медсестра, — недосуг болтать, очередь сидит. Постеснялись бы, взрослые люди, не дети ведь, а глупостями занимаетесь!

Естественно, на обратном пути Ленинид и Кристя болтали без умолку и довели меня почти до бешенства.

Томочка открыла дверь и затряслась от хохота.

— Тебе смешно, — вздохнула я, — прикинь, как все в метро веселились.

Но подруга застонала и замахала руками. Столь бурная реакция всегда спокойной, даже слишком уравновешенной Тамары очень удивила меня.

— Там, — сквозь приступ хохота бормотала Томочка, — там...

— Что, где? — засуетилась я.

— Иди в кухню, — простонала подруга, по ее лицу текли слезы.

В полном недоумении я побежала туда и вначале не обнаружила ничего интересного. Никитка сидит в стульчике и колотит пластмассовым молоточком по столу, Марина Степановна стоит у окна. Я хотела было спросить у Томочки, зачем она отправила меня сюда, но тут мама Вована повернулась.

Вы не поверите, вы, безусловно, мне никогда в жизни не поверите, но у нее на пальце висела бутылка! Марина Степановна, как все упертые пожилые люди, решила доказать собственную правоту. А теперь угадайте с трех раз, кто повез ее в травмопункт?

В метро она сидела, опустив руку в пакет, издали казалось, что у несчастной сломана кисть, поэтому никакого ажиотажа в подземке мы не вызвали. Цирк начался в травмопункте.

Увидав нас, хирург нахмурился.

— Такое ощущение, что мы уже встречались сегодня, — процедила медсестра.

— Правильно, — залебезила я, — привозила к вам девочку и дедушку, они были с бутылками на пальцах.

— А теперь чего? — буркнул хирург.

— Вот, гляньте на бабушку.

Марина Степановна вынула руку из пакета.

— О господи! — воскликнула медсестра. — Вы над нами издеваетесь!

Хирург молча встал и пошел к умывальнику.

— Вовсе нет, — извиняющимся тоном сказала я, — просто когда люди слышат про эту историю с бутылкой, у них мигом возникает здоровое желание проверить утверждение на практике, потому что кажется...

— Если еще кого сегодня приведете, — оборвала меня медсестра, — то имейте в виду, ничего делать не станем.

— Успокойтесь, Анна Ивановна, — сказал доктор, вытирая руки, — мы не имеем права отказывать в помощи людям, даже таким, как эти.

Спустя секунду Марина Степановна была освобождена.

— А правда, — задумчиво пробормотал врач, — отчего же он не выходит? Ведь должен!

На его лице появилось выражение мальчика, который запихивает картофелину в выхлопную трубу автомобиля. Понимаете, что я имею в виду? Ну такая гримаска естествоиспытателя.

Я ухватила Марину Степановну за плечо и выволокла в коридор, надо бежать из этого травмопункта со всех ног, потому что хирург тоже пал жертвой эпидемии. Сейчас он не сумеет удержаться от желания проверить тезис на практике, сунет палец в бутылку, а суровая медсестра поколотит ни в чем не повинного человека, то бишь меня.

Глава 8

Лиза очень точно описала дорогу. Дом и нужную квартиру я нашла без всякого труда. Звонить в дверь не пришлось, она была раскрыта.

— Можно войти? — крикнула я.

Но ответа не последовало, очевидно, хозяева смотрели телевизор и ничего не слышали за раскатами музыки. «Ну что ж ты страшная такая...» — неслось из комнаты. Пришлось, наплевав на приличия, заглянуть внутрь без приглашения. Там и впрямь обнаружился орущий телевизор, а на диване лежал оглушительно храпящий небритый мужик. Я потрясла хозяина за плечо.

— Эй, проснитесь.

— Отвяжись, — пробормотал тот, не открывая глаз.

— Опять дверь не запер, — донеслось из коридора.

Я выпрямилась. Высокая, очень худая женщина вошла в комнату и вскрикнула:

— Вы кто?

— Виола Тараканова. Простите, я вошла без спроса, но дверь была открыта, а на мой крик никто не отзывался.

— Когда напьется — его не добудиться, — вздохнула женщина. — Вы откуда? С биржи труда? Проверяете, не устроился ли он тайком на работу? Можете не бояться, этот ни за что ломаться не станет, пока пособие идет.

— Нет, я пришла по другому вопросу. Скажите, у вас была дочка Ксюша?

— Кто?

— Девочка Ксюша, Ксения.

— Нет, мою зовут иначе.

— Тетя Зина, — заорал в прихожей голос, — мама спрашивает яйцо в долг!

— Иди сюда, не визжи, — ответила Зина.

В комнату вошла ярко накрашенная девица лет двадцати пяти.

— Здрасте, — сказала она.

— Сейчас, погоди, Люся, — кивнула ей хозяйка, потом повернулась ко мне и отрезала: — Никакой Ксюши у меня нет и не было. Вы ошиблись дверью.

— Но...

— Сказано же: нету здесь таких, ступайте себе, пока милицию не позвала, ходят всякие, выдумывают глупости, — разозлилась Зина, — убирайся, пока цела!

Девчонка, разинув рот, буравила меня взглядом. Видя, что Зина обозлилась до крайности, я

выскользнула на лестницу, спустилась на один
пролет ниже и села на подоконник. Скорей всего
я зашла не в ту квартиру. Может, мне нужна та,
что справа?

Послышались шаркающие шаги, по лестнице
спускалась Люся, держа в руке яйцо. Увидав
меня, она улыбнулась.

— Ксюху ищете?

— В вашем подъезде есть девочка с таким
именем? — обрадовалась я.

Люся хитро прищурилась.

— А над нами! Вы же только что в ее квартире
были, с тетей Зиной говорили.

Я растерялась.

— Но эта женщина заявила, что никакой
Ксюши не знает!

Люся пристроилась около меня на подоконнике, вытащила из кармана кофточки сигареты.

— Она дико на Ксюшу злится, прямо не вы-
носит ее.

— Родную дочь?

— Не, Ксюта ей не родственница.

— А кто?

— Она дочка дяди Вани, ну того пьяного, который на диване спит. — Девушка принялась
вводить меня в курс дела: — Ксюхина мама давно умерла, отец ее на тете Зине женился, а у той
своя девочка есть, Вера. Вот тетя Зина и принялась Ксюху со свету сживать, все дяде Ване на
мозги капала: «Твоя доченька бесстыжая, учиться не хочет, только о шмотках думает, вот моя
Верочка...»

Люся остановилась, перевела дух и зачастила
дальше:

— Правда, Ксюха и сама хороша. Учиться

бросила, с дурной компанией связалась. А потом она тете Зине по полной программе отомстила.

— Каким же образом?

Люся захихикала:

— Тетя Зина дочери на приданое собирала, три тысячи баксов в чулок сложила, а Ксюха их сперла и из дома удрала.

— Когда?

— Да уж больше года прошло.

— И она с тех пор ни разу у отца не появлялась?

— Нет, — покачала ногой Люся, — и не придет. Она мне сказала: «Ну ее, эту Зинку, сама проживу, надоела».

— И отец не искал дочь?

— Ему наплевать, — пожала плечами девица, — небось и не понял, что Ксюхи рядом нет, бухой всегда!

— И Зина тоже не волновалась?

— Скажете тоже, — фыркнула Люся, — да она полгода ходила по двору и орала: «Не дай бог эта воровка мне на глаза покажется! В милицию сдам, пусть судят за грабеж».

— Неужели никому не интересно, куда подевалась Ксюша? Кстати, ты у нее не видела куртку, вот такую, как на мне сейчас?

— Откуда бы у Ксюхи таким вещам взяться, — протянула Люся, — тетя Зина ей только с Верки шмотки отдавала. Не захочет ее доченька распрекрасная, отличница чертова, чего носить, вот тогда Ксюша это и получала.

— Все-таки странно! Молоденькая девушка убегает из дома, и никто даже ухом не ведет.

— Вадька приходил, — вздохнула Люся, — только тетя Зина его с лестницы спустила. Уж

как орала! «Знаю, ты ее подучил, скрипач долба-
ный».

— Кто такой Вадик?

Люся аккуратно сунула окурок в заботливо
поставленную кем-то на подоконник пустую ба-
ночку из-под «Нескафе».

— Любовь Ксюхина, не по себе дерево сру-
бить решила.

— Можешь поподробней рассказать?

— Запросто, — усмехнулась Люся, — слушайте.

Ксюша выросла в так называемой неблагопо-
лучной семье. Родители тратили все деньги на
водку, потом мать умерла, а отец женился на Зинаиде, вполне нормальной по виду женщине,
крайне отрицательно относящейся к любому ал-
коголю. Непонятно, почему Зина решила выйти
замуж за Ивана. Их семейная жизнь не залади-
лась сразу: скандалы, драки. У Зинаиды имелась
собственная, горячо любимая дочка, и для пад-
черицы в ее сердце места не нашлось. Два года
назад Ксюша влюбилась, да не в кого-нибудь, а в
Вадима Семина, мальчика из благополучной,
очень обеспеченной семьи. Вадик учился в консерватории по классу скрипки, носил костюм
с галстуком, не ругался матом, не пил в подъезде
водку, в общем, был птицей из другой стаи, но
по непонятной причине между ним и Ксюшей
вспыхнул роман.

— Ксюха по нему умирала, — оживленно
сплетничала Люся, — прямо дышать в его присутствии боялась, надеялась, что Вадик на ней
женится, только я сразу поняла: ничего хорошего не получится. Впрочем, может, и вышло бы у
них чего, не знаю! Ксюха небось, когда деньги
стырила, к нему поехала, наверное, родители и

дали согласие на брак, когда столько долларов увидели! Они-то Ксюху нищетой считали, а тут три тысячи баксов! С такой суммой и полюбить можно!

— Люся, ты где? — раздался снизу визгливый голос. — За смертью тебя посылать! Сколько можно яйцо ждать!

— Ой, — подхватилась девушка, — пора мне.

— Где Вадик живет, знаешь?

— В новорусском доме, — сообщила она, сбегая по ступенькам вниз, — прямо за метро, в нем супермаркет «Перекресток».

Ее щупленькая фигурка исчезла.

— Эй, постой, — заорала я, — а квартира какая?

— Фиг ее знает, — долетело снизу, потом раздался стук, и на лестничной клетке воцарилась тишина.

Тяжело вздохнув, я пошла к метро. Может, этот Вадим, мальчик из хорошей семьи, сумеет объяснить мне: каким образом на Ксюше оказалась белая куртка и куда подевалась Аня? Наверное, юноша все глаза выплакал, разыскивая любимую, да уж, не слишком хорошую новость я ему сейчас принесу, но, как говорила покойная Елена Тимофеевна, лучше ужасная правда, чем неизвестность.

Номер квартиры, в которой проживал Вадик, я выяснила очень легко. Вошла в подъезд, увидела лифтершу и, притворно вздохнув, спросила:

— Не знаете, где мне найти молодого человека, скрипача, Вадима Семина?

— Зачем он вам? — бдительно поинтересовалась дежурная.

— Я сотрудница консерватории, привезла Вадиму ноты, — лихо соврала я, — дом хорошо помню, бывала у Семиных не раз, а квартиру забыла!

Консьержка оглядела меня с головы до ног и, очевидно, осталась довольна, потому что весьма приветливо ответила:

— Он живет на седьмом этаже, поднимайтесь.

Я поехала на лифте вверх, по дороге сообразила, что дежурная не назвала мне номер квартиры, но, когда лифт бесшумно открылся, глаза наткнулись только на одну дверь, самого роскошного вида. В этом доме каждый этаж занимала одна квартира.

Внутрь меня впустила женщина лет сорока, одетая в розовый фартук. Не выказав никакого удивления при моем появлении, она почтительно сказала:

— Ванная вот здесь, полотенчико голубое, абсолютно чистое.

Я молча вымыла руки и спросила:

— Простите, Вадим...

— Он вас ждет, — ответила женщина, — сюда, пожалуйста.

Мы миновали длинный коридор, просторный холл, потом какую-то странную комнату без окон, всю, от потолка до пола, завешанную картинами. В огромных апартаментах стояла музейная чистота и такая же тишина, в воздухе витал легкий запах полироли для мебели. Наконец мы добрались до нужной комнаты. Я слегка удивилась, дверь ее была обита кожей.

Когда-то, до массового появления железных, подобная дверь, обложенная ватой и обитая дерматином, была в нашей с Раисой квартире. У многих в подъезде дерматин был разделен на ровные ромбы «золотой» проволокой. У нас с мачехой денег на эту красотищу не хватило. Но внутри жилого помещения я никогда не встречала такого дизайна. Разве только в НИИ, где работала уборщицей, там такая дверь вела в директорский кабинет, и сделано это было из функциональных соображений. Начальство, обладавшее зычным голосом, не хотело, чтобы сидевшие в приемной слышали его разговоры.

— Пожалуйста, — притормозила домработница и распахнула дверь.

Я шагнула внутрь и не удержала завистливого вздоха. Именно так должна была выглядеть моя комната, имей я в кармане столько денег, сколько их было у родителей Вадима.

Вообще говоря, мне грех жаловаться. Всю жизнь я прожила в отдельной квартире, крохотной «двушке». Большинство ребят из моего класса обитало в таких же, и у них на тридцати квадратных метрах толпилось безумное количество родственников. У Ленки Мамалыгиной, например, в десятиметровке жил старший брат с женой и двумя младенцами, а в «большой» комнате ютились остальные члены семьи. У Мишки Каретникова вообще не было кровати, он спал на кухне, на надувном матрасе. А куда, скажите, ему было деваться, когда отец привез из деревни свою безумную мать? Мишкину софу отдали бабке, а другую кровать в квартиру невозможно было впихнуть. Мы же с Раисой жили вдвоем, но своей комнаты у меня не было. Спали мы в «маленькой», а «залу» мачеха превратила в гостиную, там стоял телевизор. Уроки я делала на кухне. Игрушки мои лежали в ящике под кроватью, а книг в нашем доме не водилось. Попав впервые в гости к Томочке, я обомлела, увидев бесконечные стеллажи с книгами, и спросила:

— Зачем вам столько книжек? Только пыль собирать, лучше в библиотеке взять!

Класса с пятого я стала мечтать о собственной комнате, кстати, мечтаю о ней до сих пор. Мне кажется, что у мужа и жены должны быть разные спальни. Никто не мешает супругам укладываться в одну постель, но должна существовать хоть теоретическая возможность закрыть за собой дверь и остаться в блаженном одиночестве. Не знаю, как у вас дома, а у нас в относительном покое можно оказаться лишь в туалете, да и то очень ненадолго.

Годам к двадцати пяти, уже живя в одной квартире с Томочкой, я очень хорошо представляла, чего хочу[1]: большую, тридцатиметровую комнату. Стены светлые, занавески и ковер нежно-зеленого цвета. Такого же оттенка и накидка на огромной кровати. Никаких раскладных диванов, на которых я сплю всю жизнь, только «стационарная» кровать, с горой подушек и теплых пледов. А около нее должна стоять большая тумбочка с уютной настольной лампой. На одной стене — книжные полки, на другой — картины... Парочка кресел, торшер... Мечтать не вредно, никогда у меня не будет подобной комнаты. Но сейчас я воочию увидела ее, только принадлежит она Вадиму. Впрочем, было тут то, что ни при каких обстоятельствах не оказалось бы в моей спальне. В правом углу громоздился черный концертный рояль, около него стоял пюпитр с нота-

---

[1] История жизни Виолы и Тамары рассказана в книге «Черт из табакерки», изд-во «ЭКСМО».

ми, рядом, на специальной подставке, лежала скрипка.

— Когда я вам понадоблюсь, позовете, — шепнула домработница и исчезла.

— Вы ко мне? — раздался с кровати тихий голос.

Я подошла ближе. В горе подушек, укрытый светло-зеленым пушистым, даже на взгляд мягким пледом, полулежал юноша. В руках у него был толстый том.

— Вы ко мне? — повторил он и отложил книгу.

Мой взгляд на секунду упал на обложку: «История взлета и падения Римской империи».

— Меня зовут Виола Тараканова.

— Вадим, — представился молодой человек.

— Ваша домработница, очевидно, приняла меня за врача. Сначала отправила мыть руки, а потом привела сюда.

— У меня бронхит, — пояснил Вадим, — поэтому ходят медсестры делать уколы, каждый раз появляются новые женщины, вот Лариса Михайловна и перепутала. Слушаю вас.

— Я из милиции.

— Откуда? — удивился Вадик.

— Из уголовного розыска.

Парень сел, нашарил тапки, надел их, потом встал и, указав рукой на два кресла, между которыми стояли маленький столик и торшер, церемонно сказал:

— Прошу, присаживайтесь. Никогда не имел дела с правоохранительными органами.

— Вы не получали паспорт? — улыбнулась я.

— Только за документами приходил, — улыбнулся он в ответ, — а в уголовный розыск никогда не обращался! Знаете, я даже детективы не читаю, на мой взгляд, отвратительная литература. Вот уж кого следует привлекать к ответственности, так это их авторов. Вместо того чтобы образовывать русский народ, они потрафляют дурным вкусам, создавая низменные произведения, не имеющие ничего общего с настоящей литературой.

— Я пришла не для того, чтобы беседовать о книгах!

— Да, конечно, внимательно слушаю.

— Вы были знакомы с девушкой по имени Ксюша?

Вадим слегка порозовел.

— Ксенией Савченко?

Я не знала фамилии несчастной, поэтому сказала:

— Девушкой, влюбленной в вас до такой степени, что она даже решила запечатлеть имя «Вадим» на своем плече. Неужели Ксюша никогда не показывала вам тату?

Вадим покраснел.

— Я не просил ее делать эту глупость! Честно говоря, я обозлился, когда увидел татуировку. На мой взгляд, это отвратительно, но у Ксюши имелось собственное мнение по этому поводу.

— Вы любили ее?

Вадим сжал губы.

— А в чем, собственно говоря, дело?

— Она знакомила вас со своими подругами? Знали вы Аню Кузовкину?

— Нет.

— А если подумать?

— Нет.

— Ксения никогда не водила вас в свои компании?

— Нет!

— Ни разу?

— Нет!

Вадим произносил короткое восклицание с самым сердитым видом. Олег называет такое поведение подследственного «уход в глухую несознанку». Я обозлилась: ну, Вадик, погоди!

— Гражданин Семин, ваш гражданский долг дать показания!

— Так рассказывать не о чем, — поморщился Вадим.

— Хорошо, — кивнула я, — можете сейчас молчать. Уйду несолоно хлебавши, но потом возьму у прокурора санкцию на ваше задержание, пришлю сюда патруль, и вас под конвоем доставят в СИЗО, там и побеседуем, правда, не в такой милой и уютной обстановке. Вас, естественно, потом отпустят, но, во-первых, о задержании сообщат в консерваторию, а во-вторых, соседи по дому получат обильную пищу для пересудов. Не удивлюсь, если с вами перестанут здороваться. Объясняй потом, что ни при чем. Как говорят, «то ли он украл, то ли у него украли, но была там какая-то неприятная история».

Глава 9

Вадик сравнялся по цвету со стеной, его тонкие пальцы начали вздрагивать, но голос прозвучал твердо:

— Вы не имеете права...

— Давайте попробуем проверить!

С этими словами я решительно встала.

— Бога ради, сядьте, — воскликнул Вадик, — честное слово, я ничего не знаю! Но вы спрашивайте, я буду откровенен.

— Как вы познакомились с Ксюшей?

— Она меня от хулиганов спасла.

Я удивилась:

— Девушка? Вас?

Вадим кивнул:

— Понимаю, что это глупо звучит, но именно так и обстояло дело. Возвращался я поздно вечером с концерта, подошли ко мне двое и велели: «Снимай часы, давай кошелек и мобильник».

Вадим испугался и начал безропотно расстегивать кожаный ремешок дорогого «Лонжина», но тут из темноты вылетела худенькая, растрепанная девчонка и заорала:

— Эй вы, уроды, отвяньте от человека, иначе со мной дело иметь будете!

Один из нападавших хрипло рассмеялся и спросил:

— Че сделаешь-то?

— А вот че, — ответила девчонка и ткнула хулигану в бок какую-то трубку.

Через секунду грабитель беззвучно упал на асфальт. Его подельник, испугавшись, мигом удрал. Вадим растерялся:

— Чем вы его?

— Шокером, — пояснила девушка, — электричеством.

— Он убит? — продолжал недоумевать Вадик. — Какой ужас! Нам надо вызвать милицию.

— Еще чего! — фыркнула девица. — Пошли, сейчас в себя придет.

— Но он лежит на земле и может простудиться.

— Ты прям придурок, — покачала головой девушка, — он же тебя не пожалел. Не бойся, шокер на пару минут выключает. Видишь, уже шевелится, давай, рвем когти, ща встанет, нам плохо придется!

С этими словами она потащила Семина к его дому. Скрипач едва плелся за своей спасительницей. Вадик никогда не участвовал в драках, его детство прошло за пюпитром, в школу его всегда водила мама, да и учился он в специализированном музыкальном учреждении, в котором дети редко затевают потасовки. Короче говоря, ему от переживаний стало плохо.

Ксюша дотащила Вадика до квартиры и сдала на руки его маме Леокадии Львовне. Та, охая и ахая, зазвала Ксюту пить чай. Вот так и началась любовь.

Первое время Вадик был искренне увлечен Ксенией, она решительно не походила на великолепно воспитанных девушек со скромным макияжем, которые до сих пор окружали юношу. Ксюша красила губы кроваво-красной помадой, носила кофточки, расшитые бисером и блестками, не умела пользоваться ножом, никогда не слышала фамилию Шнитке, а последней прочитанной ею книгой были «Три мушкетера». Вадика она привлекла детской непосредственностью, веселостью и бьющим через край жизнелюбием.

До сих пор скрипачу попадались апатичные, задавленные воспитанием девицы. Вадику показалась забавной роль профессора Хиггинса, он очень любил пьесы Бернарда Шоу и подумал, что сумеет переделать Ксюшу на свой лад. Леокадия Львовна, правда, пыталась остановить сына, но ее всегда послушный мальчик закусил удила.

Был еще один момент, связавший их крепче каната. До сих пор у Вадика, несмотря на то что он справил двадцатилетие, не было опыта половой жизни. Он водил девушек в театры и музеи, но потом неизбежно вставал вопрос: а дальше что? Следовало проявить инициативу, но у Вадика в квартире постоянно кто-то находился, а его девушки стеснялись устроиться в подъезде или на природе. Ксюша же оказалась решительной, через неделю после знакомства она затащила Вадика в какой-то подвал, где, к огромному удивлению парня, нашлась каморка, запиравшаяся на ключ, и кровать.

Опьянение длилось полгода, потом Вадик начал прозревать и испугался. Профессора Хиггинса из него не вышло, Ксюша по-прежнему не пользовалась ножом, зато Вадим неожиданно поймал себя на том, что ест котлеты руками прямо со сковородки. Потом его стала раздражать манера Ксюши произносить «че», ее слишком яркий макияж и то, что девушку нельзя было никуда пригласить: в концертном зале она засыпала, в театре все время вертелась в кресле и ела шоколадки, а в гости Вадим ее ни к кому звать не решался, потому что стыдился редкостной невоспитанности подруги.

Потом хитрая Леокадия Львовна, ни разу не сказавшая о Ксюше плохого слова и всегда встречавшая девочку с распростертыми объятиями, попросила сына отвезти кое-какие книги Марине, тридцатисемилетней вдове композитора Гольцева.

Вадик, естественно, поехал. Марина встретила его в изысканном домашнем наряде, проводила в гостиную, угостила коньяком. В доме, кроме красивой вдовы Гольцевой, никого не было. В какой-то момент Марина слишком низко наклонилась, в вырезе халата мелькнула высокая грудь. Одним словом, встреча завершилась в спальне, на кружевном белье. Попав в руки опытной дамы, Вадим потерял к Ксюше всякий интерес. В каморку в подвале его больше не тянуло, при воспоминании о грязном матрасе парень передергивался. Через некоторое время до Вадика дошло: он никогда не любил Ксюшу, от нее следует избавиться.

— И вы дали девушке от ворот поворот? — спросила я.

Вадик кивнул:

— Да, я объяснил, что мы не пара.

— А она?

— Плакала сначала, звонила, приходила, но я стоял на своем: дружить можно, но любви нет и замуж я ее не возьму! Потом Ксюша наделала глупостей, и я прервал все отношения.

— Каких глупостей?

Вадим вздохнул.

— Пришла в очередной раз и бросила на стол доллары, небольшую сумму, тысячи три, но я очень удивился, откуда бы ей столько взять.

Ксюша указала бывшему любовнику на деньги и заявила:

— Вот, зря ты считаешь меня нищетой убогой, смотри! Теперь, когда ты знаешь про приданое, возьмешь меня в жены?

Вадик обозлился, как следует допросил глупышку, узнал, что та попросту украла деньги у мачехи, и возмутился:

— Убирайся, не хочу иметь дело с воровкой.

Ксюша, рыдая, ушла. Все, больше они не виделись.

— Когда произошло объяснение?

Вадим призадумался.

— Холодно было, снег лежал, год назад. Точно! Вспомнил! В самом конце ноября.

В комнату постучали.

— Да, — раздраженно воскликнул скрипач, — ну кто там еще?

Вошла домработница.

— Уж извините... Опять, как вчера, одной не справиться!

— О господи, — закатил глаза Вадим, — иду!

Потом он повернулся ко мне:

— Простите, бога ради. Мама завела котенка, крохотного совсем, лезет везде. Вчера под холодильник заполз, сегодня, похоже, тоже. Сейчас достану его и вернусь.

Легким шагом он вышел в коридор. Я осталась одна и снова стала оглядывать комнату. Надо же, как тут все продумано, красиво, да, хорошо иметь много денег, небось одно кресло, на котором сейчас сижу, стоит столько же, сколько вся мебель в нашей гостиной. Томочкин супруг Сеня очень хорошо зарабатывал, но сейчас у него не лучшие времена, журнал, который он выпускает, не выдерживает конкуренции и вот-вот перестанет выходить, Томочка не работает, сидит дома с Никиткой, Олег, правда, целыми днями занят на службе, но вы, наверное, знаете, сколько получает сотрудник милиции. Я же, хоть и зовусь теперь писательницей, бешеных гонораров пока не имею. Впрочем, если не напишу в кратчайший срок новую книгу, то вообще ничего не заработаю. Тут же передо мной возникла тщедушная фигурка Смоляковой, впархивающая в шикарный «Мерседес», и я заскрипела зубами.

Огромным усилием воли подавив в себе зависть, я переключилась на кресло. Какое замечательное, мягкое, очень удобное... Рука скользнула между подлокотником и сиденьем, пальцы нащупали скомканную бумажку. Ага, в их безупречно убранном доме тоже можно найти беспорядок. Очевидно, Вадим, как Кристина, любит съесть шоколадку, а потом запихнуть обертку в глубь кресла.

Я вытащила смятый листок, разгладила его и поняла, что держу перед собой письмо, написанное на вырванной из тетради страничке. Никогда не читаю посланий, адресованных другим людям, но тут мой взгляд упал на фразу: «Ты убил Ксюшу», и, мигом отбросив все приличия, я впилась в текст.

«Всегда знала, что ты подлец! Негодяй! Ты убил Ксюшу! Тебе это так не пройдет! Немедленно позвони по этому телефону. Рената».

Я сунула бумажку в сумку, постаралась сделать спокойное лицо, дождалась Вадима и откланялась.

На улице я вытащила мобильный.

— Алло, — ответил звонкий детский голосок.

— Позовите Ренату.

— Она придет с работы через час! — выкрикнул ребенок.

Я посмотрела на часы: пора ехать домой.

Неожиданно в нашем доме оказалось тихо, а на кухне сидел один Олег, самозабвенно евший мясо прямо со сковородки. Чугунину он поставил на клеенку, а за ней водрузил газету «Петровка, 38». Я постаралась сдержать раздражение. Очень хорошо понимаю, что каждый мужчина в глубине души уверен: вселенная вращается именно вокруг него. Зачем представители сильного пола женятся? Да просто для того, чтобы иметь человека, который станет выслушивать его идеи преобразования мира и чистить ему брюки. Я очень хорошо отношусь к Олегу, порой люблю его, порой смотрю на супруга, как мама на маленького ребенка, порой жалею своего недотепу, но иногда он раздражает меня до потери разума.

Спусковых крючков моего бешенства несколько. Я категорически не понимаю, почему, придя домой, надо швырнуть ботинки в разные стороны. Отчего бы не поставить их рядом, а? Еще в исступление меня приводит нежелание Олега закрывать шкафы и ящики. Если он открывал гардероб или искал что-нибудь в аптечке, можете быть уверены, дверцы будут стоять нараспашку, пока я их не захлопну. Зачем развешивать одежду на спинках стульев в гостиной, когда ее нужно поместить в шкаф? Почему надо мыть руки и чистить зубы, отвернув краны с водой до упора так, чтобы струя сильно била в раковину? Зачем следует выдавливать зубную пасту с конца тюбика? Отчего не вернуть на место круг от унитаза? Нет ответа на сии вопросы.

Одно время я пыталась воспитать Олега, читая ему нудные нотации. Муж злился, и педагогический азарт перетекал в скандал. Через некоторое время мне стало понятно: Куприн недрессируем, как жираф. Слегка утешал меня тот факт, что Сеня ведет себя дома точно так же. Еще наши с Томочкой мужчины обожают давать нам советы по ведению домашнего хозяйства и щедро раздают указания.

— Холодно уже, — заявил пару недель назад Сеня.

— Пора окна заклеить, — подхватил Олег.

Через два дня они с возмущением принялись восклицать:

— Ну вы и сделали работу! Разве так надо! Следовало сварить клейстер, нарезать бумагу и не покупать дрянь, которая тут же отвалилась!

Спрашивается, если так хорошо знаешь, как утеплять окна, то отчего бы самому не сделать это? Ан нет, наших мужей хватает лишь на теоретическую часть.

В какой-то момент мы с Томочкой поняли, что хотим жить спокойно, и перестали делать мужьям замечания. В конце концов, живи у вас дома все разбрасывающий в разные стороны гиббон, вы бы, наверное, не требовали от него многого. Вот и мы перестали, собственное спокойствие дороже. Теперь я абсолютно молча подбираю ботинки Олега, вешаю его брюки в шкаф и мою зеркало в ванной. Единственное, что раздражает меня почти до невменяемости, это привычка Куприна лопать ужин прямо со сковородки. Впрочем, хорошо, что он догадался поднять крышку и нашел мясо. Обычно я обнаруживаю Олега с куском колбасы в руках возле кастрюли с супом. На мой вопрос: «Отчего не налил себе суп?» — следует, как правило, один из двух ответов. Первый: «У нас есть суп? А я и не заметил». Второй: «Щи? Их же греть надо».

Олег оторвался от газеты.

— Привет, как делишки?

— Хорошо, — процедила я, отняла у него сковородку, переложила еду на тарелку и поставила на стол. — Ты ешь, как поросенок!

— У тебя неприятности? — насторожился Куприн.

— Нет!

— Книга пишется?

— Нет!! То есть все еще пишется.

— В издательстве отругали?

— Нет!!! С чего ты взял!

— Ты начинаешь воспитывать меня, когда у тебя какие-то проблемы, — вздохнул Куприн, — в прошлый раз, когда ты застряла на середине рукописи, побила меня тряпкой.

— Глупости, — обозлилась я, — просто я швырнула в тебя полотенце и случайно попала.

— Хорошо хоть не завернула в него гирю, — притворно вздохнул Куприн и вновь уткнулся в газету.

Неожиданно злость куда-то делась, и я рассмеялась.

— Что на этот раз? — буркнул Олег.

— Вспомнила, как твой Веня Малышев с вором боролся!

Олег тихо захихикал.

— Венька умелец.

В начале девяностых годов, когда прилавки встречали покупателей полной пустотой, Вене Малышеву где-то бог послал... нет, не кусок сыра, а килограммов пять замечательной свинины.

У Веньки, как у всех нас в те годы, дома имелось аж три холодильника, и все они оказались забиты под завязку. На улице стоял декабрь, приближался Новый год. Малышев, страшно довольный тем, что вопрос с праздничным угощением решен, запихнул сырой окорок в пакет и вывесил за окно. Помните Москву девяносто первого года? Зимой из всех форточек торчали кульки и авоськи.

В самом радостном настроении Венька лег спать, а утром обнаружил, что пакета нет. Квартира Малышева расположена на втором этаже, рядом растет раскидистое дерево. Кто-то влез на него и срезал сумки, все, до которых смог дотянуться.

Естественно, Веня и пострадавшие соседи пришли в бешенство. И тут Малышева озарило! Через день он вновь вывесил за окно симпатичную авоську, из которой призывно высовывался рыбий хвост. Если мясо еще иногда попадалось в советских магазинах, то рыбы, даже с таким диким названием, как простипома, было не достать.

Ночью во дворе раздался крик. Венька, ожидавший подобного исхода событий, рванул во двор. Внизу, у дерева, он увидел вора, сломавшего ногу. Малышев, решивший поймать грабителя, поступил просто — он положил в холщовую сумку... тридцатишестикилограммовую гирю, замотав ее в бумагу, а сверху, для приманки, выставил рыбий хвост, выпрошенный в столовой на работе.

Но самое интересное, кто, оказывается, занимался грабежами! Перед Веней, стеная, лежал его собственный тесть.

— Папа, — растерянно пробормотал Малышев, — как дела?

— Ничего, — промямлил тестюшка, — упал вот!

— Но зачем вы наши собственные продукты спереть хотели? — недоумевал Венька.

— А чтоб люди не догадались, — кряхтел тесть, — а то плохо получится, у всех сумочки свистнули, а наша висит.

Аллочка, жена Вени, чуть не убила мужа, узнав про гирю, но, на мой взгляд, Малышев был абсолютно не виноват, он-то хотел как лучше.

Глава 10

— Ужинаете? — пробасил Вован, втискиваясь в кухню.

— Присаживайся, — оживился Олег, — мяса хочешь?

Вован кивнул, схватил вилку, потом взял сковородку и начал методично поедать свинину. Так, вот еще один любитель харчить еду прямо из кастрюльки.

— Что это за история с бутылками? — спросил Вован. — Марина Степановна дико возмущалась.

Я хихикнула и рассказала мужикам, как провела вчерашний вечер.

— Очень глупо, — нахмурился Куприн, — ясно же, что никогда назад не вылезет! Надо строго-настрого запретить Кристине заниматься подобными штучками. Она могла случайно раздавить стекло, и последствия оказались бы непредсказуемыми. Просто удивительно, до чего вы с Томочкой распустили девочку!

Вован преспокойно доел мясо, вытер куском хлеба сковородку и меланхолично спросил:

— А почему он не выходит?

— Сустав мешает, и сразу образуется отек, — пояснил Куприн.

— Не может быть!

— О боже! — закатил глаза Олег.

— Ладно-ладно, — забормотал Вован и вышел.

Я сунула в мойку сковородку и открыла бутылочку «Фэйри». По-моему, жители Вилабаджио просто гадкие люди, ну отчего они не сходят в соседнее Виларибо и не расскажут о средстве для мытья посуды?

— У меня палец даже туда не влазит, — сообщил Вован, вновь появляясь на кухне, — во, глядите.

— У нас руки большие, — со вздохом ответил Олег, — для мужчин нашего размера нужна емкость побольше, к примеру из-под шампанского!

Вован снова испарился, но не успела я поднести мочалку к сковородке, как он вновь материализовался на кухне.

— Такая подойдет? — спросил он, показывая бутылку из-под «Абрау Дюрсо».

Олег кивнул.

— Да.

— И почему же он не вылезает?

— Не получится.

— Ерунда!

— Не спорь.

— Глупости, раз вошел, то и выйдет!

Олег захихикал.

— Ну не всегда так получается.

— Да быть того не может!

— Я лучше знаю.

— Нет я!

На секунду мужчины замолчали, потом Олег в сердцах воскликнул:

— Господи, как ты мне надоел! На, смотри...

Я уронила сковородку на пол и закричала:

— Эй, эй...

Но поздно! Муж засунул палец в бутылку и торжествующим взглядом обвел Вована. Я села на табуретку. Это просто безумие какое-то! Олег повернулся к Вовану.

— Ну что, не выходит!

— Это у тебя палец кривой, — парировал Вован, — а у меня нормально выскочит!

Не успела я охнуть, как Вован мигом засунул

палец в горлышко другой бутылки. Естественно, вынуть его он не смог. У меня потемнело в глазах.

— Как вам не стыдно, — заорала я, вскакивая на ноги, — взрослые люди, майоры! Ни за что не поеду с вами в травмопункт!

И тут на кухню вплыла Марина Степановна.

— Владимир Семенович, — начала она, — вы должны... ой! Это что?!

— Ваш сын решил поставить над собой эксперимент! — рявкнула я.

— Зачем?

— Спросите у него.

— Владимир Семенович, — налетела на мужика мать, — какое безобразие...

— А что у нас случилось? — спросил Сеня, входя на кухню.

Через пятнадцать минут мы спустились во двор. Олег сел за руль «Лексуса», Вован полез на заднее сиденье, я устроилась около мужа. Происходящее начинало напоминать пьесу абсурда. Только бы в травмопункте дежурил другой хирург! Всю дорогу муж чертыхался, а я молчала. А вы сами попробуйте крутить руль с бутылкой на пальце. Врач оказался тот же самый, и медсестрой при нем была Анна Ивановна. Увидав нас, доктор радостно улыбнулся:

— О! Постоянные клиенты! Теперь кто?

— Муж и его приятель, — вздохнула я.

Последовало два точных движения, бутылки свалились на пол. Вован и Олег уставились друг на друга. Пока врач мыл руки, мне велели сесть около медсестры и сообщить паспортные данные мужчин. В какой-то момент я остановилась, а потом робко добавила:

— Уж извините, Анна Ивановна, они, как дети, поспорили!

Пожилая женщина неожиданно подмигнула мне и шепотом ответила:

— Доктор наш, Константин Львович, когда вы уехали, все удивлялся, отчего же палец назад не выезжает, ну и...

— Решил попробовать! — в полном восторге воскликнула я.

— Тише, — шикнула Анна Ивановна, — точно, именно так! Я чуть не умерла, когда увидела.

Она тоненько засмеялась.

— Бутылки-то унесите, выбросьте на улице, от греха подальше.

Но мы положили их в машину, рядом не нашлось ни одной урны.

Не успели мы отъехать несколько метров от травмопункта, как раздался свист. Олег послушно затормозил.

— Ваши документы? — сурово спросил гаишник.

Олег протянул права.

— Доверенность на машину.

— На заднем сиденье хозяин, — я пришла на помощь мужу.

— Что так странно едете, тихо и неуверенно, — подозрительно поинтересовался сержант. — Пьян? Ну, дыхни!

— Он трезвый, и вообще, ваш коллега, майор, работает в уголовном розыске, — затараторила я. — Олег, покажи ему ксиву.

Патрульный увидел красную книжечку и сбавил тон:

— Ладно, поезжайте, а то вижу, странный такой водитель, то ли обожрался, то ли обкурился.

— Да у него палец болит, вон как распух, — объяснила я, — из бутылки вынуть не мог.

— Такого не бывает, — безапелляционно заявил сержант, выслушав мою пламенную речь, — раз вошел, то и выйти должен!

Еще один сомневающийся!

— Глупости говорите, — не успокаивался гаишник, — ни за что не поверю.

— На, — сказал Вован и протянул парню бутылку.

Я с большим интересом наблюдала за происходящим. Патрульный снял перчатку. Что случилось дальше, вам, наверное, понятно. С самым недоуменным видом дурачок уставился на меня.

— Говорили тебе, что не выйдет, — с укоризной сказала я, — надо верить людям. Ты, дружочек, ступай в травмопункт, вон дверь, видишь?

Бедный гаишник молча кивнул.

— Хирург принимает, Константин Львович, а медсестру у него зовут Анна Ивановна. Иди, не бойся, они просто суперчемпионы по выниманию пальцев из горлышек.

Ренате я позвонила около полуночи.

— Да, — ответил тихий голосок.

— Бога ради, простите за то, что беспокою в столь поздний час.

— Ничего, я только пришла.

— Вы Рената?

— Да.

— Можно с вами встретиться?

— Сейчас? Вы кто?

— Нет, конечно, завтра.

— Вы кто? — повторила девушка.

— Ксения Савченко была вашей знакомой?

— Почему была? Она умерла?

— Давайте расскажу все завтра, при встрече.

— Вы кто?! — не успокаивалась Рената.

— Сотрудник уголовного розыска, майор Виола Тараканова, — ляпнула я.

— Ой! — вскрикнула она. — Мне надо будет к вам, в милицию, ехать?

— Лучше я к вам.

— Давайте, — явно обрадовалась девушка, — только...

— Что?

— Вас не затруднит приехать в районе полудня?

— Хорошо, в двенадцать буду, говорите адрес.

Рената жила в такой же роскошной квартире, как и Вадим. И в ее комнате, тоже большой, великолепно обставленной, стоял концертный рояль. Девушка оказалась полненькой и не слишком красивой. Правда, личико у нее было ничего, его украшали чуть выпуклые, огромные карие глаза, но приятное впечатление портили довольно заметные усики над верхней губой. И полная беда приключилась с фигурой, вернее, с ее нижней частью, ноги были излишне толстыми и короткими.

— Что случилось с Ксюшей? — спросила Рената.

— Когда вы видели ее в последний раз? — задала я свой вопрос.

— Год назад, — ответила девушка.

— Вы дружили?

Рената замялась.

— Ну... не знаю, как объяснить...

— А вы попробуйте, я пойму.

Рената схватила со столика носовой платок

и принялась крутить его в руках. У нее были красивые, длинные, нервные пальцы с коротко остриженными ногтями.

— Нас связывали странные отношения, — начала девушка.

Я молча слушала ее рассказ.

Рената учится вместе с Вадимом в консерватории, но знакомы они с детства, их мамы давно дружат.

И Леокадия Львовна, и Руфина Семеновна, мать Ренаты, лелеяли одну мечту: поженить детей. К поставленной цели мамаши шли последовательно, старательно сталкивая вместе Вадика и Ренату. Им покупали билеты в театры и на выставки, ни один домашний праздник в семье Вадима не обходился без Ренаты, и все свои дни рождения девушка проводила вместе с ним. Очень многие считали их женихом и невестой. Вадик не слишком нравился Ренате, впрочем, он тоже не делал никаких поползновений в ее сторону. Вадим был безукоризненно вежлив, всегда провожал предполагаемую жену до дома, целовал ей руку, но и только, дальше дежурного обмена любезностями дело не шло. Но Рената пребывала в тоскливой уверенности, что Вадик ее судьба, мамы все равно настоят на своем. Представьте теперь ее изумление, когда однажды днем к ней явилась незнакомка.

Рената открыла дверь и удивилась.

— Вы ко мне?

— Ага, — кивнула нежданная гостья, — поговорить надо.

Девушка оказалась хорошенькой, но слегка вульгарной, и одета она была не так, как принято в той среде, где вращается Рената: розовые обтягивающие джинсы со стразами, коротенький свитерок с глубоким вырезом и кроссовки на чудовищной платформе.

Войдя в комнату, девушка плюхнулась на диван, раскинула ноги и заявила:

— Отвянь от Вадика, он мой!

— Простите, — удивилась Рената, — я не понимаю.

— А че тут не ясно? — ухмыльнулась девица. — Давай познакомимся, Ксюша я. У нас с Вадиком любовь, живем мы вместе, а ты мешаешься.

Рената постаралась «сохранить лицо». Проговорили они в тот день около двух часов, и Рената пообещала Ксюше:

— Хорошо, постараюсь свести свои отношения с Вадимом на нет.

— Вот спасибо! — воскликнула Ксюша. — Ты себе найдешь парня, а у меня это единственный шанс.

Самое интересное, что Ксения понравилась Ренате, было в ней что-то настоящее, живое, пусть и грубоватое.

Через неделю Ксюша вновь приехала к Ренате, на этот раз с другой проблемой.

— Понимаешь, — прямолинейно брякнула она, — Вадику со мной хорошо в постели, ну прямо улетает, только стесняется он меня.

— В кровати? — уточнила Рената.

— Не, — усмехнулась Ксюша, — когда вылезаем. В гости меня ни разу не позвал, вчера впервые повел, к этому... имя такое дикое...

— Мардохану? — улыбнулась Рената.

— Во, точно! — кивнула Ксюша. — Сели чай пить, я прямо вспотела, все боялась чего не так сделать. Ну прикинь, у него торт надо ножом и вилкой есть.

— К пирожным часто подают столовые приборы!

— Зачем?

— Так принято, — пожала плечами Рената.

— Неудобно ведь, — хмыкнула Ксюша, — ложкой лучше!

Рената ничего не ответила, Ксения помолчала и спросила:

— А кто такая Дали?

— Художник.

— А... а... — протянула девушка, — Губайдуллин тоже картины писал?

— Губайдуллина композитор, она женщина, а Дали мужчина.

— А... а... Я вчера себя дура дурой почувствовала, — неожиданно призналась Ксюша. — Вадим с этим парнем треплется, вроде слова я понимаю, а смысл нет. Слышь, помоги мне.

— Каким образом? — удивилась Рената.

Неожиданно Ксюша схватила ее за плечо и затараторила:

— Я ведь не идиотка, очень даже хорошо соображаю, только научить меня некому. Вадик с такой мордой замечания делает, что все из рук сыплется. Будь человеком, объясни, как себя за столом вести, ну и всякое такое, а? Ведь ты знаешь все. Мне судьба шанс послала, надо, чтобы Вадим в загс повел. Ты не обижайся, но он тебя совсем не любит, встречается только из-за мамы.

Рената рассмеялась, неожиданно Ксюша понравилась ей еще больше, были в ней непосредственность и щенячья наивность.

— Значит, хочешь нанять меня в качестве учительницы?

Ксюша тяжело вздохнула.

— Денег платить тебе у меня нет, но могу отработать: картошку почистить, полы помыть.

— Не надо, — улыбнулась Рената, — я так тебе помогу.

Начали с самого простого. Нож держат в правой руке, а вилку в левой, локти во время еды не растопыривать, перед тем, как отпить из бокала вино или воду, губы следует вытереть салфеткой, хлеб берут руками, а колбасу с общего блюда лопаточкой...

— Кто только придумал эти глупости, — ворчала Ксюша, пытаясь разрезать кусок ветчины, — неудобно-то как!

Потом перешли к более сложным занятиям. Рената составила для Ксюши список книг, которые требовалось прочитать: Пушкин, Лермонтов, Достоевский.

— Не могу, — заявила через неделю Ксюха, — нуднятина дикая! Убил старушку и четыреста страниц ноет. Лучше телик посмотреть.

Поняв, что ученица не способна к восприятию классики, Рената пошла иным путём, просто написала на бумажке: «Толстой, Чехов, Куприн, Бунин — писатели, Чайковский, Мусоргский, Алябьев — композиторы, Суриков, Репин, Перов — художники».

Потом Ксюше надоело учиться, и уроки прекратились, но звонить она не перестала. Раз в три дня в квартире у Ренаты раздавалась трель и слышался бойкий голосок:

— Приветик, как твои дела?

Через полгода Рената с огромным удивлением

поняла, что совершенно искренне считает Ксюшу своей подружкой и что ее не раздражает манера девушки говорить «ложить» и «покласть». Ксюша оказалась светлым человеком, очень трудолюбивым и надежным.

Осенью родители Ренаты уехали отдыхать во Францию, а пианистка заболела. Услыхав о ее недуге, Ксюха мигом прилетела и принялась ухаживать за ней. Другие подруги Ренаты, узнав, что та загриппровала, мигом говорили:

— Ну ты же как-нибудь справишься? Я к тебе боюсь ехать, еще заражусь, концерты не сыграю.

Ксюша же, совершенно не думая об инфекции, просидела около Ренаты две недели, варила ей морс, меняла белье и приговаривала:

— Ну и скрутило тебя, смотри копыта не отбрось.

Грубость Ксюши уже не коробила Ренату, она знала, что у ее подруги благородное сердце.

Потом Ксюша куда-то пропала, а Рената уехала с гастролями на Украину. Вернулась она в самом конце ноября и не успела войти в квартиру, как прозвенел дверной звонок. Рената распахнула дверь и обрадовалась.

— Ксюня!

Подруга вошла, шлепнулась на табуретку и внезапно зарыдала.

— Что случилось? — испугалась Рената.

Ксюша вытащила из кармана деньги и швырнула их на пол.

— Вот! Теперь все! Меня Вадим выгнал! Одно не пойму, когда я зарабатывала — хороша была, а так... — И она снова зашлась в плаче.

Рената отвела девушку в свою комнату, потом вернулась в прихожую, собрала купюры, отнесла их Ксюше и попросила:

— Объясни подробно, что случилось.

— Дура я! — вздохнула Ксюша. — Стоеросовая дубина. Ладно, слушай.

Глава 11

Сведения, которые сообщала Ксюша, сначала показались Ренате невероятными, но чем дольше длился рассказ девушки, тем больше Рената понимала: подруга говорит правду. У Вадима никогда не было денег.

— Не может быть, — перебила я Ренату, — это ложь. У парня обеспеченные родители, он живет в шикарной комнате...

— Правильно, — кивнула Рената, — одевается в дорогих магазинах, но наличных рублей не имеет. У Вадика в кошельке всегда три копейки.

Леокадия Львовна считала, что юноше наличные деньги ни к чему. Он одет, обут, сыт, чего еще? Мама контролировала все расходы Вадима, она же работала у него в качестве импресарио. Если Вадика приглашали сыграть концерт, деньги за него получала Леокадия Львовна.

— Запомни, сынок, — говорила она, — человек искусства не должен думать о звонкой монете, его не тревожат бытовые проблемы, для их решения имеются специально обученные люди. Вот закончишь консерваторию, подпишешь контракт с крупным западным импресарио и наймешь себе секретаря, а пока уж я тебя выручу.

Вначале Вадику нравилось, что мать решает за него все проблемы, но потом тотальный контроль начал его тяготить. А главное, что напрягало, — отсутствие денег.

Один раз Вадим попытался взбунтоваться, но

Леокадия Львовна подавила бунт в зародыше. Когда сын начал возмущаться, мама просто свалилась на диван и изобразила очередной приступ. Вадик очень любит Леокадию Львовну, поэтому испугался, и все осталось по-прежнему.

Доходило до смешного. Поступив в консерваторию, Вадик начал курить, но, естественно, он не мог рассказать о дурной привычке маме. Ту хватил бы настоящий инфаркт. Поэтому Вадик баловался сигаретами только на улице и испытывал большие трудности при их покупке. Денег у него не было никаких.

— Вообще говоря, все те, кто тотально зависит от родителей, — вздохнула я, — экономят на питании. Ну дает мама какую-то сумму на обед...

— Леокадия Львовна никогда не давала Вадику ничего, — прервала меня Рената.

— Она морила его голодом? — удивилась я.

— Нет, конечно, — усмехнулась девушка, — просто в консерватории не слишком хорошая столовая, находится она в самом центре, вокруг полно кафе. Вадик один раз, на первом курсе, пошел перекусить в какую-то харчевню. В то время Леокадия Львовна еще давала ему на обед. Съел что-то несвежее и отравился, причем очень сильно, в больницу отвезли. Вот с того дня Леокадия Львовна стала ему паковать еду с собой, бутерброды и термос. А чтобы любимый сыночек не польстился на какую-нибудь дрянь, сделала так, что у парня в кошельке не звенело ни копейки.

Вадиму покупался проездной на месяц, приобреталось все необходимое, но!.. Но в магазины он ходил только с мамой, Леокадия Львовна никогда ни в чем не отказывала сыну, покупала все, на что падал его взгляд, только «живых» денег не давала.

Рената знала о «финансовых наручниках» приятеля и один раз попыталась было поговорить на эту тему с Леокадией Львовной. Но тетя Лека, так звала мать Вадима «будущая невестка», только махнула рукой.

— Вадик еще маленький, он не умеет распоряжаться деньгами.

— Ему двадцать лет, — напомнила Рената.

— Милая моя, — улыбнулась тетя Лека, — и что? Да, Вадюше, судя по паспорту, пошел третий десяток, но на самом деле в душе он семилетний мальчик, абсолютно не приспособленный к жизни и неразумный. Вот поженитесь, и я с огромным удовольствием передам финансовые вожжи в твои руки, ты девочка с головой.

На этом беседа и закончилась. Если Рената и Вадим ходили в театр, девушка никогда не шла в буфет, зачем конфузить кавалера? Впрочем, Вадик не слишком стеснялся своего безденежья, раздражать его оно стало лишь недавно.

Ксюша, поняв, что у любовника в карманах свищет ветер, поступила иначе, чем Рената. Если та не решалась пойти с Вадиком в кафе, чтобы не ставить парня в неловкое положение, то Ксения, наоборот, ходила с ним в рестораны, а потом расплачивалась сама. Вадик же, приученный, что за него везде и всегда раздает купюры мама, не сопротивлялся, скорей всего он просто не задумывался, где Ксюша добывает деньги.

— И где она их брала? — грустно спросила я.

Рената вздохнула:

— Старалась, как могла, хваталась за любую возможность заработать.

Вадик же, пользуясь Ксюшиным кошельком, вел себя крайне непорядочно. Деньги любовницы он тратил и частенько приговаривал:

— Эх, вряд ли мы сможем пожениться. Мама никогда не даст нам средств на жизнь.

— Подождем, пока ты получишь диплом, — бодро отвечала Ксюша.

Однажды она поинтересовалась у кавалера:

— Значит, ты не женишься на мне только из-за того, что нет денег на жизнь?

Он кивнул:

— И потом, где мы с тобой начнем семейную жизнь? Квартиры нет. Или предлагаешь у тебя обосноваться?

— Ни за что, — испуганно замахала руками Ксюша, — нас там мачеха сожрет!

— Вот видишь, — воскликнул Вадик, — а у меня мама начнет во все вмешиваться, сами с ума сойдем!

Хитрый парень просто не испытывал никакого желания оформлять брак с Ксюшей, Ренате это стало понятно сразу. Но Ксюня, несмотря на полную самостоятельность, иногда демонстрировала такую же полную наивность.

— Мы можем снимать квартиру, — предложила она, — ты бы начал зарабатывать, я — вести хозяйство.

Вадик поморщился:

— У нас нет стартового капитала.

И тогда Ксюше пришла в голову идея утащить деньги, которые мачеха откладывала на приданое своей доченьке. Она сложила свои немудреные вещички в сумку, прихватила три тысячи баксов и явилась к Вадиму в надежде на то, что любимый, увидев деньги, придет в восторг и мигом кинется искать жилплощадь.

Вышло по-другому. Вадик сначала устроил любовнице допрос с пристрастием и узнал, что доллары краденые. Потом закатил дикий скандал, требуя, чтобы Ксюша отнесла их назад. Но девушка очень хорошо знала: мачеха мигом сдаст ее в милицию.

— Нет, — ответила Ксюта, — это невозможно.

И тогда Вадим... выгнал любовницу со словами:

— Я с воровкой жить не могу.

Ксюша прибежала к Ренате, больше ей идти было некуда.

— Я не понимаю, — плакала она, — ведь он брал у меня деньги и никогда не интересовался откуда они, а тут такой бенц устроил! Почему?

Рената собралась было сказать: «Вадим просто не хотел на тебе жениться», но прикусила язык.

Наконец Ксюша успокоилась.

— Ладно, — сказала она, — я пойду.

— Куда? — спросила Рената.

— Да я квартиру нашла, — грустно ответила девушка, — думала, Вадик обрадуется. Теперь буду там одна жить, домой мне нельзя.

— Ты мне хоть телефон оставь, — попросила Рената.

— Пиши, — кивнула Ксюша.

Но поговорить им удалось только один раз. На следующий день Ксюша в волнении позвонила Ренате.

— Ты знаешь Алину Ламэ?

— Певицу?

— Да.

— Конечно.

— Можешь ей позвонить?

— Зачем? — удивилась Рената.

— Так можешь?

— Ну, в общем, да.

— Она тебя послушает?

— В каком смысле? — продолжала недоумевать Рената.

— В прямом, — занервничала Ксюта, — сделает она то, о чем ты ее попросишь?

— Ну... смотря что, — удивилась Рената, — мы хорошо знакомы, но никогда не были близкими подругами. А что ей надо делать?

— Да у нее мой паспорт, пусть отдаст, а то мне плохо придется.

— Что случилось? — подскочила Рената.

— Позвонишь?

— Сначала расскажи, в чем дело!

— Давай наоборот, — вздохнула Ксюня, — ты заберешь паспорт и попросишь, чтобы она не ходила в милицию и не поднимала скандала, а я к тебе завтра приду и все расскажу. Ну неужели тебе трудно? Пойми, дело очень серьезное. Если меня не убьют, то в тюрьму точно попаду.

И она бросила трубку. Испуганная Рената попыталась соединиться с Ксюшей, но услышала только длинные гудки, очевидно, та звонила не из квартиры. Чувствуя все возрастающую тревогу, Рената обратилась к Алине Ламэ и спросила:

— Ты знаешь Ксению Савченко?

— Столкнулись на узкой дорожке, — сердито ответила Алина.

— У тебя каким-то образом оказался ее паспорт.

— И что?

— Пожалуйста, отдай его мне!

— Еще чего! Зачем?

— Ксения моя подруга...

— Однако странные у тебя друзья, — перебила ее Алина, — вот уж не ожидала подобного пердимонокля.

— Очень прошу, отдай мне документ и не ходи в милицию.

— Так ты с ними заодно?!

— С кем?

— С Элизой!

— Я даже не знаю, кто она такая, — призналась Рената.

— Зачем тогда ты лезешь не в свое дело? — окончательно обозлилась певица и бросила трубку.

Ничего не понимающая Рената вновь попыталась соединиться с Ксюшей и вновь потерпела неудачу. На следующий день Рената улетела в Мексику, на полгода. Вернувшись, она первым делом позвонила Ксюше, но трубку никто не снимал. Пианистка стала заниматься своими делами и была очень удивлена, когда ее вдруг вызвали в отделение милиции. Молодой следователь спросил:

— Вы знакомы с Ксенией Савченко?

— Да, — ответила Рената.

— Знаете, где ее искать?

— Наверное, дома.

— Она там больше не живет.

— А что случилось? — поинтересовалась Рената.

— Ксения Савченко разыскивается по подозрению в мошенничестве.

— Но что она сделала?

— У нас заявление от гражданки Ламэ, кстати, она утверждает, что вы в курсе дела.

Пришлось Ренате объяснить ситуацию, но телефон квартиры, которую сняла Ксения, она не дала.

Просто сказала:

— Ксюта сама мне звонила, а потом перестала.

Через месяц после визита в милицию Рената уехала на гастроли, на этот раз не за границу, а по России. Тур занял несколько месяцев. Никаких отношений с Ксюшей она не поддерживала и ничего о судьбе девушки не знала.

— Но вы же написали Вадиму записку, в которой обвинили его в убийстве Ксюши! — воскликнула я. — Почему?

— Морально он ее убил, — вздохнула Рената, — подтолкнул к воровству. Я очень обозлилась и нацарапала письмо. На мой взгляд, Вадим — подлец. Нужна была — пользовался, а потом отшвырнул.

Я вышла от Ренаты, записав координаты Алины Ламэ. У метро нашлось кафе «Ростикс». Я очень люблю эту забегаловку, тут делают замечательно вкусный куриный шашлык, кусочки нежного филе на шпажке вперемежку с печеным луком, помидорами и болгарским перцем.

Я проглотила курятину и взяла телефон.

У Ламэ трубку схватили сразу.

— Можно Алину, — попросила я.

— Слушаю, — ответил грудной голос.

— Меня зовут Виола Тараканова.

— Очень приятно.

— Я занимаюсь делом Ксении Савченко.

— О боже! — воскликнула певица. — Ну сколько можно! Ей-богу, я сто раз пожалела, что к вам обратилась. Год прошел, я все забыла!

— Нам надо встретиться.

— Кому это «нам»? — разозлилась Ламэ. — Мне совсем ни к чему с вами беседовать!

— Прошу вас.

— Ладно, — сдалась Алина, — хорошо, завтра приезжайте в кафе «Чуланчик», там и поговорим.

— А сегодня нельзя?

— У меня дела, — рявкнула Ламэ, — очень важные, не пустая болтовня, как с вами. Завтра, на Ленинском проспекте, кафе «Чуланчик», в три часа дня.

И она швырнула трубку. Я проверила, сколько у меня осталось денег на мобильном: пять долларов. Надо покупать новую карточку. Не успела я подумать об оплате, как трубка зазвенела.

— Алло, Арина Виолова? Вас беспокоит бр-бр-ням-ням из газеты «Будильник».

— Кто? — не поняла я.

— «Будильник».

— Нет, как вас зовут?

— Бр-р Никодимова, — ответила женщина и повторила: — Коза Никодимова.

Удивленная столь странным именем, я спросила:

— И что?

— Надо сделать с вами материал.

— Какой?

— Интервью и фото.

— Зачем?

Коза Никодимова рассмеялась.

— Ну... чтобы читатели вас знали. Так мы приедем?

— Куда?

— К вам.

— Когда?

— Сейчас.

— Понимаете, я в городе.

— Через час успеете вернуться домой?

— Ну... лучше через два, — ответила я, вспоминая бардак, который царил у нас утром в квартире.

— Ладно, — сдалась Коза, — давайте адрес.

После детального объяснения дороги на счету остался всего доллар. Я позвонила домой. Подошла Марина Степановна. Памятуя о деньгах, исчезающих из моего кармана в направлении телефонной станции, я быстро сказала:

— Немедленно уберите в квартире, к нам едут журналисты.

— Зачем? — ответила Марина Степановна. — Лорочка на гастролях.

— Это ко мне.

— К вам? Что за чушь! Что им с вами делать! — возмутилась мать Вована.

Я обозлилась, по мнению Марины Степановны, есть только одно лицо в стране, у которого можно брать интервью, — это Лора.

И тут мобильный умер, деньги кончились. Домой я принеслась через сорок минут с высунутым языком и оглядела пейзаж. Естественно, в мойке гора посуды, на столе не убранные с утра чашки. В гостиной тоже открывалась не лучшая картина. Я стала хватать разбросанные повсюду вещи и запихивать их в шкаф. Главное, сейчас соблюсти внешний порядок, уйдет журналистка, разложу все по местам. Черт! Чем же ее угощать?

Пришлось нестись в булочную за тортом. Томочка тем временем мыла пол в коридоре. Марина Степановна, обиженная тем, что журналисты проявили интерес к моей персоне, не высовывалась из своей комнаты.

Наконец квартира приняла приличный вид. Я перевела дух, и тут раздался звонок.

— Открывай, — велела Томочка и убежала.

Я распахнула дверь, на пороге стояла Кристя.

— Вилка, привет, — заорала она, — ребята, заходите, только ботинки скидывайте! Мы будем уроки вместе делать.

Толпа детей, пошвыряв уличную обувь, понеслась в глубь квартиры. Я стала собирать сапоги и кроссовки в одну кучу, снова раздался звонок. На этот раз появился Ленинид.

— Доча...

— Иди в кухню и сиди молча, — рявкнула я.

— Почему? — растерялся папенька.

Но тут в дверь опять позвонили.

— Ступай с глаз долой, — прошипела я и открыла.

Перед глазами возникла толпа людей.

— Вы к кому? — обалдело закрутила я головой.

— Арина Виолова тут живет? — писклявым голосом спросил дядечка, сжимавший в руках нечто, больше всего похожее на гранатомет.

Глава 12

На всякий случай я отступила к вешалке и бормотнула:

— Да.

— Мы из «Будильника».

— Входите, пожалуйста.

Через секунду в прихожей стало тесно. Я с удивлением разглядывала парней. А где Коза Никодимова? Женщин среди присутствующих не было, только мужчины и куча каких-то непонятных железок. Но тут один из молодых людей стащил шапку, и я поняла, что это дама.

— Сначала будем делать фото, — бесцеремонно заявила Коза. — Вы Виолова?

— Да.

— Замечательно. Ребята, заноси! Это наш фотограф Костя, его помощники Женя, Витя и стилист Федя.

— Э... здрасте.

— Где у вас гостиная?

— Сюда, пожалуйста.

Не снимая грязных ботинок, фотографы пошли по коридору.

— Да, — сказал Костя, — свет плохой. Ставьте прожектор и зонтик.

Женя принялся вытаскивать из чехлов какие-то трубки, которые быстро превратились в лампу на длинной ноге. Витя раскрыл белый блестящий зонтик.

— Нет, — бормотнул Костя, — не пойдет. Попробуй фильтр.

Женя начал натягивать на лампу оранжевую бумагу.

— Сядьте в кресло, — велел мне Костя.

Я покорно выполнила приказ.

— А макияж! — обмерла Коза. — Федя!

Стоявший до сих пор тихо щуплый длинноволосый парень раскрыл чемодан и тоненьким голосочком спросил:

— Подо что красим?

— Поглупей чего спроси, — обозлился Костя, — под свет.

— Ясно, — кивнул стилист и приступил к делу.

— Щеки ярче, — велела Коза, когда Федор завершил работу.

— Роза, — оборвал ее Костя, — не лезь не в свое дело, щеки нормалек! Брови погуще надо, губы потолще, ресницы почерней. Добавь цвета, Федька.

Стилист принялся «добавлять», а я тихо обрадовалась, значит, журналистку зовут не Коза, а Роза.

— Не нравится мне ее кофта, — заявил Женя.

— Точно, — согласилась Роза, — голубое есть?

Я кивнула.

— Наденьте, — приказал Костя.

Пришлось натягивать другой свитер.

— Еще гаже стало, — резюмировал Женя.

— Да уж, — вздохнул Костя, — натягивайте черный.

Но и этот пуловер тоже не вызвал ни у кого восторга.

— Розовое, — велел Костя, — вот что! Только розовое.

— У меня нет.

— Тогда оранжевое.

— Но я была же в такой водолазке с самого начала, — возмутилась я.

— Давай надевай заново, — оборвал меня Костя, — и садись.

После того как вопрос с макияжем и свитером был решен, фотографам не понравилось кресло.

— Мрачное, — вздохнул Костя.

— Отвратное, — подхватил Женя.

— Нет изюминки, — пискнул Федор.

— Сядь на диван, — велела Роза.

— Фу, гадость! — замахал руками Костя. — Ну-ка ляг, как мадам Рекамье.

Я попыталась принять нужную позу.

— Руки вытяни, — создавал мизансцену Женя.

— Не то, — пробормотал Костя, — вытяни одну ногу, вторую согни в колене, подтяни к подбородку, выше, выше... У тебя что, артрит?

— Нет, — пропыхтела я, пытаясь сложить нужным образом нижние конечности, — просто трудно так изогнуться.

— Спортом надо заниматься, — сердито заявил Костя. — Вон вчера мы были у Светы Раминой, гимнастки, так та прямо узлом завязывалась.

— Хорош болтать, — оборвала его Роза, — действуй лучше, нам еще к Приходько ехать.

— Теперь одну руку за голову, второй обхватывай себя за плечи, — принялся командовать Женя, — нет, левее, то есть правее.

— Левее, — влез Костя, — талию изогни.

— Да она словно в диван проваливается! — вздохнул Федя. — Картинки нет.

— Подложите подушку, — велела Роза.

— Не то получится, — пробубнил Костя, — о, книги! У вас есть энциклопедии? Неси сюда!

Через десять минут фотографы настелили на диван ровным слоем толстые книги, прикрыли их пледом и уложили меня сверху. Кое-как приняв страшно неудобную, но нужную им позу, я замерла перед объективом. Теперь понимаю, что испытывал Рахметов, укладываясь каждый вечер почивать на гвоздях.

— Улыбочку, — заорал Костя, — снимаю!

— Вспышка не работает, — сказала Роза.

— Да ну?

— Точняк! Не моргала!

— С ума сойти! — заорал Костя и велел мне: — Лежи, не шевелись.

Через пятнадцать минут кадр на диване был отснят.

— Нам нужна изюминка, — бормотнул Витя, — на диване скучно вышло. Она же дюдики пишет... Дайте ей в руку сигару...

— А на голову милицейскую фуражку! — с энтузиазмом воскликнул Костя.

— Слева пусть посадит собаку, — ожила Роза, — справа кошку.

— И дым надо изо рта выпускать кольцами, — суетился Женя, — классно получится.

— Простите, но я не курю, — робко возразила я.

— И чего? — уставился на меня круглыми глазами Костя. — Трудно в рот дыма набрать? Начинаем, ребя. Женька, беги к метро за сигарой.

Следующий час меня заставляли, напялив на голову фуражку Куприна, заталкивать в себя отвратительно вонючий дым, а затем выпускать сизое облако. Наконец Костя произнес:

— Снято.

Я расслабилась, но не тут-то было.

— Иди переодевайся, — приказал Женя.

— Зачем?

— Нехорошо, когда на всех снимках одна одежда. Сейчас станем делать семейное фото: ты, муж, мама, ребенок.

— Это невозможно!

— Почему?

— Муж на работе, мама давно умерла, а ребенка у меня нет.

— Едрит твоего влево, — скривился Костя, — это плохо, у нашего журнала установка такая: главное — семья.

— А что за мужик по коридору бегает? — спросила Роза.

— Отец.

— Тащи его сюда.

— Может, не надо? — безнадежно спросила я.

— Надо, Арина, надо, — заявил Костя, — вообще всех волоки, кто есть.

Начался форменный сумасшедший дом. Никитку велели нарядить в «воскресный» костюмчик, на Ленинида напялили свитер Олега, Томочку впихнули в мое зеленое платье, Кристине начесали волосы и уложили в немыслимую прическу. Но совершенно поразила меня Марина Степановна. Пожилая дама появилась в палантине из меха неизвестного животного. У горла она прикрепила камею. Даже Костя замолчал, увидав, как Марина Степановна вплывает в гостиную. Когда вопрос с одеждой присутствующих был решен, начали выстраивать композицию. Фотографы переставили всю мебель: шкаф сдвинули к двери, около окна поместили диван, стол оттащили к стене.

— Ну а теперь, — радостно воскликнул Женя, — сделайте вид, что просто, как всегда, вечером смотрите телевизор!

Я сдержала рвущийся наружу истерический смех. Ну представьте себе картину: на диване, в ряд, выпрямившись, словно проглотив аршин, сидят люди с потными, красными от напряжения лицами. В центре композиции красуется Марина Степановна, в мехах и бриллиантах, справа я в милицейской фуражке, слева Ленинид при полном параде, с сигарой в руке, в самом углу Томочка с Никиткой, одетым в парадный костюмчик. Простая российская семья, которая каждый день в подобном виде смотрит телик!

Но все проходит, закончилась и съемка. Фотокорреспонденты сложили зонтик, камеры, лампы и отправились на кухню, где Ленинид уже нарезал сыр и колбасу. Роза приступила к интервью:

— Сколько раз вы выходили замуж?

— Один.

На лице корреспондентки отразилось удивление.

— Всего?

— И что тут странного? — обозлилась я. — Большинство людей связывает себя узами брака единожды.

— Смолякова четыре раза ходила в загс, — возразила Роза, — ладно, попробуем с другой стороны, — вы лесбиянка?

— Я?!

— Вы.

— Господи, отчего такая мысль пришла вам в голову!

— Но вы живете вместе с подругой!

— Она замужем, и я тоже.

— Почему тогда в одной квартире?

— Нам просто нравится быть рядом, мы всю жизнь, до того как расписались с супругами, провели вместе.

— Хотите сказать, что обладаете обычной сексуальной ориентацией?

— Естественно.

На сильно раскрашенной мордочке Розы появилось глубокое разочарование.

— О чем же мне писать! — воскликнула она.

Я пожала плечами.

— Вас муж бьет? — с надеждой спросила Роза.

— Нет, конечно.

— Вы пьете?

— Только чай.

— Покупаете вещи у известных модельеров?

— Нет.

— Почему?

— Ну, как-то не приходило в голову идти в Дом моды, да и дорого очень.

— Ага. Что коллекционируете?

— Ничего.

Роза выключила диктофон.

— Ужасно, провальный материал, попробую хоть как-то извернуться, но будет очень трудно. Если хотите, чтобы о вас писали газеты, следует изменить образ жизни.

Я постаралась сохранить на лице приветливое выражение. Лесбиянка, без конца меняющая эксклюзивные шубы и собирающая перстни, — вот замечательная героиня нынешних газет.

Алина Ламэ не подвела, ровно в три часа, в кафе «Чуланчик», распространяя запах элитной французской парфюмерии, ворвалась дама в элегантной шубке из щипаной норки. По тому, как к ней, кланяясь, кинулся гардеробщик, стало понятно: госпожа Ламэ постоянная посетительница ресторации. Подлетев к столику, где я сидела с чашечкой кофе, Алина мигом заявила:

— Оплачивать вам счет не стану.

— Мне это и в голову не пришло бы, — удивилась я, — сама способна рассчитаться за экспрессо.

Алина плюхнулась на стул и кивнула официантке:

— Ася, как обычно.

Потом она скомкала салфетку и сердито сказала:

— Ну? Опять снова здорово! Вновь потребуете рассказывать, как дело было?

— Да, пожалуйста, — кивнула я.

— О боже! Ладно, но имейте в виду, что повторяю в последний раз. Сто раз уже пожалела, что отнесла заявление в милицию. Никого не наказали, зато у меня всю кровь выпили! Значит, так! Примерно год назад я обратилась к Элизе.

— Это кто?

Алина подскочила:

— Издеваешься, да?

— Что вы, конечно, нет. Просто я ничего не знаю об Элизе.

— Но я сто раз рассказывала следователю...

— Понимаете, он уволился, теперь дело веду я, очень прошу еще разок вспомнить все.

— Ладно, — процедила Алина, — хоть злость у меня уже прошла. Слушайте.

Элиза — гадалка, хозяйка салона «Волшебный шар». Она широко известна в артистической среде. Берет за свои предсказания Элиза бешеные суммы, но почти все ее прогнозы сбываются. Штормовой наплыв клиентов начался к ней после того, как она нагадала Марусе Реутовой, балеринке из неудачливых, что у той украдут ребенка, годовалого Ваню.

Маруся сначала не поверила гадалке. Денег у Реутовой особых нет, зачем бы киднеперам обращать внимание на ее сына. Но Элиза только качала головой и повторяла:

— Вижу похищение.

Маруська посчитала гадалку дурой и не поленилась рассказать об этом на всех углах. Представьте теперь ее ужас, когда годовалый Ванька пропал из коляски? В полном ужасе Реутова бросилась в милицию, где, весьма неохотно взяв заявление, ей сообщили, что раскрывают только десять процентов подобных дел.

— А остальные девяносто? — напряглась Маруська.

— Вы погодите расстраиваться, — вздохнул молоденький милиционер, — может, еще в те десять попадете.

Еле живая от ужаса, Маруся примчалась к Элизе. Ворожея недовольно спросила:

— Зачем пришла? Ты же не поверила, всем гадости про меня наговорила, чего теперь хочешь?

Маруся упала Элизе в ноги.

— Простите, Христа ради! Посмотрите в свой шар, может, увидите Ваняшу!

Элиза не стала кривляться, провела сеанс гадания и решительно заявила:

— Ребенок жив. Сейчас скажу адрес.

Маруся бросилась на указанную улицу. Ключ от квартиры лежал, как и указывала Элиза, под ковриком. В комнате, на широкой, грязной кровати спал Ваня. Мальчика одурманили каким-то снотворным.

Сами понимаете, что после того успеха все толпой кинулись к Элизе. Алина тоже пала жертвой моды, ей предстоял конкурс, и Ламэ захотелось узнать: выиграет она его или нет.

Но Элиза не ответила на прямо поставленный вопрос.

— Про соревнование не вижу, — прошептала она, — темно. Зато другое скажу. Тебя ограбят, на улице отнимут сумочку. Не ходи сегодня вечером по улицам.

— Но у меня концерт! — воскликнула Алина.

— Где? — поинтересовалась Элиза.

— В Центральном доме железнодорожника.

— Это на площади трех вокзалов?

— Да.

— Не ходи на концерт!

— Невозможно.

— Смотри, — погрозила ей пальцем Элиза, — я предупредила тебя.

Но Алина не могла отменить выступление. Около полуночи она вышла из ЦДКЖ и пошла к своей машине, тут к ней подошла девушка и задала вопрос:

— Не подскажете, где метро?

Площадь трех вокзалов переполнена приезжими, поэтому Алина, не удивившись, стала объяснять дорогу и тут же почувствовала, что чьи-то руки выхватывают у нее сумочку. Алина резко обернулась, воришкой оказалась молодая девчонка. Поняв, что ее заметили, девица стала удирать, и тут госпожа Ламэ ухватила негодяйку за пальто. Девчонка ловко вывернулась и убежала, оставив одежду в руках Алины. Певица стала громко звать милицию, появился патруль, Алину отвели в отделение, где она написала заявление о краже.

Дальше началось расследование. В отнятой у воровки одежде, в кармане, нашелся паспорт на имя Ксении Савченко. Но по месту прописки ее не обнаружили, мачеха заявила:

— Эта дрянь, обокрав меня, съехала.

Дело зашло в тупик.

— Собственно говоря, это все, — пожала плечами Алина. — Ах да! Девицы явно работали в паре. Та, что выдернула мою сумочку, убегая, заорала: «Анька, Кузов, рви когти». И девчонка, спрашивавшая у меня дорогу, мигом испарилась. Наверное, у них сценарий разработан. Одна подходит и милым голосом начинает расспрашивать про путь к метро, а вторая выхватывает сумку.

— Вы точно помните, что она кричала: «Анька, Кузов...»

— Да, я еще подумала, какая странная фамилия — Кузов!

Я уставилась на Алину. Фамилия пропавшей Ани Кузовкина... впрочем, в этой истории много непонятного.

— Скажите, вы познакомились?

— С кем?

— Ну с той, которая спрашивала дорогу?

— Вы как себе представляете ситуацию, — обозлилась певица. — Ко мне на улице подходят с идиотским вопросом, а я рапортую: «Алина Ламэ, сопрано, незамужняя...» Еще чего поглупей спросите! И в мыслях не держала ей представляться!

— Следовательно, девушка не знала ни вашего имени, ни фамилии?

— Нет, конечно, — дернула плечиком Алина и принялась есть второе.

Я посмотрела на то, как собеседница, ловко орудуя ножом и вилкой, режет на мелкие кусочки куриное филе. Откуда Ксюша узнала, что ограбила госпожу Ламэ, певицу? Алина не слишком популярна, она не Алла Пугачева, народ вряд ли узнает ее в лицо на улицах.

— Больше мне вам нечего сказать, — отчеканила Алина, — надеюсь, это мое последнее свидание с сотрудником правоохранительных органов. Вы не сумели найти преступницу, даже имея ее паспорт! Между прочим, в моей сумочке лежала внушительная сумма денег!

— Дайте мне адрес салона Элизы.

— Старомакарьевский переулок, — тут же сообщила Алина, — только к ней так не попасть, нужно предварительно записаться.

— Ничего, — усмехнулась я, — меня примут!

Салон «Волшебный шар» встречал посетителей тихой музыкой и полумраком. Девушка, распахнувшая передо мной дверь, была облачена в темно-синее длинное платье. Распущенные волосы копной белокурых кудрей падали на плечи.

— Вы на какой час записаны? — спросила она. Я осторожно глянула на ходики, мирно тикавшие на стене, и шарахнулась в сторону:

— Ой! Они идут в обратном направлении.

Девушка улыбнулась.

— В нашем салоне и не такое еще возможно. Так на какой час вам назначила Элиза?

— На семь, — лихо соврала я.

Девушка подошла к конторке и глянула в книгу.

— Резникова Ольга Святославовна!

— Да-да, именно так, извините, я пришла немного раньше.

— Ничего, это даже лучше, — успокоила меня администратор, — сейчас Элиза вас примет, ступайте сюда.

Я покорно толкнула одну дверь, тут же увидела вторую, распахнула ее и очутилась в темной комнате. Впереди, в воздухе, висел яркий, переливающийся шар.

— Садитесь, — раздался из мрака голос.

Я шагнула вперед, ноги утонули в мягком ковре. Через пару секунд глаза привыкли к темноте, и я стала различать предметы. Прямо по курсу обнаружился стол, это на нем, а вовсе не в воздухе, горел шар, внутри которого, скорей всего, была спрятана электрическая лампочка. За столом восседала женщина, сильно похожая на цыганку. Смуглое лицо, много вьющихся волос, карие глаза и снежно-белые зубы.

— Садитесь, — повторила она.

Я заметила кресло, опустилась в него и мигом провалилась почти до пола.

— Значит, вы Резникова Ольга Святославовна?

— Точно, — подтвердила я.

— Зачем же вы говорите неправду? — мягко улыбнулась цыганка. — Неужели считаете, что можно обмануть ясновидящую?

— Кто я, по-вашему?

— Виола Тараканова, — преспокойно сообщила гадалка, — постойте, сейчас кое-что расскажу. Вы ходили в школу, где преподавали немецкий язык. Родителей у вас нет, они давно умерли, воспитывались мачехой по имени... э... кажется, Раиса. В институте вы проучились всего один год и ушли, потому что в автомобильной катастрофе погибли родители вашей подруги Тамары, которые вас содержали. Потом вам пришлось самой зарабатывать себе на хлеб.

Я почувствовала, что сейчас упаду в обморок. Мерцающий шар просто завораживал переливами, в воздухе висел сладкий запах непонятного лекарства...

— Мама, — прошептала я, — правда, ясновидящая.

— Вижу, вы не слишком доверяете людям моей профессии.

Я тактично промолчала. До сегодняшнего своего визита к Элизе я считала, что все предска-

затели и колдуны только дурят народ. Но эта
Элиза! Мало того, что она точно назвала мои
имя и фамилию, так еще и абсолютно правильно
обозначила вехи биографии: немецкая школа,
институт, гибель родителей Томуси...

— Значит, посмеивались над гадалками, —
прищурилась Элиза, — ну, признайтесь!

— В общем, да, — выдавила я из себя.

Похоже, тетке следует говорить правду, одну
правду и ничего, кроме правды.

— И правильно делали, — неожиданно засмеялась ворожея, — сплошной обман кругом!

Я разинула рот. Продолжая смеяться, Элиза
спросила:

— Вилка, ты меня не узнала?

— Нет, разве мы знакомы?

— Даже очень хорошо.

— Но...

Быстрым движением Элиза стащила с головы
парик, вынула из глаз цветные контактные лин-
зы и поинтересовалась:

— А теперь?

— Господи! Элька! — закричала я.

Передо мной сидела моя бывшая одноклассница и соседка по дому Эля Рыбина.

— Но отчего ты такая смуглая?

— Это солярий, — веселилась Элька, — я решила, что лучше всего косить под цыганку, больше доверия вызываешь.

— Так ты не гадалка?

— Дошло наконец, — окончательно разо-
шлась Эля, — ладно, иди сюда.

С этими словами подруга детства встала и
толкнула то, что я приняла за створку шкафа.
Дверь открылась, за ней простиралась хорошо
освещенная комната.

Глава 13

— Чаю хочешь? — спросила Эля, доставая коробку с пакетиками «Липтона». — Сто лет тебя не видела. Как дела?

— Потихоньку, — ответила я, рассматривая мало изменившуюся Элю.

— Видно, не слишком хорошо, — вздохнула одноклассница, — раз к гадалке прибежала. Хочешь, угадаю, в чем дело?

— Ну попробуй, — улыбнулась я.

— Работы у тебя нет!

— В самую точку попала, — я изобразила восторг, — ловко.

— Да уж сижу в этом салоне не первый год, — вздохнула Эля, — и знаю, с чем бабы приходят. Либо муж изменил, либо дети дурака сваляли, либо с работой швах. Насколько знаю, ты не замужем, деток не имеешь, следовательно, остается третье.

Я хотела было сообщить Эле, что за время, которое прошло с нашей последней встречи, я успела сбегать в загс и поставить штамп в паспорте, но не стала разубеждать «гадалку».

— А кто тебе меня посоветовал? — полюбопытствовала Эля, дергая за ниточку пакетик.

— Просто шла мимо, — я вновь обрела способность врать, — увидела вывеску и от отчаяния заглянула. У тебя клиентов полно, по записи идут, пришлось сбрехать, что на девятнадцать договорилась.

— Ясно, — протянула Эля, взяла телефонную трубку и сказала: — Слышь, Майя, сейчас Резникова придет, займись ею сама, скажи, Элиза в астрал ушла.

— Не боишься клиентку потерять? — удивилась я.

— Нет, — улыбнулась Эля, — у меня клиентов — вагон и маленькая тележка. Я тут психологом стала, только увижу бабу, сразу понимаю, в чем проблема.

— Послушай, — запоздало удивилась я, — как ты в ясновидящую превратилась? Ленка Борисова, когда мы в последний раз в школе собирались, рассказывала вроде, что ты физтех закончила?

— Точно, — ухмыльнулась Эля, — а толку? Отец с матерью настояли: ступай получи диплом, хорошая профессия. Ну я и двинула по их наводке, в кармане золотая медаль лежала, поступила без проблем.

На первом курсе Эля поняла: она совершила фатальную ошибку, физтех не то место, где следовало ей учиться, а физика не то дело, которому надо посвящать жизнь. Эля начала было прогуливать занятия, но мама узнала о пропусках семинаров и закатила истерику.

— Получи высшее образование, — рыдала матушка, — а потом делай что хочешь!

Эля почтительная дочь, к тому же она побаивалась отца, хоть и доктора наук, но одновременно и военного, генерала. С детьми отец разбирался просто. Если Эля и ее младшая сестра Майя не слушались, папенька выдергивал из брюк широкий ремень. Возраст девочек, уже заневестившихся, его совсем не смущал. Поэтому Эля, после краткого бунта, взялась за ум. Слегка примирил ее с физтехом студенческий театр, вернее, команда КВН. Эля была ее членом на протяжении всех лет учебы, с энтузиазмом писала сценарии, пела и плясала. Она все больше понимала: театральные подмостки — вот то, что ей нужно. Но едва в голову закрадывалась мысль о том, чтобы забрать документы и отнести их ну, допустим, в «Щуку»[1] или «Щепку»[2], как мигом перед глазами возникал отец с ремнем в руках, и энтузиазм сразу угасал.

После получения диплома стало еще хуже. Папа пристроил старшую дочь в НИИ и категорично заявил:

— Теперь за диссертацию.

Бедная Эля поняла, что ее жизнь превратилась в окончательный кошмар. Меньше всего ей хотелось похоронить себя в какой-нибудь лаборатории, надеть белый халат и остаток лет следить за стрелками приборов. К тому же Эля умный человек, поэтому она хорошо понимала, что никаким талантом физика не обладает и обречена прозябать заурядным кандидатом наук, ни доктором, ни профессором, ни академиком ей никогда не стать, кишка тонка.

В полной тоске Эля стала осуществлять планы отца, и тут грянула перестройка. НИИ тихо умер, сотрудников отправили на биржу труда. Элочке нашли место учителя физики в средней школе.

Начав педагогическую карьеру в классе, набитом непослушными, вертлявыми тинейджерами, Эля поняла: в НИИ, конечно, было плохо, но настоящий кошмар наступил сейчас.

Потом умер отец, менять что-либо в жизни Эле показалось поздно. Все было черно: маленькая зарплата, противные, крикливые дети, вред-

---

[1] Театральное училище имени Щукина.

[2] Театральное училище имени Щепкина.

ные родители. На ее руках остались постоянно болеющая мама и младшая сестра. Эля завидовала Майе, той господь вообще забыл подарить мозги. Майечку нельзя было отдать учиться в физтех, сестрица закончила школу на одни тройки. Папа впихнул ее в Институт культуры, теперь девушка работала в районной библиотеке и казалась совершенно счастливой. Все тяготы по добыванию денег для семьи лежали на плечах Эли. Наверное, в результате от полной безысходности Эля бы заболела, но тут случилось чудо.

Один раз вечером Эля зашла к Майе в библиотеку и увидела, что сотрудницы рассматривают карты Таро.

— Вот, — пояснила Майя, — погадать хотим, но не понимаем как.

И тут на Элю напало озорство, вспомнив годы, проведенные в команде КВН, она схватила колоду.

— Я могу предсказать вам судьбу.

— Ты умеешь? — недоверчиво спросила Майя. — Откуда?

— Бабушка Фелиция научила, — лихо соврала Эля.

Бабушка Фелиция была матерью отца, жила всю жизнь в Кишиневе, замечательно готовила мамалыгу и не имела ни какого отношения к картам. Но Майечка кивнула.

— А, понятно, она же цыганка!

Фелиция была молдаванкой, но Эля не стала поправлять Майю. Старшая сестра раскинула на столе карты и сообщила заведующей:

— Вы, Валентина Сергеевна, завтра познакомитесь с мужчиной и через месяц выйдете за него замуж.

Начальница покраснела, а остальные женщины захихикали. Валентина Сергеевна была истеричной старой девой, больше всего на свете мечтавшей заполучить супруга. Но судьба каждый раз обносила ее тортом. В загс шли все, кроме Вали. А еще противная баба частенько доводила Майю до слез придирками, пугала увольнением, и Эле захотелось побольней ущипнуть начальницу сестры.

«Нагадав» семейное счастье, Эля на следующий день намертво забыла о проделке. Представьте ее удивление, когда спустя месяц Майя принесла ей приглашение на бракосочетание. Все вышло так, как напророчила Эля: Валентина Сергеевна познакомилась с читателем и расписалась с ним.

Естественно, все сотрудницы библиотеки стали просить Элю погадать им. Через полгода у Элечки в руках оказалась приличная сумма денег. Она сняла квартиру, зарегистрировала салон и стала «госпожой Элизой».

Первое время бизнес тек ни шатко ни валко. Доходов едва хватало на съем помещения, но потом Эле пришла в голову воистину гениальная идея, она стала сама создавать ситуации для клиентов.

Первой была девушка по имени Жанна. Она пришла, чтобы узнать, кто из кавалеров женится на ней. Элиза ответила:

— Пока свадьбу не вижу, зато советую не ходить сегодня по улицам.

— Почему? — удивилась Жанна.

— Тебя ограбят, сдернут сумочку.

Жанночка ушла в глубоком разочаровании, но через два часа прибежала назад. Все случилось именно так, как предсказывала Эля. Не успела Жанна добраться до дома, как чья-то рука сорвала с ее плеча сумочку.

— Не плачь, — ответила Эля, — сейчас посмотрю. О, не волнуйся, действовал не вор, а психически ненормальный человек. Все цело: и деньги, и документы. Поезжай по этому адресу, подымись на чердак, там найдешь сумочку.

Жанна понеслась в незнакомый район и... нашла ридикюльчик.

Сами понимаете, что клиенты толпой повалили к Элизе. Вскоре за ней закрепилась слава странной гадалки. Элиза никогда не отвечала на поставленные вопросы, ну вроде: «Удастся ли мне выиграть в лотерею?» Зато она гениально предсказывала ближайшие события, кое-кому она говорила:

— Все отлично, проблем нет, приходите через три месяца.

Но иногда восклицала:

— О... вас ждет испытание:

Самое интересное, что все ее слова сбывались.

Эля остановилась и посмотрела на меня.

— Тебя сюда сам бог привел! Мне нужна помощница. Были у меня женщины, да нет их! Хотела Майю на это место посадить, но понимаю: она не справится. Майечка хорошая, да глупая. А вот ты бы мне подошла, помню, как в школьных спектаклях играла. Работать, правда, много придется, зато зарплата царская, по тысяче баксов в месяц получать станешь.

— Делать-то что? — изумилась я.

Эля засмеялась:

— Не поняла?

— Нет пока.

— Помогать осуществляться предсказаниям.

— Это как?

Эля откинулась в кресле.

— Ну, недогадливая ты, Вилка! Даже до Аньки с Ксюхой быстрее дошло.

— Это кто такие? — насторожилась я, услыхав знакомые имена.

— А, неважно, — отмахнулась Эля, — работали у меня две дурочки, потом исчезли.

— Как их звали?

— Аня Кузовкина и Ксения Савченко, — ответила Эля машинально и удивилась: — Тебе зачем?

— Просто так, для поддержания разговора поинтересовалась.

— Все не понимаешь? — продолжала Эля.

— Ну...

— О господи! Допустим, я предсказываю этой дуре, вместо которой ты пришла, что у нее сумку сопрут. Потом у нее и впрямь баульчик уносят, а я говорю, где он спрятан! Теперь дошло?

— Так ты сама организуешь неприятности для клиентов!!!

— Именно. Мне нужна помощница. Усекла теперь?

— Да, — кивнула я, — интересно, сколько еще «ясновидящих» практикуют подобное?

— Понятия не имею, — буркнула Эля.

— А не боишься, что поймают?

— Кого?

— Тебя.

— Как?

— Ну кто-нибудь обратится в милицию...

— Нет, я сразу предупреждаю, если в случае неприятностей обратитесь к государственным структурам, пишите пропало, ничего не найдут. Имейте дело только со мной. У меня проколов не случалось.

— Ни разу?

Эля призадумалась.

— Ну... один разок. Аня с Ксенией тогда нечетко сработали, Ксюша пальто в руках у жертвы оставила, а баба, дура, в милицию побежала. Естественно, менты ничего не нашли, да и не искали небось, оно им надо. Кстати, что мне можно вменить лично? Я же потом все возвращаю.

Я вздохнула, подобные действия на языке Уголовного кодекса трактуются как мошенничество, и Эля наверняка об этом великолепно знает.

— Ну, попробуешь? — наседала она.

— Ладно, — кивнула я.

— Тогда иди к Майе, на ресепшен.

— Это она в синем платье?

— Ага, не узнала ее?

— Нет.

Эля вновь схватила трубку.

— Майка, рыси сюда.

Через пару минут в комнату вошла сестра Эли. Ее красивое личико с глуповатыми глазками озарила радостная улыбка.

— Да, госпожа Элиза.

— Можешь не изображать идиотку! Помнишь Виолу Тараканову, мою одноклассницу?

— Вилку?

— Да.

— Очень даже хорошо, — обиженно протянула Майя, — она у меня вечно конфеты отбирала.

— Неправда, — возмутилась я, — «Мишки» у тебя отнимала Лариска Васина, а я ластики тащила. Где вы их брали, такие прозрачные, с картинками?

Эля захихикала.

— Папа из Германии привозил. Ладно, Майка, забери Вилку и введи ее в курс дела. Она теперь с нами работать станет, а Катю уволим, обнаглела совсем.

— Кто такая Катя? — поинтересовалась я, пока Майечка препровождала меня в другой конец помещения.

— Нахалка, — сердито ответила Майя, — мы ее буквально на улице подобрали, денег дали, работу предоставили, надо же благодарной быть, ан нет! Принялась с нас запредельные суммы требовать, все кричала, что она одна всю работу делает, а мы с Элей только денежное дерево обстригаем! Ну не хамка ли! Ведь главное — все придумать, а это Элечка делает. Будем от нее избавляться. Хочешь чаю?

Я кивнула. Во-первых, я и впрямь с удовольствием выпью чашечку чая, а, во-вторых, глупая Майечка во время чаепития станет еще более болтливой. Ничто так не располагает к беседе, как совместное распивание бодрящего напитка.

— Вас тут всего трое? — спросила я, размешивая сахар.

— Сейчас да, — кивнула Майечка, — Эля генератор идей, я — организатор, а Катька исполнитель. До нее у нас две девочки работали: Аня и Ксюша.

— А почему ушли?

— Не знаю! Одна исчезла, пропала, другая тоже не появляется, испарилась!

— Да ну! — всплеснула я руками.

— Представь себе, — кивнула Майя, — полгода тут провели, показались нам хорошими такими. Сначала Ксюша появилась, уж не знаю, где ее Эля взяла, а потом Ксения Аню привела. Мы с Элечкой их полюбили, такие веселые девочки!

— Неужели вы не искали их?

Майечка вздохнула:

— Ну съездила я сначала к Ане домой, там мама с ее дочкой осталась. Она их бросила, ушла и не вернулась, а у Ксении я в закрытую дверь ткнулась. Она квартиру снимала, тут, неподалеку, в переулке Вольского, за пять минут добежать можно. Ну я и ходила к ней целый месяц, да зря. А потом там другие жильцы появились. Ладно, давай о деле. Вот смотри: Фильчина Наталья, сумасшедшая собачница. Обожает своего пуделя, совсем без разума. Зовет его сыночком, целует, лижет, просто смотреть противно. Значит, ей предсказали, что Рэмик, так зовут придурочного пса, пропадет. Думаем, Наталья за сведения о его нахождении тысячи баксов не пожалеет, она хорошо зарабатывает.

Вот теперь слушай внимательно. Каждый день, в пять вечера, Рэмика выводит гулять лифтерша, полуслепая старая карга. Спускает пса с поводка и стоит возле подъезда. Наташа запрещает выгульщикам отстегивать собаку, требует, чтобы с ней ходили по двору, только сама Фильчина до полуночи на своей фирме вкалывает, а Рэмик без поводка быстрей свои делишки делает, вот бабка его и спускает, неохота ей по двору вышагивать. Ты схватишь пса...

— Он меня укусит!

— Нет, Рэмик очень доброжелателен.

— Он ко мне не пойдет.

— Покажешь конфету — полетит!

— Ладно, предположим, возьму собаку, дальше что?

— Пойдешь по этому адресу, привяжешь Рэмика в сарае, поставишь ему миску с водой, и все.

— Вдруг пес погибнет?

— С какой стати? — удивилась Майя.

— Убежит.

— Глупости, на цепь его посадим.

— Замерзнет.

— В сарае тепло, бросишь кобелю тряпок.

— Кто-нибудь его себе заберет...

— Там вообще никого нет, не волнуйся, да и Наташа сразу приедет за ним.

— И когда надо все проделать?

— В среду.

— Ладно, — для виду кивнула я, — поняла. Собака не ребенок.

— Что ты, — замахала руками Майя, — мы только ерундой занимаемся! Сумочку стырить, ну, собачку увести, а дети — нет. Киднепинг — это серьезно.

На лице Майечки было самое честное выражение, но я не поверила ей. Очень хорошо помню рассказ Алины про балерину, у которой пропал годовалый ребенок, которого потом «нашла» Элиза. Просто Майечка не хочет меня сразу пугать, втягивает в дело постепенно.

Глава 14

Ночью мне не спалось. Олег мирно храпел на своей половине кровати, я же вся извертелась, без конца переворачивая подушку. Одеяло казалось то излишне жарким, то отвратительно холодным, и еще раздражал звук равномерно капающей воды, доносившийся из кухни.

Измучившись от бессонницы, я встала, прикрутила кран и села у окна, облокотившись на столик.

Значит, Аня Кузовкина и Ксюша Савченко все-таки были знакомы между собой и вместе «трудились» у «гадалки». Интересно, почему у Ксюши оказалась куртка Ани, да еще с ее паспортом? Анечка ушла из дома на секундочку за почтовым переводом именно в этой белой курточке с мехом. Если человек, позарившийся на ее деньги, убил девушку, то как куртка попала к Ксюше? Напрашивались два вывода. Либо Аня не ходила на почту, обманула Елену Тимофеевну, поехала куда-то с Ксенией. Анечка ведь не рассказывала матери, что работает у Элизы, скрывала. То ли не хотела давать маме деньги, то ли понимала, что Елена Тимофеевна, добропорядочная, правильная женщина, никогда не одобрит то, чем занимается ее дочь. И потом, Алина сказала, что они были вместе.

Я встала и уперлась лбом в холодное, отчего-то влажное стекло.

А может, Аня жива? В морге-то лежала Ксюша Савченко, я теперь это хорошо знаю, и что мне прикажете делать?

Внезапно в голове ракетой вспыхнула идея. Господи, как просто! Эля занимается мошенничеством, и не всегда ее задумки выглядят невинно. Одноклассница не сразу введет меня в курс дел, впрочем, кое о чем вообще скорей всего ничего не расскажет. Вполне вероятно, что Аня и Ксюша по указке Эли провернули какое-то гадкое дело, а клиент, не догадавшись об их связи с госпожой Элизой, решил сам разобраться с девочками. Ксюшу он убил, Аню, наверное, тоже, а может, нет... Дело за малым: заглянуть в список клиентов Эли и понять, кто из них рассвирепел до последней степени.

Утро началось с истерического вопля Марины Степановны:

— Владимир Семенович! О, он нашелся! Лаврик! Мой малыш!

Я, заснувшая только в шесть утра, страшно разозлилась, натянула халат и, выйдя на кухню, довольно зло спросила у Вована, меланхолично пившего кофе:

— Чего она так орет?

— Лаврик отыскался.

— Это кто?

— Кот.

— У вас есть кот?

— Пропал на даче в октябре, — пояснил Вован, — а сегодня утром мне на мобилу позвонил сторож и говорит: «На пороге вашей дачи Лаврик сидит, орет, забирайте животину». Вот вечером поеду.

— Как это вечером? — завизжала Марина Степановна, влетая на кухню. — Владимир Семенович! Вы с ума сошли, я пожалуюсь Лоре! Поезжайте прямо сейчас.

— Но у меня работа! — возразил Вован.

— Вы за свою работу жалкие копейки получаете, — кинулась в атаку Марина Степановна, — Лора давно велит службу бросить и в администраторы к ней идти. Кому ваша служба нужна? А? Какой с нее прок?

Вован слегка покраснел.

— Мама, вы великолепно знаете, что я борюсь с преступностью.

— Без вас с ней драться станут, — мигом возразила Марина Степановна, — бесполезное, между прочим, дело, как воровали, так и будут воровать! Вы, Владимир Семенович, глупостями занимаетесь! Никакого толку от вашей работы...

Честно говоря, я пожалела бедного мужика, не повезло ему с маменькой, вылитая Медуза горгона!

— И если вы сейчас не поедете за Лавриком, — злобно закончила Марина Степановна, — я, во-первых, пожалуюсь Лоре, во-вторых...

— Хорошо, — неожиданно покорно кивнул Вован, — уже бегу.

Марина Степановна замерла, потом процедила:

— Неужели, прежде чем выполнить просьбу, надо довести меня до инфаркта. — Она выплыла из кухни, в воздухе остался лишь запах противно-въедливых духов.

— Ты зачем потакаешь всем ее капризам? — налетела я на Вована.

Тот протянул руку, украшенную чудовищными перстнями, за хлебом и пробормотал:

— С матери станется Лорке нажаловаться, прямо сейчас ей все сообщит.

— Каким же это образом? Насколько я поняла — твоя жена на гастролях!

Вован с легкой улыбкой посмотрел на меня.

— Вилка, человечество давно придумало мобильные телефоны! Если Лора узнает, что я не захотел поехать за Лавриком, спокойная жизнь кончится! Нет уж, лучше сделать, как велят, меньше проблем. Дача-то недалеко, сразу за Кольцевой. Туда-сюда, за два часа обернусь! Эх, знала бы ты, как я этого кота ненавижу! Прямо скулы сводит! С огромным удовольствием удавил бы мерзавца и содрал с него шкуру, хотя вообще-то кошек люблю! Вон ваша какая симпатичная!

Высказавшись, Вован встал, взял с подоконника ключи от «Лексуса» и, тяжело вздыхая, ушел. Я оглядела кухню. Делать нечего, придется заниматься уборкой. В нашей семье исторически сложилось так, что Томочка готовит и гладит, а я бегаю по комнатам с пылесосом и приношу продукты. В общем-то, это совершенно правильно, у Томуськи аллергия на любые чистящие средства и очень слабые руки, а я запросто несу десять килограммов картошки. Только не надо, прочитав последнюю фразу, удивленно восклицать:

— Какая картошка! У вас же мужья есть!

Пару раз мы пробовали отправить Олега и Сеню на рынок, давали им список необходимых продуктов, но всегда получали нечто неудобоваримое. Ни я, ни Томочка так и не сумели объяснить супругам, что картофель, из которого получается замечательно вкусное пюре, следует брать среднего размера. И Олег, и Семен притаскивали клубни величиной с кирпич, приговаривая:

— Вот какая классная картошка, одной на всю семью хватит, да еще самая дешевая в ряду была!

Конечно, самая дешевая, потому что все хозяйки знают: «чернобыльский» вариант овощей брать не следует, внутри они будут либо гнилыми, либо пустыми.

Руки привычно делали нудную домашнюю работу, в голове не было никаких мыслей. Я пропылесосила квартиру, натерла полиролью мебель, отдраила раковину, оттерла зеркало в ванной, перемыла стаканчики и баночки, стоящие на полочке... И тут раздался звонок.

Я побежала в коридор, распахнула дверь и увидела Вована, держащего эмалированный таз, прикрытый пакетом.

— Уже съездил?

— Говорил же, что близко, — прогудел Вован, — на, неси на кухню.

— Это что?

— Котик, — ответил он, — передай Марине Степановне.

С этими словами мужик развернулся и, покачивая ключами от «Лексуса», вскочил в лифт. Я осталась в прихожей, держа сунутый мне таз. Однако странный у них кот, сидит, молчит. Наша кошка, когда мы вывозим ее на дачу, орет, словно оглашенная, царапается, плюется. Пришлось купить специальную сумку-перевозку для фурии. А этот Лаврик съежился в тазу... Я отнесла таз на кухню и крикнула:

— Марина Степановна!

— Чего тебе? — высунулась из комнаты свекровь Лоры.

— Лаврик прибыл.

— Мальчик мой! — взвыла она. — Славный сыночек, любимый!!! Где он, где?

— На кухне, в тазу.

Марина Степановна ринулась по коридору, я понеслась за ней. На кухне сохранился статус-кво. Эмалированная емкость по-прежнему была прикрыта пакетом. Я безмерно удивилась. Лаврик даже не сделал попытки выбраться. Или кот перепугался до потери пульса, или он болен.

— Господи, — запричитала Марина Степановна, — ну, Владимир Семенович, ну додумался! Посадил мальчика в таз!!! Да бедный ребенок небось задохнулся! Маленький мой, заинька...

Продолжая присюсюкивать, Марина Степановна быстро сдернула пакет, глянула в тазик, побледнела, закатила глаза и, издав странный, квакающий звук, обрушилась на пол, словно гнилая груша.

Я разинула рот и тоже посмотрела в таз. Лучше бы я этого никогда не делала! На дне, на отбитой эмали лежал... окровавленный трупик ободранной кошки. Голова несчастного создания отсутствовала, худая спинка была изогнута, сквозь тонкую кожицу проступали трогательно-хрупкие позвонки. То, что недавно было пушистыми, когтистыми лапками, походило на... Сравнения закончились, мне стало плохо. Вован осуществил свое желание, он убил и освежевал Лаврика. Борясь с подступающей тошнотой, я присела возле лежащей на полу Марины Степановны и стала осторожно похлопывать ее по щекам.

— Что случилось? — раздался тревожный голос Томочки.

Я шлепнулась рядом с Мариной Степановной и неожиданно заплакала.

— Лаврик! Вован мерзавец! Конечно, мама его затравила, но разве можно так поступать! Это ужасно! Он убил кота...

Разобравшись, в чем дело, Томочка подошла и, быстро набросив на таз пакет, прошептала:

— Катастрофа! Вилка, унеси несчастное созданье, его надо похоронить по-человечески!

В другое бы время я не преминула заметить, что кота невозможно упокоить по-человечески, но сегодня разум отказал мне, поэтому я лишь прошептала:

— Почему я?

— Боюсь взять таз, — честно призналась Томочка.

Я уставилась на эмалированное последнее пристанище несчастного Лаврика. Как-то так сложилось по жизни, что я самая сильная и мне достается делать то, чего не могут или не хотят другие. Но как Томочка представляет себе процесс погребения Лаврика? На дворе мороз, мне не расковырять землю, потом я совершенно не способна вынуть трупик из таза.

— Пусть Вован везет его назад, на дачу, — вырвалось у меня.

При этих словах Марина Степановна села и затрясла головой.

— Вилка, ты не заперла дверь, — заявил Вован, появляясь на пороге кухни с мешком в руке.

Увидав Марину Степановну, сын кинулся к ней.

— Мама, что случилось?

— Негодяй, — прошипела старуха, — я воспитала убийцу.

— Да что я сделал?

— Мерзавец, — налетела я на Вована, — как ты мог?!

— Но в чем дело???

— Бедный Лаврик!!! — причитала Марина Степановна. — Маленький ласковый мальчик. Крохотное создание, не сделавшее никому вреда за всю свою крохотную жизнь! Имейте в виду, Владимир Семенович, теперь мы с Лорой уйдем от вас! Навсегда!

— Вы белены объелись, — пробормотал Вован, — нет чтобы меня пожалеть! Ваш Лаврик все руки мне изодрал! Во, глядите!

— Конечно, — всхлипнула Томочка, — я бы тоже за свою жизнь боролась до конца! Ну как ты мог! Извини, но, на мой взгляд, ты являешься настоящим чудовищем!

В последней фразе вся Тома, вместо того чтобы налететь на негодяя с кулаками, она принимается извиняться за то, что назвала мерзавца мерзавцем.

— Нет, вы точно тронулись, — с тяжким вздохом заявил Вован, — пример массового буйного помешательства. Эй, Лаврентий, вылезай, приехали.

С этими словами Вован развязал мешок, и оттуда, утробно воя, выкатился фыркающий ком, размером с нашу СВЧ-печку.

— Лаврик! — заорала старуха и, легко вскочив на ноги, кинулась к котяре.

Тот стукнул хозяйку когтистой лапой и, мигом взлетев вверх по занавеске, устроился на карнизе, свесив вниз круглую ушастую голову. Марина Степановна взвизгнула, по ее руке пробежала кровь. Томочка схватила со стола салфетку и принялась промокать длинную, глубокую царапину.

— Это Лаврик? — глупо хихикая, спросила я, тыча пальцем в озлобленного до крайности кота.

— Ну да, — кивнул Вован, — Лаврентий собственной персоной, прошу любить и жаловать, чтоб ему пусто было.

— А там кто? — не успокаивалась я.

— Где?

— В тазу!

Вован подошел к столу и поднял пакет.

— Это подарок от Саныча.

— Освежеванный кот? — прошептала Томочка.

— От какого Саныча? — прохрипела я.

Вован сел на стул и устало произнес:

— Саныч — наш сторож, караулит дачные участки, он Лаврентия увидел и позвонил.

Я слушала рассказ Вована, постепенно у меня начался истерический смех.

Саныч, мужик неопределенных лет и бомжеватого вида, обожает выпить. Вот Вован и привез ему в подарок поллитровку. В благодарность за угощение Саныч приволок в тазу кролика и всучил его Вовану со словами:

— На, потушишь в сметане.

— Не надо, — стал сопротивляться тот.

— Бери-бери, — всовывал ему таз с тушкой Саныч, — от чистого сердца, кушай на здоровье, ты мне презент, я тебе — в ответ.

Пришлось Вовану прихватить кролика.

— За каким чертом ты сказал мне, что в тазу кот? — возмутилась я.

— С ума сошла! — удивился Вован. — И в уме такого не держал!

— Ага, сунул в руки и сообщил: «Котик, передай Марине Степановне».

— Чем ты слушаешь! — возмутился муж Лоры. — Я совсем другое сказал: «Кролик, велено передать Марине Степановне!»

Старуха, прижимая к руке окровавленную салфетку, глянула на меня злобным взглядом и прошипела:

— Только идиотке могло прийти в голову, что Владимир Семенович убьет кота! Владимир Семенович не способен и мухи обидеть, да и Лаврик очаровательное существо! Теперь снимайте его оттуда!

Я задрала голову вверх. «Очаровательное существо» сидело на карнизе. Изредка Лаврик испускал жуткий звук, нечто среднее между ревом и воем, уши его были плотно прижаты к голове, длинный, неожиданно тонкий хвост, ходил из стороны в сторону. Судя по всему, Лаврик был крайне зол, просто взбешен!

— Кик-кис, — тихо позвала Томочка, — иди сюда.

Лаврик гневно зашипел, открыв пасть с мелкими, но по-акульи острыми зубами. Он явно не собирался покидать карниз.

— Так, — принялась командовать Марина Степановна, — немедленно возьмите вон ту швабру и подцепите котика.

Вован покорно схватил щетку, поднес ее к злобно шипящему коту и попытался отодрать Лаврика от светло-розовой занавески из китайского шелка.

Котище, издав утробный звук, увернулся от швабры и ловко съехал по гардинам вниз, используя вместо коньков когти. На окне мигом заколыхалось нечто, больше всего похожее на лапшу.

Очутившись на подоконнике, Лаврик сжался в комок, покрутил задом и прыгнул на плиту. Вмиг на пол свалилась сковородка, наполненная свежепожаренными котлетами. Лаврик замяукал, коротко, отрывисто. Мне сразу стало понятно, что кот матерится. Не успели мы прийти в себя и сообразить, что делать, как на пороге кухни появился Ленинид, прижимавший к груди четыре бутылки с пивом.

— О, Вован, ты дома! — радостно воскликнул папаша и, опасливо глядя на меня, поставил на стол «Клинское». — Хочешь кружечку? А это что? Кролик? Эх, очень уважаю его с морковочкой, в сметане. Когда готовить станете?

Он хотел дальше продолжить разговор, но тут Лаврик, словно баллистическая ракета, взлетел вверх и прицелился прямо на емкости с любимым напитком папеньки. Бутылки покатились в разные стороны.

— Ах ты дрянь, — возмутился Ленинид, — ваще всякий стыд потеряла!

С этими словами папашка, явно считавший, что безобразие натворила наша кошка, схватил посудное полотенце и попытался огреть беснующееся животное. Но Марина Степановна не дала событиям развернуться подобным образом. Она мигом ухватила висевшую над плитой поварешку и со всего размаха треснула Ленинида по макушке.

— Не смей бить Лаврика!

Папенька потряс головой.

— Ты че? Одурела, да? Больно ведь, — жалобно сказал он.

— Немедленно поймай мальчика, — заверещала Марина Степановна, закрывая дверь в коридор, — живей, пока он себя не поранил.

Непонятно почему, но мы все, даже обиженно сопящий Ленинид, принялись гоняться за котом, а тот, обезумев окончательно, метался по кухне, сшибая на пол все, что можно. Через несколько минут аккуратная кухонька, любовно украшенная Тамарочкой всяческими баночками, красивенькими штучками и керамическими фигурками, превратилась в кошмар. Повсюду валялись осколки, обрывки, черепки, кучками лежали сахарный песок, соль и специи.

Наконец Вован, изловчившись, швырнул на гадкого кота накидку, сорванную с кресла. Лаврентий замер. Вован схватил кота и тут же вскрикнув, выпустил его, Лаврентий шлепнулся на пол и, непонятно почему, остался лежать.

— Миленький! — рванулась к нему Марина Степановна. — Лаврик!

Мерзкий котяра преспокойно повис на руках у старухи, из его нутра неожиданно вырвалось довольное урчание.

— Бедненький мой, — принялась наглаживать его по голове хозяйка, — мальчик несчастный! Изнервничался совсем! Ну пойдем, мамочка тебя спать уложит.

С этими словами, прижав к своей груди Лаврика, старуха повернулась к Вовану, который трясущимися руками пытался остановить кровь, быстро текущую из длинных, тонких царапин, оставленных когтями кота.

— А вы, уважаемый Владимир Семенович, вы... вы просто идиот! — заявила любящая маменька. — Вместо того чтобы спокойно снять котика с занавески, перепугали животное до полусмерти!

Вымолвив тираду, мамаша, сохраняя осанку английской королевы, удалилась. Я в растерянности посмотрела по сторонам: разгромленная кухня, окровавленный Вован, обиженный Ленинид, горестно заметающий веником то, что пару минут назад было бутылками «Клинского», Томочка, собирающая побитых керамических зайчиков и свинок...

— Пойду, залью йодом боевые раны, — сообщил Вован.

Я невольно улыбнулась. Да уж, повезло незнакомой Лоре, получила крайне незлобивого мужика.

— Кролика-то когда готовить будете? — прокряхтел Ленинид.

Мы с Томочкой переглянулись и хором ответили:

— Никогда.

— Почему? — насторожился папенька. — На Новый год оставите?

Я вздрогнула.

— Ну уж нет! Ни за что не стану это есть!

— Да отчего же? — недоумевал Ленинид.— Кролик в сметане, с морковочкой! Объеденье.

— Хочешь, — тихо пробормотала Томочка, — возьми его себе, Наташка тебе сготовит!

— А не жалко? — спросил папашка.

— Нет, — снова в один голос заявили мы, — кушай на здоровье!

Глава 15

На следующее утро я приехала к Элизе и сразу попала в объятия к Майе.

— Кофейку хочешь? — заботливо спросила та.

— С удовольствием, — улыбнулась я, — что-то у вас клиентов в холле не видно.

— Так с полудня начинаем, — ответила Майя, — ща повалят. Значит, так! Сегодня ты для начала — дух папы.

— Кто? — Я чуть не уронила чашку с мерзопакостным «Нескафе».

Ну кому только пришло в голову обозвать напиток с резким запахом и «металлическим» вкусом кофе? Хотя справедливости ради следует признать, что во время работы его очень удобно употреблять, не надо варить, просто насыпай в чашку да лей туда кипяток. Но, на мой вкус, чай все же лучше.

— Дух папы, — абсолютно серьезно повторила Майя.

— Римского? — спросила я.

— Да нет, обычного, Исаева Павла Константиновича, умершего в двухтысячном году, — начала разъяснять Майя, — слушай внимательно.

Я отодвинула от себя кружку и попыталась вникнуть в новые служебные обязанности.

— Сегодня у тебя два задания, — монотонно вещала Майя, — в полдень на прием явится Исаева Елена Павловна, жуткая дура, просто неандерталка, но богатая! Ходит к Эле раз в неделю, узнает прогноз на следующую семидневку. Причем рассказывает ей о будущем не гадалка, а дух ее покойного отца.

В общем, полный бред, но Елена Павловна искренне верит в то, что Павел Константинович не забыл дочурку, оказавшись на небесах, и свято выполняет его приказы.

Без пяти минут двенадцать я залезла в большой шкаф, стоявший в кабинете Эли, и притаилась в углу. На мне был мужской костюм, шляпа, большие очки, а к подбородку прилепилась довольно густая бородка. Никакой заготовленной речи мне не дали, ориентироваться следовало на месте.

В шкафу было душно, и у меня слегка закружилась голова. Искренне надеясь, что «привидение» не заставят долго сидеть в тесном, плотно закрытом шкафу, я навалилась на стенку и тут услышала высокое, нервное сопрано.

— Ах, Элиза, у меня сплошные проблемы!

— Садитесь, Еленочка Павловна, не волнуйтесь, — мягко отвечала Эля, — сейчас все решим.

— Ужасно! Просто не знаю, как поступить! Надеюсь только на папу!

— Ну, он нас еще ни разу не подводил!

— Пожалуйста, поскорее позовите его.

— Расслабьтесь, — забубнила Эля, — посмотрите на шкаф, спокойно, спокойно, сейчас. А-а-о-о-у-у... приди к нам дух Исаева Павла Константиновича, а-а-о-о-у-у...

Я мирно сопела, навалясь на стенку. Вдруг прямо над ухом раздался резкий удар и сердитый голос Эли.

— Эй, Исаев Павел Константинович, вы заснули? Ваша дочь нуждается в помощи!

Мигом стряхнув наплывающую дрему, я, надвинув шляпу поглубже на лоб, выпала из шкафа.

— Ну наконец-то, — не сдержалась Эля, — сколько можно!

— Уж простите, — прохрипела я, — скользко на улице, я шел осторожно, упасть боялся, вот и припозднился.

Эля издала короткий смешок, потом, показав мне исподтишка кулак, весело воскликнула:

— Павел Константинович сегодня в великолепном настроении! Рассказывайте свои проблемы!

— А это точно он? — вдруг с подозрением поинтересовалась Елена Павловна. — Что-то голос сегодня другой и фигура, того, мелкая, короткая...

— Дорогая, — терпеливо ответила Эля, — вы уже один раз задавали мне подобные вопросы, и я объяснила, в чем дело. Вы видите перед собой не физическое тело, а ментальную сущность, эфирную часть. Она подвержена колебаниям, зависит от атмосферного давления. Ну, скажите, у вас голова к перемене погоды не болит?

— Случается, — согласилась дурочка, — в особенности когда зимой внезапно теплеет.

— Вот-вот, — подхватила «гадалка», — а дух может измениться в росте, объеме, начать говорить другим голосом, это совершенно естественно. Да посмотрите внимательно: шляпа, борода, костюм. Павел Константинович пришел, кто же еще. Спрашивайте скорей, а то его назад в астрал утянет.

— Здравствуй, папа, — прошептала Елена Павловна, — как себя чувствуешь?

— Хорошо, — прокряхтела я, — душновато тут у вас, у нас лучше, свежий воздух, птички поют, ангелы летают.

— Вы о деле беседуйте, — встряла Эля, — я долго не могу дух держать, время ограничено!

— Папа, — торжественно спросила Елена Павловна, — какой лучше, белый или голубой?

Я чуть было не поинтересовалась, что она имеет в виду, но вовремя сообразила: ментальная сущность не имеет права на эти вопросы.

— Э-э-э... надо подумать!

Знать бы, о чем идет речь! Наверное, очень важное дело, раз она явилась к гадалке, заплатив нехилую сумму за прием.

— Белый или голубой?

— Ну, с одной стороны, белый, с другой, голубой.

— Какой больше подойдет?

— Другого цвета нет?

— Увы! Только красный, это не то, согласись.

— Да, правильно, красный типичное не то.

— Просто жуть! Кому только в голову взбредет!

— Лишь кретину!

— Красный! Идиотизм!

— Полный!!! Абсолютно согласен.

— Так белый или голубой?

Разговор вернулся на круги своя, пытаясь выпутаться из щекотливой ситуации, я ляпнула:

— Ни тот, ни другой.

— А какой? — мигом поинтересовалась Елена.

— Э-э-э... черный!

— Папа! — укоризненно воскликнула дочь. — Ну что с тобой сегодня! Черный! Сам посуди, зачем мне черный!

— Извини, — вздохнула я, — не подумавши брякнул, там, где я сейчас нахожусь, черный самый модный цвет!

Эля скорчила гримасу и опять исподтишка показала мне кулак.

— Черный! — сердилась Елена. — Черный комод! В спальне, которая после ремонта отделана в бело-голубых тонах.

— Комод?! — подскочила я. — Тумба с ящиками?

— Ну да, — кивнула клиентка, — третий день мучаюсь, какой лучше брать: белый или голубой? С одной стороны, шкаф белый, зато кровать небесного цвета... Извелась вся, не могу выбрать комод.

— Возьми оба!

— Папа!!! Они не войдут в комнату.

— Осталось три минуты, — голосом спортивного комментатора сообщила Эля.

— Закажи бело-голубой, — в порыве вдохновения посоветовала я, — вчера в мебельный у метро зашел, там такой был, тебе подойдет! Езжай на «Войковскую», в «Стройдвор».

— Вот спасибо! — обрадовалась Елена и тут же запоздало удивилась: — Папа, ты ходишь по магазинам?!

— Ну, — забормотала я, — иногда случается, в качестве прогулки, нас порой за хорошее поведение отпускают повеселиться...

— Павел Константинович нас покидает, — каменным тоном заявила Эля.

Я попятилась в шкаф, чувствуя, как горят уши и щеки.

— До свидания, папа, — прошептала Елена Павловна.

— Доброго здоровья, доченька, — прогундосила я и влезла в гардероб.

Когда клиентка ушла, Эля распахнула дверцы и с чувством произнесла:

— Для первого опыта не так уж и плохо.

— Ты считаешь? — робко спросила я.

— Да, — кивнула бывшая одноклассница и, вытащив огромную амбарную книгу, стала аккуратно писать в ней ровные строчки.

— Что ты делаешь? — поинтересовалась я.

Эля улыбнулась:

— Это склерозник.

— Что?

— У врачей есть история болезни, а у меня «гадательные истории», — засмеялась Эля, — веду учет клиентов, тщательно фиксирую, кто и зачем приходил, обязательно указываю, что ему нагадала.

— Для налоговой инспекции бумаги?

Эля покачала головой:

— Нет, для них чек на ресепшен Майя пробивает. Это для меня.

— Зачем тебе бумажная волокита?

Эля откинулась в кресле и вытащила сигареты. Тонкий голубовато-серый дымок начал виться вверх.

— Мой салон пользуется огромным успехом, от клиентов отбоя нет, кое-кто по три-четыре месяца ждет, пока до него очередь дойдет. Некоторые, вроде этой Елены придурочной, постоянно ходят, с любой ерундой прибегают. Другие один раз придут, а потом через год появляются. Но я же гадалка! Обязана все знать. Память у меня не ахти, потому и записываю. Вот, смотри, вчера была Караваева Светлана Глебовна, проблема: старший сын попал в тюрьму. Если теперь баба хоть через десять лет запишется на прием, я, готовясь к работе, перелистаю книгу и буду в материале. Если, не дай бог, талмуд пропадет — мне кранты. Ясно? Ох и надоела эта писанина, а что делать? На нее столько времени тратится, еще бы пару клиентов могла в день принять.

— Найми кого-нибудь записи делать, — посоветовала я, — купи компьютер и посади девочку информацию набивать.

— Не доверяю я этим консервным банкам, — вздохнула Эля, — еще случится с ней что-нибудь, весь архив пропадет, а моя книжечка века переживет. А насчет секретарши... Видишь ли, мы с Майкой тут вдвоем пашем, нам лишние свидетели не нужны, берем к себе только абсолютно проверенных людей, хорошо знакомых, вроде тебя. Ладно, ступай отдыхать. Со следующим клиентом одна работаю.

Я выскользнула в коридор и пошла к Майе. В голове лихорадочно вертелись мысли. Значит, Эля все записывает в книгу! Моя задача сводится теперь к простому действию: надо заглянуть в кондуит, пролистать его и изучить всех клиентов за лето — осень прошлого года. Кто-то из них убил Ксюшу и хорошо знает, куда подевалась Анна. Отчего я пришла к подобному выводу? Господи, это же очень просто! И Аня, и Ксюша нуждались в деньгах. Одна была матерью-одиночкой, другая хотела хорошо одеваться... Вот и нанялись к Элизе, стали дурачить глупых людей, бегающих к гадалкам. Интересно, каким образом девицы попали сюда на службу? Эля только что сказала, будто принимает к себе лишь проверенных людей. Впрочем, меня-то она взяла без всяких рекомендаций, просто помогла бывшей однокласснице. Думаю, это не слишком разумный поступок. Конечно, мы все идеализируем свое детство и с радостью общаемся с теми, с кем когда-то вместе получали двойки, но школьная пора осталась далеко позади, а люди иногда сильно меняются в процессе жизни. Милая одноклассница могла трансформироваться в вульгарную уголовницу. Эля сильно рисковала, беря меня «в долю» и не наведя никаких справок. Может, так же необдуманно она поступила и в случае с Аней и Ксюшей?

Ладно, сейчас не это тема для размышлений. Мне следует подумать о другом: каким образом подобраться к амбарной книге. Ясно, что Эля не позволит никому, даже бывшей однокласснице, изучать записи, следовательно, читать их придется тайком.

— Ты чего молчишь? — удивилась Майя. — Пошли чай пить.

— А клиенты?

— Целый час никого не будет, — улыбнулась Майя.

Мы вновь оказались в кухоньке и повели неспешный разговор. В его процессе я осторожно выяснила кое-какие детали. Глуповатая Майя охотно отвечала на вопросы. Откуда в салоне взялись Аня и Ксюша, она не знает. Девчонки работали хорошо, а потом испарились.

На ночь салон просто запирают, охраны тут нет, милицейской сигнализации тоже. Да и зачем она нужна? Никаких ценностей здесь не держат: ни компьютера, ни сейфа с деньгами нет. Эля каждый вечер уносит выручку с собой. Из относительно дорогих вещей только светящийся хрустальный шарик на подставке. Но он представляет ценность только для тех, кто собирается заниматься магией. Для остальных это только ненужный прибамбас, который нельзя приспособить даже в качестве ночника, так что вору тут поживиться нечем.

— Просто запираем дверь и уходим, — спокойно рассказывала Майечка, — замок хороший, фирменный, такой сразу отмычкой не открыть.

— Да уж, — притворно вздохнула я, — потеряешь ключ, и меняй запор на новый.

— Зачем? — удивилась Майя.

— Сама же сказала, отмычкой не открыть.

— Ну, во-первых, у нас дома лежат запасные ключи, — улыбнулась Майя, — а потом, смотри.

Она открыла ящик и вытащила колечко, на котором болтались какие-то загогулины.

— Это что? — удивилась я.

— Ключи от двери, запасные, — пояснила Майя, — одна связка дома, две тут, одну Эля всегда с собой носит. Если потеряет — беде легко помочь. И потом, можно обратиться в фирму, которая ставила дверь, и они перекодируют замок, его менять не надо, просто выдают другие ключи. Так поступать можно до бесконечности, ясно?

Я кивнула, к тому же мне стало понятно, каким образом можно заполучить в руки вожделенную книгу.

— Вилка, — произнесла Эля, входя в кухню, — теперь у тебя на очереди пудель, помнишь, я говорила вчера о Наталье Фильчиной и Рэмике?

— Помню.

— Тогда внимательно слушай, — велела гадалка.

Часа через два я стояла в большом дворе. Вот уж не думала, что в центре Москвы имеются такие замечательные ухоженные территории огромного размера. Первое, что поражало: полное отсутствие автомобилей, но потом взгляд упал на таблички «Паркинг», и я поняла, что под зданием имеется подземный гараж.

У Эли были точные «разведданные». Ровно в пять часов дверь первого подъезда открылась, и на улицу выпала старушка, замотанная в такое количество платков, словно она собралась пешком на Северный полюс. В руках дряхлое создание держало поводок, на другом конце которого весело подскакивал карликовый пуделек угольно-черного окраса.

— Да не тащи ты меня, — прошамкала бабка, — еще упаду, не ровен час! Постой хоть секунду на месте, ирод! Эх, грехи мои тяжкие, на старости лет в няньки к кобелю подалась!

Продолжая ворчать, старуха с видимым усилием нагнулась и отцепила собачку, та, радостно лая, понеслась в глубь двора. Наталья Фильчина приказывала старухе выгуливать пса на поводке, поджидая, пока Рэмик выполнит все свои делишки. Но бабку, очевидно, мучил артрит, поэтому она, наплевав на указание хозяйки, поступала по-своему.

— Эй, ирод, Рэмик, — заорала старуха, — куда ускакал!

На дворе было еще не так темно, к тому же тут ярко горели фонари, но, похоже, старуха плохо видела.

Весело лая, Рэмик галопировал на детской площадке. Я пошелестела конфетным фантиком. Пуделек замер, а потом полетел ко мне.

— Хочешь «Мишку»? — спросила я.

Песик затрясся.

Я протянула ему угощение, Рэмик мигом проглотил конфету и преданно заглянул мне в глаза. Чувствуя себя гаже некуда, я подхватила пуделя и, сунув себе под куртку, сказала:

— Уж прости, дорогой, плохо тебе не сделают. Понимаю, что поступаю отвратительно, но альтернативы-то нет. Мне очень надо узнать, где Аня и почему убили Ксюшу. А все ниточки тянутся в салон к Элизе.

Рэмик, не ожидавший от представителей человеческого рода ничего плохого, тихо сидел под курткой. Мне даже показалось, что он заснул. В метро Рэмик вел себя более чем прилично, просто бешено крутил головой в разные стороны и вздрагивал. Наконец мы добрались до места, где следовало оставить «украденное». Довольно просторный сарай внутри оказался чистым, на полу валялось старое ватное одеяло. Я вытряхнула Рэмика, привязала его к торчащему из стены гвоздю, поставила перед недоуменно озиравшимся животным миску, куда налила воду. И бутылку, и «чашку» пришлось принести с собой.

— Посиди тут немного, — велела я, — честное слово, тебя скоро освободят.

Пуделек принялся тихо подвывать. Я вынула мобильный.

— Алло, — пропела Майя.

— Все в порядке, Рэмик на месте, только он...

— Что?

— Да воет, боюсь, привлечет внимание, кто-нибудь услышит, придет и возьмет пса.

— Погоди, — велела Майечка.

Через пару секунд она, задыхаясь, проговорила:

— Наталья уже едет, старуха ей на работу сообщила, а она позвонила нам. Ты оттуда не уходи, побудь около собаки.

— Интересное дело! — возмутилась я. — Каким же образом я объясню этой Наташе свое присутствие возле украденного пуделя? Да она милицию вызовет.

В мембране раздался шорох, быстрый шепоток, потом у меня в голове зазвучал голос Эли:

— Вилка, следует проявить сообразительность. Когда появится Фильчина, скажи ей, что ты шла мимо, услышала визг, вошла в сарай, пожалела собаку, принесла ей воды.

— Ладно, — вздохнула я.

Время тянулось медленно. Сначала я просто топталась на месте, потом, устав, навалилась на стену сарайчика, затем села на ватное одеяло и тут же вскочила. На земле, несмотря на толстую подстилку, было очень холодно. Рэмик тоже продрог. Он больше не выл, только тихо поскуливал, по очереди поднимая лапки.

Испугавшись, что ни в чем не повинная собака окочурится от мороза, я подхватила тощее, вздрагивающее тельце и вновь запихнула себе под куртку. Самое интересное, что и мне, и Рэмику стало значительно теплее. Я прижалась спиной к двери сторожки и попробовала задремать. Из приятного состояния полного безмыслия меня вывел резкий звонок мобильника.

— Не волнуйся, Вилка, — затарахтела Майя, — Эля позвонила Наталье и сказала, что с Рэмиком все в порядке, о нем решила позаботиться добрая женщина.

— Нельзя ли позвонить ей еще разок и попросить поторопиться, холодно тут жутко!

— Еще недолго осталось, — успокоила меня Майя.

Прошел час, потом другой, но никакая Наташа не спешила вбежать в сараюшку. Мои ноги превратились в две заледеневшие колонны, спина перестала сгибаться, руки покраснели и почти онемели. Еле живая, я вытащила мобильник.

— Салон Элизы, — прощебетала Майя.

— Где Наталья?!

— Ой, Вилочка, как ты там?

— Прекрасно, теперь никогда не стану покупать замороженных кур!

— Почему? — спросила глуповатая Майя.

— Потому что не смогу готовить то, что мучилось в морозильнике, — рявкнула я, — долго мне еще тут куковать?

— Понимаешь, эта дура перепутала адрес.

— Как это?

— Очень просто! Мы ей четко сказали: Первая Георгиевская улица, а она понеслась в Георгиевский переулок, совсем в другой конец города, но теперь уже точно минут через десять прибудет.

Однако прошло еще полчаса, прежде чем дверь сарая с громким стуком распахнулась и в него влетела толстая тетка в норковой шубе.

— Рэмик! — завизжала она. — Рэмик! Господи, да его тут нет!

Я с трудом разлепила онемевшие от холода губы и прохрипела:

— Вы не собачку ищете?

— Да.

— Черненького маленького пуделя?

— Да!!! Знаете, где он? Скажите, умоляю, заплачу сколько хотите!

Я вытащила Рэмика из-под куртки. Собачка зевнула, увидела свою хозяйку и радостно залаяла, виляя хвостом.

— Сыночек! — взвыла Наталья, вырвала у меня из рук пуделька и прижала его к себе. — Нашелся! Ай да Элиза! Все точно предсказала, даже вас описала.

— А я что? Я ничего. Шла мимо, слышу визг...

— Дорогая, — прервала меня Наталья, — спасибо за то, что позаботились о Рэмике, вот возьмите.

В моих руках оказалась тысячная купюра. Пока я обалдело смотрела на нее, Наташа выскочила за дверь, унося с собой Рэмика. Когда я, еле шевеля ногами, выползла из сараюшки, она садилась в роскошную иномарку. Помахав мне рукой, Наташа газанула и исчезла за поворотом. Я, тихо злясь, пошла по направлению к метро. Лучше бы эта Наталья не совала мне деньги, а довезла до подземки.

Глава 16

Оказавшись на станции, я села на скамейку. Ноги ничего не чувствовали, лицо горело огнем, а руки походили на две сырые котлеты. В душе подняло голову отчаяние. Ну зачем я пошла в служки к Элизе? Что она заставит меня делать завтра? Может, наплевать на все, поехать сейчас домой, рухнуть на диван, укрыться теплым пледом... Тут же перед глазами появилась картина: вот я лежу на мягких подушечках, одетая в уютную байковую пижаму. На ногах у меня теплые носочки, те самые, которые Сеня привез мне в подарок из Лондона. Мы очень смеялись, когда он вытащил из чемодана полосатые гольфы, сделанные на манер перчаток. Каждый палец следовало всунуть в отдельный шерстяной чехольчик.

Зажмурившись, я попыталась пошевелить не желавшими согреваться ступнями. А еще около дивана надо поставить столик с чашечкой чая, тарелочку с куриной грудкой в панировке. Под плед я суну Дюшу, на живот мне мигом шлепнется кошка и заведет: мр-мр-мр... И уж совсем отлично, если в руках окажется интересная книга! Книга!!!

Глаза открылись, и взор мигом натолкнулся на девушку, сидевшую рядом на скамейке. В правой руке она держала яркий томик Смоляковой. Ни шум поездов, ни несущаяся мимо толпа, ни бомжи, выпрашивающие копейки, ни духота не мешали читательнице. Она впилась взглядом в страницы, словно голодный крокодил в добычу. Длинную белокурую прядь, выбившуюся из прически, девица накручивала на указательный палец левой руки, опуская ее, чтобы лихорадочно перелистывать страницы. Девчонка явно горела желанием тут и сейчас узнать, кто же все-таки совершил злодейское убийство.

Неожиданно мои ноги разом оттаяли, руки зашевелились, а в душе появился пионерский задор. Я вскочила со скамейки и понеслась в сторону только что подъехавшего поезда. Ну, Смолякова, погоди! Я напишу еще лучше, вот только узнаю, куда подевалась Аня!

Дверь в салон я открыла прихваченными ключами. Майя сказала чистую правду, они с Элей совершенно не боялись грабителей, и в салон можно было спокойно пройти.

Не теряя времени, я побежала в кабинет и с радостью обнаружила, что ящики письменного стола не имеют никаких запоров. Амбарная книга лежала на самом виду. Я тщательно задернула шторы, зажгла настольную лампу и принялась перелистывать чуть липнувшие к пальцам страницы. Ага, вот то, что надо.

Эля писала крупным, разборчивым почерком. В моей однокласснице пропал гениальный делопроизводитель. До сих пор все виденные мной истории болезни, папки с делами или документами представляли собой сборище неудобочитаемых бумажек. Эля же очень четко указывала в графах всю информацию. «Светлова Анна Кирилловна, 1970 г. р., хочет узнать, есть ли у мужа любовница».

Около некоторых фамилий стояли красные крестики. Я сначала никак не могла понять, что они означают, но потом сообразила: таким образом Эля отмечала тех, кому капитально дурила голову. Ситуация упростилась совсем. Кто-то из этих людей и решил наказать Аню с Ксюшей. Поколебавшись немного, я выписала тех, кого девчонки обманули за время своей работы, и уставилась в список. Двенадцать фамилий! Многовато будет. Ну-ка, попробуем рассуждать логично. Ага, первое лицо мне отлично знакомо —

Елена Павловна Исаева. Говорила же Майечка, что она ходит сюда уже целый год. Ее можно смело вычеркивать. Елена Павловна считает Элю кем-то вроде своего гуру и ни о чем плохом не думает. «Самойленко Вера, украденная сумка». Может, эта женщина поймала Аню за руку и решила проучить ее?

Неожиданно мне в голову пришла интересная мысль, и я стала лихорадочно перелистывать страницы. Так, третьего ноября Вера пришла впервые на прием и узнала о предстоящем грабеже. Пятого она заявилась вновь с благодарностью. Двадцатого числа одиннадцатого месяца опять появилась у Элизы с вопросом, в какой институт следует поступать ее дочери. Затем Вера притопала в январе, марте, мае... одним словом, «села на иглу».

Следовательно, мне надо тщательно изучить книгу. Обычный человек, тот, который понял, что Аня и Ксюша дурят ему голову, не станет ходить в салон регулярно.

В результате долгой работы у меня на бумаге остались всего три фамилии: Кусть Алла Евгеньевна, Мраков Сергей Филиппович и Мамаева Сильвия Яновна. Мраков был единственным мужчиной, затесавшимся в сугубо бабскую компанию. Я аккуратно переписала их адреса и, сожалея о том, что Эля не зафиксировала телефоны, убрала книгу на место и поехала домой.

В квартире было тихо. Я стащила сапоги, отбилась от радостно прыгающей Дюшки, пытавшейся с жаром облизать мне лицо, и посмотрела на вешалку. Так, курток Олега, Семена и Вована нет. Наши мужчины еще пропадают на службе. Один пытается реанимировать тихо умирающий журнал, другие двое вознамерились изловить всех преступников бывшей Страны Советов. Можно, конечно, устроить любимому мужу небольшой скандал, так сказать, для поддержания тонуса, но я не стану этого делать. Пока Олег тотально занят, он не обращает внимания, что меня постоянно нет дома. Кстати, когда я стихийно превратилась в писательницу, Олег сначала подшучивал надо мной, но потом вдруг перестал это делать. Я очень удивилась произошедшей перемене и однажды прямо спросила:

— Ты больше не подсмеиваешься над моей писаниной, почему?

— Я и другим запретил, — буркнул муж, — пиши спокойно!

В моей душе мгновенно красным пионом расцвела любовь к супругу. Вот он какой: умный, чуткий, нежный, благородный... Понял, что жене не слишком комфортно выслушивать постоянные издевки домашних, и решил защитить меня. Ну у кого еще есть такой замечательный, такой потрясающий... Но Олег, ничего не подозревавший о моих мыслях, брякнул:

— Конечно, ты дурью маешься. Какой из тебя, на фиг, Лев Толстой? И вообще, бабе в литературе делать нечего.

Вся кровь мигом бросилась мне в голову, и я прошипела:

— Тогда зачем ты решил создать мне комфортные условия для работы?

— Лучше уж сиди дома, — вздохнул Олег, — так спокойней, а то вечно вляпываешься в неприятности!

Я была возмущена до глубины души этим заявлением. Во-первых, я никогда не попадаю ни в какие щекотливые ситуации, а во-вторых, мне что, может, еще и паранджу надеть?

Обозлившись от этих воспоминаний, я пошла на кухню и обнаружила там Кристину, пьющую чай.

— Ты что не спишь? Поздно уже!

— Детское время, — пожала плечами девочка, — тебя жду.

— Меня? А что случилось?

— Пока ничего, — буркнула Кристина, — но скоро произойдет, через... э... шесть месяцев.

Я чуть не села мимо стула.

— Кристя! Ты с ума сошла! Ладно, никому не рассказывай, беде можно помочь. Где моя записная книжка?

— И зачем она тебе? — с подозрением спросила Кристина.

— Отец моего ученика, Стасика Петкина, главный врач большой больницы, устрою тебя к нему. Не бойся, ни одна душа, кроме меня, ничего не узнает, я умею хранить тайны, — сказала я, роясь в сумке.

— Ты о чем? — вытаращила глаза Кристя.

— Ну, — замялась я, — сама понимаешь. Дети, конечно, большая радость, но рожать в твоем возрасте крайне неразумно. Младенец явится на свет больным, а у тебя вся жизнь наперекосяк пойдет.

— Вилка! — сердито воскликнула Кристя. — Мне еще и шестнадцати нет!

— Вот-вот, и я о том же!

— Что за глупость пришла тебе в голову, — прошипела Кристя. — Какие дети? Меня из школы собрались выгнать!

Я плюхнулась на стул. Когда подумаешь о большой неприятности, известие о том, что она не настолько глобальна, очень радует. Одним словом, если вам позвонили на работу и сообщили, что ваша квартира сгорела дотла, а вы примчались и обнаружили, что в ней всего лишь побывали воры, вы по-детски обрадуетесь. Внимание, вопрос: обрадовались бы вы, просто узнав о том, что в ваше жилище влезли грабители?

— При чем тут шесть месяцев? — спросила я.

— Так учебный год завершится, — мрачно пояснила Кристина, — кто же ребенка в декабре на улицу выбрасывает. На, полюбуйся.

В моих руках оказался дневник. Я пролистнула странички.

— И что? Вовсе не так уж плохо! По математике и физике тройки, но ведь не двойки же! Зато по физкультуре пять!

— Меня не за неуспеваемость пообещали вытурить.

— А за что?

— За поведение.

— Господи, — перепугалась я, — что же ты сделала?

— Ничего!

— За «ничего» не выгоняют!

— Ты замечания почитай!!!

Тут до меня дошло, что все странички вдоль и поперек исписаны красной ручкой. Я вцепилась в основной документ учащегося и начала увлекательное чтение.

«Вынимала и доставала деньги на глазах у учителя».

— Кристя, ты садистка, зачем открывала кошелек в присутствии педагога? Ясно же, что позавидует!

— Дальше смотри, — хмыкнула Кристина.

«Не хочет любить Пушкина».

— В каком смысле? — растерянно посмотрела я на девочку.

— Сказала, что «Евгений Онегин» отстой, — поджала губы Кристя, — между прочим, русичка предложила нам высказать собственное мнение!

— Господи, Криська! Ты же не первый год в школе! Неужели не сообразила до сих пор, что личное мнение учащегося — это позиция педагога, сказанная твоими устами!

Следующая запись вызвала у меня нервный смех.

«В столовой стучала зубами».

А чем там еще надо стучать?

«Не по-человечески сидит на стуле». «Весь урок искала зашвырнутую вещь, злостно ухмылялась, вытирала нос платком, а потом ложила его на стол».

Для меня осталось загадкой, что клала Кристина на парту: нос или платок? Кстати, автором последнего перла оказалась учительница русского языка.

«Ругалась зря». «Два раза захихикала в присутствии комиссии».

— Что за бред!

Кристя развела руками.

— Ладно, — пообещала я, — завтра же пойду в школу!

— Не получится.

— Почему?

— Так завтра воскресенье.

— Хорошо, тогда в понедельник, — кивнула я.

Утро я начала со звонка к Элизе.

— Салон гаданий, — сообщила Майя.

— Вилка говорит.

— Я узнала тебя.

— Не приеду, заболела. Вчера в сарае так простудилась! Теперь чихаю и кашляю.

— Погоди, — пропела Майя и побежала, как всегда, советоваться со старшей сестрой.

Спустя пару минут мне выдали «бюллетень», и я, напевая, двинулась в прихожую. Честное слово, мне начинает нравиться, что Олега никогда нет дома. Ну какой муж отпустил бы жену в воскресенье в десять утра из дома? Разве что на рынок, за харчами, а так я сама себе хозяйка. Пробежав мимо бачка, заполненного до отказа грязными рубашками Олега, я испытала легкий укол совести. Ладно, постараюсь прийти пораньше и запихну все в стиральную машину. Хотя, может, сделать это прямо сейчас?

Я откинула крышку, вытряхнула наружу целую кучу белья, быстро отделила цветное от белого, засунула последнее в барабан, нажала кнопку...

Господи, благослови того, кто придумал автоматические «прачки». Прогресс в бытовой технике держится на сварливых женах, шумных, крикливых детях и лентяях. Посудомойки, стиральные машины и пылесос придумали мужчины, которым супруги постоянно закатывали скандалы на тему: «Я всю красоту потеряла, пытаясь навести чистоту и порядок». Появлением игровых приставок и компьютерных игр мы обязаны неугомонным мальчикам и девочкам, которые, оставшись наедине с папочкой, мигом взбирались последнему на голову. А вот пульт для телевизора мужчины изобрели для себя любимого. Так приятно щелкать им, лежа на диване. На мой взгляд, лица мужского пола должны поднапрячься и изобрести холодильник, подающий еду прямо в кресло, и «носочно-рубашечно-брючноубирательную машину». Хотя нет, подобных аппаратов нам не дождаться. У большинства мужчин для этих целей имеются жены. Мораль: девочки, если хотите обрести бездну свободного времени, как можно чаще пилите мужей. И никогда не называйте своих подружек сварливыми истеричками. В конце концов, благодаря им мы получили кухонный комбайн, миксер и кучу полезных вещей. А если бы были безропотны, так и взбивали бы до сих пор белки по пять часов железным венчиком!

Воскресное утро самое лучшее время для того, чтобы застать человека дома. Алла Евгеньевна Кусть занималась уборкой. Дверь она открыла без всяких вопросов и, выключив нервно гудящий пылесос, заорала:

— Вам кого?

— Я от журнала «Оракул». Читаете такой?

— А как же! — закричала Алла Евгеньевна, но потом мигом сбавила тон и засмеялась: — Во, дура! Пылесос-то не работает, чего ору?

— Так вы «Оракул» покупаете? — повторила я.

— Выписываю, — поправила меня она, — журнальчики потом подшиваю, перечитываю.

Я перевела дух. Виола, ты гениальна! Нашла правильный ход, сделав простое умозаключение: Кусть, бегающая по гадалкам, вполне вероятно читает издания, посвященные магии, эзотерике, НЛО и другой ерунде.

— Очень хорошо! — воскликнула я. — А то я уже растерялась, кому ни позвоню, никто про нас не слышал.

— Так темные люди, — подхватила Алла Евгеньевна, — чего от них ждать-то?

— Можно войти? Если ответите на пару вопросов нашей анкеты, получите вот этот замечательный календарь с астропрогнозом на будущий год.

Алла Евгеньевна посмотрела на книжечку, купленную мною только что у метро, в газетном ларьке, и радостно ответила:

— Конечно!

Меня торжественно провели на кухню, налили чашечку «Липтона» и пододвинули коробку с конфетами «Птичье молоко».

Я вытащила листок бумаги, ручку и начала:

— Верите ли вы гадалкам?

— Конечно!

— Обращались ли вы к специалистам, предсказывающим судьбу.

— Да.

— К кому?

— Ходила в салон, к Элизе.

— И как?

— Ой, — затараторила Алла Евгеньевна, — ну просто не поверите! Так она мне все по полочкам разложила, так ловко объяснила, а главное, посмотрела в шарик и предупредила: «Будьте очень осторожны на обратном пути, на вас нападут и отнимут сумочку». Я ей поверила, намотала ремешок на руку и двинула. И тут! Налетает подросток! Цап! А я не отдаю! Угадайте, что дальше было?

— Вы его поймали, узнали...

— Нет, — ответила Анна Евгеньевна, — он удрал, словно ветром унесло, я даже не поняла, кто это: парень или девка. Спасла свои денежки благодаря Элизе. Я ей потом позвонила и сказала от души спасибо. Вот какая гадалка! Мигом будущее увидела.

— Вам не хотелось к ней еще раз пойти?

— Давно мечтаю, — грустно кивнула Алла Евгеньевна, — вопросов накопилось море.

— Что же не идете?

Кусть стряхнула со стола мелкие крошки.

— Так визит двести долларов стоит. Где мне их взять? Одна двоих детей тяну!

— Но ведь один раз вы набрали нужную сумму.

— Элиза за первое посещение берет всего пятьсот рублей, а дальше уже полную стоимость платить надо.

— Значит, вы остались довольны гадалкой?

— Очень.

— И никаких претензий у вас к ней не было?

— Нет, что вы! Такая милая женщина, профессионал, на три метра под землей видит.

Я отдала Алле Евгеньевне честно заработанный ею календарь и вышла на улицу. Расстраиваться не стоит, есть еще Сергей Филиппович Мраков.

Он тоже распахнул дверь без особых проволочек. Я увидела по ту сторону порога нелепое существо и невольно попятилась. Из полумрака коридора выступала грузная фигура тетки, одетой в странный, черный, балахонистый халат, на груди у нее болталась железная цепь с пудовым крестом, на подбородке кустилась седая борода, а на уши спускались растрепанные патлы цвета соли с перцем.

— Входи, чадо мое, — неожиданно звонким юношеским голосом прозвенела гора.

И я в ту же секунду сообразила, что передо мной не женщина в халате, а священник в рясе.

— Э... мне нужен Мраков.

— Он самый и есть, — ответил батюшка.

Я растерялась. И как теперь спрашивать его про журнал «Оракул»? Церковь абсолютно не одобряет никаких походов к ведьмам, гадалкам и экстрасенсам. Какого черта Сергея Филипповича понесло к Элизе? Может, он решил проклясть ее?

— Входи, дщерь, не пускай холодный воздух в мою обитель, — пробубнил Мраков.

Я вошла в тесную, пахнущую кошками прихожую и вздрогнула. Из темной комнаты выглядывали две круглых ушастых головы с желтыми глазами.

— Ступай в горницу, — подтолкнул меня Мраков, — садись на стул, в ногах правды нет, и повествуй о своих печалях.

Я судорожно оглянулась. На улице яркий, морозный, солнечный день, а у Сергея Филипповича плотно задернуты черные шторы, на столе мерцает хрустальный шарик, около него лежит колода карт...

— Вы не священник! — дошло до меня.

— Работаю, благословясь, — перекрестился Мраков, — видишь, иконы висят, не бесовствую, не сатанинствую, я — белый колдун, глубоко верующий человек.

— Разве можно носить рясу без разрешения, — укорила его я.

— Не в рясе я вовсе, — спокойно пояснил Мраков, — просто такое облачение. Разве на одежде священника бывают аппликации?

Лишь после этих слов я заметила разбросанные тут и там по ткани «золотые» звездочки и ромбики.

— Мне можно смело довериться, — заявил

Мраков, — хуже не станет. В отличие от большинства гадателей, я призываю силы добра, магию белой кошки.

— Мяу, мяу, — донеслось с дивана.

Я невольно перевела взгляд на подушки. Там в царственных позах возлежали два пушистых кота, похожих на пирожные безе.

— Вы понравились Арахне, — сообщил Мраков, — вам повезло, она редко благоволит к пришедшим. Теперь спрашивайте, Арахна ответит.

Я внимательно посмотрела на молодо блестящие над густо-седой бородой губы, на яркие глаза, вокруг которых не успели пролечь «гусиные лапки», потом глянула на руки с белой кожей без малейшего признака пигментных пятен. Похоже, господин Мраков не успел отметить и тридцатилетия. Ох, зря он назвал кошку Арахной, насколько я помню, это имя носила греческая девушка — ткачиха, рискнувшая вызвать на соревнование саму Афину, за что богиня превратила нахалку в паука. По-настоящему верующий человек никогда не присвоит такое имя киске, назвал бы Муркой! И откуда у молодого парня густая седая растительность на голове и на лице? Вон голос у него какой звонкий!

Глава 17

Не успела я додумать последнюю мысль, как руки сами собой дернули Мракова за бороду. В ту же секунду она отвалилась, обнажился остренький подбородок с гладкой, нежной, практически не знающей бритвы кожей.

— Эй! Вы что! — возмущенно воскликнул Мраков.

Но я уже сдергивала с его макушки парик.

— Не стыдно людей обманывать?

Сергей Филиппович (впрочем, если учесть, что восседающему передо мной юноше не было еще и двадцати пяти, звать его стоило просто Сережей) плаксиво ответил:

— Пожилому больше доверяют! Между прочим, я могу и милицию вызвать! Ворвались в мой дом, стали волосы рвать.

— Во-первых, тебе не было больно, они не настоящие, — мягко улыбнулась я, — во-вторых, ты сам меня впустил. Кстати, где табличка, оповещающая, что в этой квартире работает салон магии?

— Она не нужна, — буркнул Сережа, — клиенты и так меня находят! Вы же нашли! Кстати, откуда вы узнали про меня?

— А откуда вообще о тебе узнают? — вопросом на вопрос ответила я.

— В газете «Из рук в руки» объявления даю, еще люди друг другу рассказывают.

— И мне наболтали. — Сережа хотел что-то возразить, но я быстро закончила фразу: — Твои соседи!

— Кто? — изумился Сережа. — Да они меня терпеть не могут.

Я хмыкнула.

— Вот-вот, поэтому и не поленились прийти ко мне на службу и поведать о том, что в их доме существует незарегистрированный кабинет «гадателя».

— А вы где работаете? — тихо спросил Сережа.

Я широко улыбнулась, поправила волосы и кокетливо сказала:

— В налоговой инспекции, мой ангел. Сам

понимаешь, я обязана проверять такие сигналы. Между прочим, из-за таких, как ты, у нашей страны огромный внешний долг. Денежки с клиентов стрижешь, налоги государству не платишь, откуда в бюджете найдутся средства на зарплату учителям, врачам и милиционерам, а? Нехорошо, котик! Ты — государственный преступник, сейчас оформим все чин чинарем, а уж потом решать станут: штраф с тебя брать в размере десяти тысяч МРОТ или за решетку сажать!

— Что это за деньги такие, мроты? — испугался Сережа.

Я снисходительно улыбнулась:

— МРОТ — это аббревиатура, расшифровывается просто: минимальный размер оплаты труда. Усек? Кстати, открыть ПБОЮЛ стоит всего один МРОТ, а ты пожадничал.

Сережа мигом вспотел.

— Послушай, — предложила я, — если уж я знаю, что ты не пожилой дядечка, можешь вытащить из-под своего халата подушку. А то еще задохнешься, вон какой мокрый.

Мраков молча расстегнул пуговки. Я слегка ошиблась, вокруг его талии, для придания фигуре солидности, был намотан плед.

— Что такое ПБОЮЛ? — прошептал Сережа, выдергивая одеяло.

— Опять аббревиатура, — с готовностью объяснила я, — предприятие без организации юридического лица. Потратил бы денек, оформил бумаги, заплатил налоги, и спи спокойно. А теперь сплошной геморрой у тебя будет. Сколько клиентов в день принимаешь?

— Скажете тоже, — буркнул Сережа, — спасибо, один в неделю явится! Никак не раскручусь, не пойму, почему ко мне люди редко приходят? Вроде все, как Элиза делаю, но к ней в очередь записываются, а сюда никто...

— Кто такая Элиза? — Я прикинулась удивленной. — Ну-ка, голубчик, быстро рассказывай все! Имей в виду — чистосердечное признание облегчает вину!

Сережа громко шмыгнул носом и принялся каяться.

Он студент-медик, учится на четвертом курсе. Родители работают за границей, нанялись в Голландию, в оранжерею, ухаживать за тюльпанами. Отец с матерью мечтают о даче, поэтому много денег сыну не дают, считают, что на еду ему хватит, и ладно. Но Сереже хочется и пивка попить, и девочку в кино сводить, а еще неплохо бы купить автомобиль, красивую одежду... Но об этом даже мечтать не приходится. Хитрые мама с папой высчитали, что двести рублей в день парню достаточно, попробуй тут сэкономить! На сигареты и то не хватает!

Однажды одна из подружек, захлебываясь от восторга, рассказала Сереже о своем походе к гадалке Элизе.

— Ты не представляешь себе, какая она здоровская! — щебетала девица, закатывая глаза. — Все-все знает!

— Какого черта ты к ней поперлась, — мрачно прервал ее Сережа.

— Каждому охота знать свое будущее! Я к ней регулярно хожу!

— И сколько же платишь?

— Двести баксов!

— Сколько? — заорал Сережа. — За пять минут пустой болтовни две сотни «зеленых»?!

— Чего вопишь! — окрысилась любимая. — Свои трачу!

— И что она тебе, идиотке, сказала?

— Что ты не моя судьба!!!

— Это точно, — протянул парень, — охота была с дурой связываться!

Девчонка отвесила ему оплеуху, и вся любовь кончилась. Но в Сережиной голове гвоздем засело воспоминание о чудовищной сумме, полученной гадалкой. Через некоторое время в его мозгах оформился план. Поколебавшись с месяц, Сергей отправился к Элизе на разведку. К тому времени он уже знал, что за первый визит следует заплатить «всего» пятьсот рублей.

Посещение гадалки придало ему уверенности. Сергей купил в ИКЕА ночничок, поставил на него вместо абажура хрустальную вазочку, приобрел бороду, парик и... «салон» заработал.

Самое интересное, что люди к нему идут, правда, вяло, но все же идут. Сережа не зарывается, просит вполовину меньше, чем остальные столичные предсказатели, и даже иногда помогает людям. Например, к нему не так давно пришла тетка с явными признаками базедовой болезни. Как будущий медик, Сережа сразу отметил выпученные глаза и большой зоб. Естественно, он моментально порекомендовал бабе сбегать к эндокринологу, проверить щитовидку. Та послушалась, и теперь Сережа имеет постоянную клиентку, но одну, а...

— Значит, ты ходил к Элизе, — прервала я его, — опыт перенимать.

— Ага, — кивнул Сережа.

— Вошел, сел и заявил: «Хочу открыть свой салон»?

— Нет, конечно.

— А как дело было?

— Притворился, будто погадать явился, хотел посмотреть, как это делается...

— И что?

— Наплел, будто имею проблемы в личной жизни. А эта дура карты раскинула и на полном серьезе ответила: «Не грусти, сегодня вечером встретишь красавицу, блондинку, глаза голубые, на щеке родинка, волосы кудрявые... Только недолго ваш роман продлится. Бросит она тебя, ты тогда опять приходи».

— Ну и как, сбылось?

Сережа вздохнул:

— Самое смешное, что да. Вышел я от Элизы, прошел метров сто, а передо мной девчонка бежала, так вот, она на своих каблучищах поскользнулась и брякнулась.

Сергей, как галантный кавалер, помог неловкой прохожей встать и очень удивился. Девчонка точь-в-точь подпадала под описание Элизы: белокурая, с большими, небесного оттенка глазами и пикантной родинкой.

— И у вас начался роман?

Сережа пожал плечами:

— В кафе сходили, я ее мороженым угостил, попросил телефончик...

Но красавица номерок не дала, до дома себя проводить не разрешила, вернее, она просто сбежала. Когда парочка вышла из харчевни, Галя, так представилась девушка, на секунду зашла в магазин. Сергей остался покурить на улице. Через полчаса он, разозленный длительным ожиданием, сунулся в парфюмерную лавку и обнаружил там абсолютно пустой торговый зал и второй выход на параллельную улицу. Все случилось, как предсказывала Элиза.

— Ты вернулся к гадалке и устроил скандал?

— С какой стати? — вытаращил глаза Сергей. — Она-то тут при чем?

— И девчонку эту больше никогда не встречал?

— Не-а.

— Но вспоминал ее?

— Конечно, красивая девка, — протянул Сережа, — только таких по улицам табуны ходят, не стоит расстраиваться! Поела сладкого, прокрутила динамо и удрала. Со мной подобное уже бывало пару раз, есть такие экземпляры. Познакомятся с парнем, раскрутят его на подарок или ресторан, а потом потихоньку испаряются, стервы!

На улице уже стемнело, я пошла к метро. Было пять часов вечера. Ладно, на сегодня беготня по городу закончена, пойду заниматься домашними делами, в ванной меня ждет стиральная машина, набитая чистыми, но вконец измятыми рубашками Олега. Придется приковываться к гладильной доске.

Но меня поджидал сюрприз. В «прачке» бойко крутились ползунки Никиты, а рубашки Олега, идеально выглаженные, висели в шкафу. Я сунулась в комнату к Томочке, обнаружила, что там темным-темно, и на всякий случай шепнула:

— Томусик, мерси за рубашки.

— Не за что, — прошелестело с кровати, — я очень люблю гладить.

Чувствуя болезненные уколы совести, я пошла на кухню. Томочка, сделав вам доброе дело, никогда не станет охать, ахать и демонстрировать, чего ей стоило вам помочь. Наоборот, изобразит, что получила полнейшее удовольствие. Позавчера она оттащила на помойку ведро и восторженно заявила:

— Нет, все-таки хорошо, что у нас мусоропровод сломался и теперь нужно бегать во двор. Такая красота кругом, просто царство Берендея!

И так всегда, другая бы стонала: «О, надо в мороз идти на улицу, о, злая судьба!» — а Томочка во всем находит радость. Однако какая я дрянь! Свалила на нее всю домашнюю работу. Ладно, завтра сбегаю в школу, улажу ситуацию с Кристиной и ничего не стану рассказывать Томе.

Следующее утро началось с похода в учебное заведение. Я всю жизнь прожила в одном районе. Несколько лет назад мы купили новую квартиру и перебрались из своей блочной пятиэтажки в красивую башню. Но ареал обитания остался прежним, мы просто переехали на соседнюю улицу, поэтому школу, в которую ходит Кристина, я очень хорошо знаю. Примерно года три назад на ее дверях появилась табличка «Гимназия», но по сути в ней ничего не изменилось. Кристя ходит сюда лишь по одной причине: другой школы в нашем микрорайоне нет, а те, что расположены чуть подальше, еще хуже. В прошлом году мы хотели перевести ее в отличное общеобразовательное учреждение, расположенное на Юго-Западе столицы, но потом отказались от этой затеи, так как посчитали: несчастному ребенку, чтобы успеть к первому уроку, придется вставать в полшестого. Потом возникла идея перевести ее в платный колледж, но Томочка подумала-подумала и сказала:

— Мне кажется, это будут зря потраченные деньги. Лучше я отложу их на оплату репетиторов, которые понадобятся в одиннадцатом классе, когда Кристя начнет готовиться в институт.

На том и порешили, Кристина осталась в своей школе.

Классная руководительница, противная, толстая Варвара Карловна, услыхав, что я пришла по поводу Кристи, язвительно заявила:

— Я очень рада, что мать наконец обратила внимание на просьбы несчастных педагогов и соизволила осчастливить нас своим приходом.

Я хотела было возразить, что у Кристи нет матери, Томочка ей мачеха[1], а я никто ей, но решила не вмешиваться в гневную речь педагога. Однако через пять минут я все же не удержалась и прервала нескончаемую гневную тираду:

— Судя по вашим высказываниям, Кристю следует отправить на зону для особо опасных преступников сроком этак лет на сорок.

Варвара Карловна запнулась, а потом возмущенно воскликнула:

— На нее все жалуются!

— Если можно, поконкретней, — обозлилась я.

— Ну... Анна Яковлевна, географичка.

— И в чем там дело?

— Ваша Кристина использовала мел для рисования на доске!

А следовало искрошить его и рассыпать по полу? Но я удержалась от замечания и уточнила:

— Это все?

— Если бы!

— Что еще?

---

[1] История Кристи описана в книге «Черт из табакерки».

— Она постоянно позорит школу своими майками!

Я уставилась на Варвару Карловну. Самое интересное, что сия дама ведет уроки русского языка и литературы. К моим щекам начал приливать жар. Но Варвара Карловна, очевидно, решила, что посетительница возмущена поведением дочери, потому что принялась со скоростью света перечислять ее «преступления».

«Рассуждала о директоре. Пришла в юбке, порочащей ее достоинство. Поведение жутко невообразимое. Вчера в столовой не ела, не пила, не разговаривала. Переспрашивает на уроках всякую ерунду. Гадит каждый день».

Услыхав последнее заявление, я, сдерживая гнев, поинтересовалась:

— Что такое хохотальник?

— Кто? — осеклась Варвара Карловна.

Я вытащила из сумки дневник Кристи, нашла нужную страницу и подсунула под нос классной.

— Читайте.

— «Причиной срыва урока явился раскрытый в сторону учителя хохотальник Кристины», — озвучила Варвара Карловна.

— И кто это написал? — наседала я.

— Я, — гордо ответила Варвара Карловна, — ваша дочь разинула на сочинении рот и принялась хохотать!

— А этот перл тоже ваш?

— Какой?

— Вот внизу: «Явилась на урок физкультуры в брюках с чужого плеча».

— И чего? — посинела Варвара Карловна. — Абсолютно правильное замечание! Вы бы видели, в каком виде девица вошла на занятия. Мне пожаловался преподаватель.

Я тяжело вздохнула, у некоторых людей нет музыкального слуха, встречаются не способные к математике, а еще есть особы без чувства языка. Вчера я включила радио и услышала вдруг: «Икалось поехала...» Я очень удивилась и решила, что ведущая оговорилась, но потом услышала еще раз: «Икалось села». Лишь через пару минут до меня дошло: передача посвящена Марии Каллас, великой оперной певице, и журналистка хотела, видимо, сказать: «И Каллас поехала», а потом: «И Каллас села», и что же вышло? Но на радио непрофессиональный человек не страшен, ну, улыбнутся слушатели, ну напишут гневное письмо, и все. А в школе? Там, где Варваре Карловне дана безраздельная власть над детьми?

— Похоже, мы с вами не договоримся, — прошипела классная, — ваша отвратительная девочка — просто исчадие ада...

Вся кровь бросилась мне в голову. В нашей стране постоянно говорят о реформе образования, сетуют на малое финансирование и плохие учебники. Да не в этом дело, господи. К сожалению, в подавляющей массе у нас в школах преподают климактерические, озлобленные на весь свет тетки, не умеющие и не желающие любить детей. Такой хоть миллион долларов в месяц плати — она не изменится. И у бедных родителей остается только один выход: униженно кланяясь, носить в школу презенты, надеясь, что гарпия не станет ежедневно плеваться ядом в их ребенка.

Но я вовсе не желаю прогибаться перед Варварой Карловной! Схватив дневник и забыв попрощаться, я вылетела из класса и чуть не сбила с ног высокую девочку.

— Прости, пожалуйста!

— Ничего, — ухмыльнулась десятиклассница, — от Вороны все в ненормальном состоянии выскакивают.

— От какой Вороны? — не поняла я.

— Так от Варвары Карловны. Жутко противная!

— Абсолютно с тобой согласна, — кивнула я, — отвратительная особа.

— Учителя все такие, — отмахнулась девочка, — сволочи, скорей бы уж в институт поступить, сил никаких не осталось!

— И куда пойдешь?

— Уж не в педагогический, — скривилась она, — за всю жизнь я только одну приличную учительницу встретила, Елену Тимофеевну, она репетировала мою сестру.

Сочетание имени и отчества показалось мне знакомым, и я невольно воскликнула:

— Елена Тимофеевна Кузовкина?

— А вы ее знали? — удивилась девочка.

— Ну... у нее еще дочка есть, Аня, и внучка.

— Аня пропала, — принялась мне рассказывать школьница, — уж, наверное, год прошел. Елена Тимофеевна очень убивалась, а потом и сама... Представляете, моя сестра к ней прибежала, а та урок отменила — к ней гости пришли. Так вот: она сгорела в квартире заживо!

— Какие гости? — удивилась я. — Тебя как зовут?

— Вера Мордвинова.

— Можно с твоей сестрой поговорить?

— Зачем?

— Мне необходимо.

— Ступайте в пятый «Б», на продленке она, зовут ее Зина Мордвинова, — ответила Вера и побежала вверх по лестнице.

Глава 18

Я поплутала немного по коридорам, отыскала нужный класс и толкнула дверь, сама не понимая, зачем иду к Зине. Но кто-то просто толкал меня в спину и шептал в ухо: «Поговори с девочкой».

Зиночка, крохотная девчушка с серьезным личиком, грызла яблоко, стоя у окна. Учителя в помещении не было, и предоставленные сами себе пятиклассники отчаянно безобразничали. Я села за парту и спросила:

— И куда подевалась учительница?

— Заболела «продленка», — по-взрослому сурово ответила Зиночка, — гипертонический криз у нее, прямо с урока увезли. Директриса приходила, пообещала всех выгнать, сказала, мы ее довели. Только училка первая орать начала, потом покраснела и упала.

— Зиночка, ты занималась с Еленой Тимофеевной? — перевела я стрелку разговора на другие рельсы.

Девочка кивнула:

— Вот она хорошая была, никогда не кричала, очень понятно все объясняла. Ну почему в школе таких нет?

Бесхитростный ребенок тарахтел без умолку. Чем больше Зиночка говорила, тем больше нравилась мне Елена Тимофеевна. Впрочем, она и при первой нашей встрече сразу произвела отличное впечатление, и, оказывается, не зря. Зиночка, рассказывая о своем репетиторе, употребляла только превосходную степень. «Самая умная, самая хорошая, лучше всех знала предмет».

Елена Тимофеевна приходила к Зиночке днем, когда родители девочки были на работе. Пару раз она пожурила Зину за то, что та ест хотдоги, купленные у метро, потом спросила:

— Разве твоя мама не варит обед?

— Да стоит суп, — махнула рукой Зиночка.

— Почему же не ешь его?

— Так греть надо!

— Ах ты, лентяйка! — усмехнулась Елена Тимофеевна. — А ну, веди меня к холодильнику.

С тех пор Елена Тимофеевна, придя к Зине, сначала ставила на плитку кастрюлю с супом и только потом раскрывала учебники. А еще она умела делать брелочки из бисера, плести фенечки, всегда выслушивала Зиночку и уговорила ее мать завести собачку. Еще больше Зина любила сама ходить к учительнице. Случалось это тогда, когда болела внучка педагога. У Елены Тимофеевны дома всегда находились для Зиночки сладости и приятные сюрпризы. Зина очень горевала, узнав, что Елена Тимофеевна погибла.

— Представляете, — рассказывала пятиклассница, — я с ней в тот день так и не позанималась! Пришла, позвонила, а Елена Тимофеевна выглянула на лестницу и говорит:

— Извини, Зина, совсем Полиночка разболелась, похоже, у нее свинка. Тебе не надо в квартиру входить! Ступай домой!

Зиночка уже собралась развернуться, но тут дверь распахнулась настежь, и на площадку вылетела хохочущая девочка. Зина страшно удивилась. Полина совсем не выглядела больной, и она не была похожа сама на себя.

— А ну, немедленно домой, — раздался из квартиры голос.

— А это кто? — полюбопытствовала Зина.

— Соседка из той квартиры, — ткнула пальцем в левую дверь Елена Тимофеевна, — пришла муки в долг попросить и дочку прихватила, очень неразумный поступок. Сказала же ей, что у меня в доме свинка, ан нет, привела ребенка. А ну как заболеет? И я буду чувствовать себя виноватой. Ступай, Зина, гуляй две недели спокойно.

— У меня теперь другая учительница, — сказала грустно Зиночка, — совсем не такая хорошая!

Я вышла из школы и подошла к автобусной остановке. Постою минут пять-шесть, подожду. Если маршрутки не будет, побегу к метро, тут не так далеко, за десять минут управлюсь.

Ничего странного в рассказе Зиночки не было. Учительница попросила ее прийти к себе и отменила урок, когда узнала, что у внучки инфекционное заболевание. Совершенно нормальный поступок. Половина репетиторов поступила бы так же. А другая половина, не желая терять заработок, не стала бы принимать мер безопасности. Но, похоже, Елена Тимофеевна была не из таких. Однако почему меня «царапает» эта ситуация? Ну что в ней такого странного?

Пытаясь разобраться в своих эмоциях, я терпеливо ждала автобуса. Внезапно под стеклянную крышу вошла полная женщина, замотанная в платок, и сердито сказала мальчику, сидящему на скамейке:

— А ну встань! Не видишь, мне некуда сумку поставить?

По недовольно-гундосому голосу я мигом узнала Варвару Карловну и не удержалась от тяжелого вздоха. Теперь точно придется пешком чапать до метро, потому что мне неприятно даже стоять рядом с Вороной.

Но не успела я сделать и шага в сторону, как у бордюра притормозил «Лексус», и на тротуар, звеня цепями и сверкая перстнями, выбрался Вован, упакованный в черную кожаную куртку.

— Вилка! — заорал он. — Что ты тут делаешь?

— Стою вот, общественный транспорт жду.

— Лезь в джип, домой еду.

— Что случилось? — испугалась я. — Ты же обычно раньше полуночи не появляешься!

— Так пистолет забыл, — заорал Вован, — бросил в комнате на столе, потом спохватился! Не дай бог, Кристина заинтересуется, возьмет посмотреть, а ствол заряжен! Залезай скорей!

Я вскочила в джип и посмотрела в тонированное стекло. Варвара Карловна, забыв поставить на скамейку туго набитую торбу и раскрыв рот, смотрела мне вслед.

Дома я сказала Кристине:

— Ворона — чудовище!

Девочка хихикнула.

— Но в одном она права, — продолжала я, — ты, к сожалению, пишешь с ошибками.

— Ненавижу русский язык, — заявила девочка.

— Однако без него никуда, — вздохнула я, — давай наймем репетитора.

— Только не Варвару Карловну!

— Что ты, конечно, нет. У твоих однокласс-ников есть частные учителя?

Кристя призадумалась.

— Ну... К Лешке ходят и к Мишке...

— Поговори с ребятами, посоветуйся, и при-гласим того, кто лучше. Не понравится — про-должим поиск. За свои деньги имеем право вы-бирать.

Кристина кивнула и кинулась за телефонной книжкой. А я побрела в свою комнату, рухнула на кровать, забыв снять тапки, и стала анализи-ровать собранную информацию. И что я знаю? Ксюша умерла, это точно. Где Аня, неизвестно. Остается слабая надежда на то, что девушка жива, но с каждым днем она тает.

Встречаются семьи, на которые вечно сып-лются несчастья. Взять хотя бы Кузовкиных. Аня росла без отца, при маме учительнице, следова-тельно, особого достатка в семье не было, а де-вочке хотелось и новых платьев, и игрушек, и сладостей. Потом пришла первая любовь, слиш-ком ранняя беременность и... несчастье: граж-данский муж, Ваня Краснов, погиб в Чечне. Бед-ная Анечка, тяжело ей пришлось в последние месяцы беременности. Ее подруга и соседка Лиза вспоминала, что Елена Тимофеевна не упускала случая укорить дочь, да и потом, после рождения Полины, попрекала Аню деньгами, хотя внучку полюбила от души.

Впрочем, может, Елене Тимофеевне было просто стыдно за то, что Аня «принесла в подо-ле», и потом, педагогам свойственно постоянно воспитывать домашних. Ну неймется им, не уме-ют просто жить в семье, вечно всех строят, поучают. Может, то, что Лиза принимала за ругань, было привычным учительским брюзжанием? Похоже, Елена Тимофеевна была добрым человеком, вон как хорошо вспоминала о ней Зиночка. А пятиклассников трудно обмануть, они на пять метров под землей почуют фальшь.

Я вздохнула и села. Да уж, несчастья преследовали Кузовкиных — сначала пропадает Аня, потом страшной смертью умирают ее дочь и мать. Что же меня тревожит в этой ситуации?

Так и не разобравшись, я переключилась на другую тему.

То, что убийцу Ксюши и похитителей Ани следует искать среди клиентов Элизы, ясно как белый день. Но ни Алла Евгеньевна Кусть, ни Сергей Мраков тут ни при чем. Первая не стала ходить к гадалке не потому, что раскусила обман, а потому, что не имеет наличных денег, а второй заявился к Элизе для «перенимания опыта». Значит... Значит, завтра надо к Мамаевой Сильвии Яновне ехать.

Не всегда «спектакли» Эли были столь уж невинны. Сильвия Яновна хотела узнать о судьбе пропавшей дочки, трехлетней Настены. Получается, что Эля замахнулась на киднепинг. Но трехлетняя девочка — это не пуделек. Возможно, ребенок сумел потом описать внешний вид тех, кто его выкрал. Сильвия Яновна узнала, что к делу причастны Аня с Ксюшей, а отец ребенка, наверное, расправился с девчонками... Судя по всему, семья обеспеченная. В качестве постоянного местожительства Сильвия Яновна указала жилой комплекс «Голубые просторы». Я очень хорошо помню, как года два-три тому назад по телику постоянно крутили рекламный ролик:

красивая молодая женщина открывает дверь ключом и зажмуривается от потока света, бьющего ей в глаза. «Из наших квартир вы увидите только голубые просторы неба», — торжественно произносил за кадром диктор.

— Интересно, сколько стоят там апартаменты? — спросил однажды Олег.

— Две тысячи долларов квадратный метр, — тут же ответил Ленинид, — в офигенные деньги квартира влетает! При этом учтите, что они там все больше ста квадратных метров. В общем, нам туда никогда не перебраться.

— Мне и дома хорошо, — возразил Олег.

— Зачем тогда спрашиваешь? — захихикал Ленинид.

— Ну, просто так, из любопытства. А откуда ты про цены знаешь? — запоздало удивился Куприн.

— Так Васька Глоткин, столяр у нас на работе, деньжонок накопил, — засмеялся папенька, — решил свои квартирные условия улучшить и позвонил в эти «Голубые просторы», а там живо объяснили, что Васькиных девяти тысяч баксов аккурат на полсортира хватит.

Следующим утром мне никак не удавалось выскочить из дому. Отчего-то Олег задержался и выполз на кухню только к девяти утра, на мой удивленный вопрос: «Ты не заболел?» — муженек рявкнул:

— Нет, просто решил выспаться.

Потом он сел за стол и мрачно поинтересовался:

— Где мой кофе?

Я хотела с достоинством ответить: «В банке, в шкафу» — и с гордо поднятой головой вырулить

из кухни, но у Куприна был такой горестно-не-
счастный вид, что я вытащила джезву и принялась варить кофе.

— У тебя неприятности? — осторожно поинтересовалась я, когда Олег начал сыпать в кофе
сахар.

— Нет, одни приятности.

— Что случилось?

— Ничего.

— Ну милый, расскажи, — залебезила я.

— Ерунда, — отмахнулся муж, — все как обычно, цирк и сумасшедший дом в одном флаконе...

Он явно собирался развить тему, но тут на
кухню выползла Марина Степановна и, сердито
морща нос, заявила:

— О боже! Тут невозможно находиться! Кто-
то просто искупался в дешевом лосьоне после
бритья!

Олег встал и пошел в прихожую, я побежала
за ним.

— Подожди!

Куприн молча начал надевать сапоги, он со-
гнулся и попытался застегнуть «молнию», но она
не поддалась.

— В нее мех попал, — заботливо сказала я, —
давай поправлю.

Олег повернул ко мне красное от натуги лицо.

— Сам знаю! — рявкнул он и со всей силы
рванул замок.

В ту же минуту он оказался у мужа в руке.

— Ой, — воскликнула я, — теперь надо новую
застежку вшивать! Вот неприятность-то!

— Ерунда!

— Но как же! На улице мороз! В чем ты пойдешь на работу?

— В сапогах!

— Но ты у них «молнию» сломал.

— Она сама испортилась!

— Надо было мне разрешить мех поправить.

— Не занудствуй, — коротко бросил Олег и пошел к двери в незастегнутых ботинках.

— Эй, ты куда!

— На работу.

— Но сапоги... Они же...

— Плевать.

— Надень осенние ботинки.

— Господи, как ты мне надоела! — в сердцах воскликнул Олег, выходя на лестницу. — Хуже горькой редьки!

— Кто, я?

— Ты! И еще, — схамил Куприн, — мне до потери пульса обрыдло видеть Марину Степановну!

С этими словами он захлопнул перед моим носом дверь, и через секунду я услышала шум отъехавшего лифта.

Несколько минут мне понадобилось для того, чтобы прийти в себя. Нет, вы слышали?! Ему надоела Марина Степановна! Да я ее тоже видеть больше не могу! Вопрос в том, кто привел к нам в дом ее и Вована?! Потом гнев уступил место тревоге. Интересно, что за неприятность стряслась у Куприна на службе, если он так обозлился на меня? Я давно знаю, когда Куприн начинает «строить» домашних, у него на работе форсмажор. Впрочем, следует отметить, что никогда до сих пор Олег не говорил, что я ему надоела! Так что же произошло?

— Ты сегодня дома? — спросила Томочка, выглядывая в прихожую.

— Да... а в чем дело?

— Будь добра, — попросила она, доставая с вешалки комбинезон Никитки, — нам, оказывается, сегодня к доктору, я день перепутала, думала, завтра идти, а заглянула в календарь и спохватилась.

— Тебе помочь в поликлинике надо?

— Нет, сама управлюсь. Лучше пожарь печенку, она лежит на кухне, на доске.

Я постаралась не измениться в лице. Вообще говоря, терпеть не могу готовить, а уж возиться со скользко-мягкой печенью вообще ненавижу, но не говорить же это Томусе, которая целыми днями скачет у плиты, вдохновенно варя на всю семью обеды.

— Хорошо, не волнуйся, — бодро ответила я, — пожарю в лучшем виде.

— Лук не забудь!

— Ладно.

— Сметану возьми свежую.

— Непременно.

— Обваляй кусочки в муке.

— Обязательно.

— Не пересоли.

— Не беспокойся.

— А главное, долго не жарь, если передержать на плите печенку, она делается твердой, словно подошва!

— Хорошо!!!

— Вилка, ты на меня рассердилась? — всплеснула руками Томочка. — Извини, я дала тебе кучу указаний.

— Все нормально, — я улыбнулась, — я умею готовить печень по-строгановски, пальчики оближете.

Когда Тома и Никитка отправились в поликлинику, я пошла на кухню и уставилась на кроваво-коричневый кусок, лежащий на доске. Да уж, выглядит омерзительно, даже издали видно, какой он противно-скользкий. Но делать нечего.

Тут откуда-то сбоку выскочил Лаврик и метнулся к столику. Вмиг котяра взлетел вверх и попытался на моих глазах нагло вонзить зубы в печенку. Я возмутилась до глубины души:

— А ну уходи прочь! Ты, между прочим, не единственная кошка в доме! Но никому, кроме тебя, не взбрело в голову разбойничать!

Лаврик спрыгнул на пол и сердито произнес:

— Мр!

— Вот тебе и «мр», — вздохнула я, вытаскивая муку, — кричи не кричи, не видать тебе печенки! Вам, сэр, на ужин приготовили «Вискас».

И тут ожил телефон. Я схватила трубку.

— Слышь, Вилка, — зачастила Кристя, — ты дома будешь?

— Пока да, а что?

— Нам восьмой урок добавили.

— Очень хорошо, — брякнула я, наблюдая, как Лаврик опять начинает подбираться к печенке.

— Вилка! — возмутилась Кристя. — Что ты нашла хорошего в этой ситуации!

— Извини, дорогая, хотела сказать: очень плохо.

— Ко мне вот-вот придет Ангелина Григорьевна.

— Это кто такая?

— Учительница по русскому, у нас первое занятие. Ты ей дай пока чаю, ну и скажи про лишний урок.

— Ладно, — ответила я и, бросив трубку, кинулась на Лаврика с кухонным полотенцем.

Кот ловко увернулся, взлетел на буфет и разразился оттуда целой тирадой, состоящей из гневного мяуканья и нервного пофыркивания. Я вновь приступила к готовке. Но не успела порезать кусок на ломтики, как вновь раздался звонок, на этот раз в дверь. Чертыхаясь, я кое-как вытерла руки, пошла в прихожую и, забыв посмотреть в «глазок», распахнула дверь. На пороге возникла детская фигурка в дубленочке и вязаной шапочке.

— Здравствуйте, — пропищала она. — Кристина дома?

Я хотела уже сказать:

«Нет, приходи вечером, когда твоя подружка сделает уроки», — но тут нежданная гостья сказала:

— Я Ангелина Григорьевна, учительница.

— Да-да, — засуетилась я, — проходите, раздевайтесь.

Ангелина Григорьевна сняла шубку из овчины, вылезла из крохотных, каких-то кукольных сапожек, сунула ступни младенческого размера в принесенные с собой тапочки и стала методично причесываться у зеркала. Все это время, пока она не торопясь приводила себя в порядок, я с тревогой прислушивалась к звукам, доносящимся из кухни.

Сначала там что-то зашуршало, потом зазвякало, зачавкало. Похоже, Лаврентий добрался до печенки.

Преподавательница как ни в чем не бывало спокойно причесывала кудряшки.

— Вот здесь по коридору дверь, — не выдержала я, — подойдите ко мне, когда приведете себя в порядок.

— А вы куда? — подняла на меня огромные васильковые глаза Ангелина Григорьевна.

— Мне кота надо убить, — брякнула я и побежала в направлении кухни.

Влетев в нее, я сразу увидела разбойника. Лаврик сидел прямо на разделочной доске, вся его шерсть была покрыта кровью, а изо рта торчал кусок печенки. Издав крик команчей, я одним прыжком преодолела разделявшее нас пространство, схватила котяру за шею, прижала к деревяшке и стала рвать у него из зубов добычу, сердито вереща:

— Конечно, готовить это уже нельзя, но и тебе съесть не дам, иначе решишь, будто имеешь полное право на разбой!

Лаврик вертелся, словно флюгер под бурным ветром, в разные стороны летели капли крови, через пару секунд я стала похожа на вампира после охоты!

— Что вы делаете? — раздался писк.

Я подняла голову. Ангелина Григорьевна с выражением крайнего ужаса на лице наблюдала за мной. Я хотела было объяснить ситуацию, но Лаврик начал отчаянно рваться из рук. Я посильней придавила кота и прошипела:

— Не видите разве? Мерзавца убиваю! На ужин нечего теперь пожарить!

— Ой, — пискнула Ангелина Григорьевна и опрометью кинулась в прихожую.

Я решила, что она забыла при входе сумочку, и продолжила борьбу за печенку. Наконец кусок был вырван из челюстей Лаврика, я вышла из схватки победительницей. Кот, утробно воя, понесся по коридору в глубь квартиры.

Глава 19

Я оглядела доску и ломтики того, что должно было стать вкусным ужином. Ясное дело, на вечер придется предлагать иное меню, а печенку нужно все же отдать Лаврику, не выкидывать же продукт! Но это будет весьма непедагогично. Получив сейчас из моих рук угощение, котяра окончательно обнаглеет и станет воровать все, что плохо лежит! Я свалила помятые кусочки в миску Дюшки и Клеопатры, потом, приговаривая: «Вкусная печенка достается только послушным девочкам», — поставила внеплановое блюдо перед обрадованными животными и вышла в прихожую.

Я хотела предложить Ангелине Григорьевне чаю, но в прихожей было пусто, с вешалки исчезла шубка, пропали и крохотные сапожки. Только на полочке перед зеркалом сиротливо белела расческа. Учительница ушла, очевидно, она обиделась на то, как ее встретили.

Я взглянула на часы. Так, сейчас явится Кристина и устроит скандал, надо срочно бежать в «Голубые просторы». Но удача сегодня окончательно отвернулась от меня. В двери заворочался ключ, и появилась румяная от мороза Кристя.

— Училка не приходила? — спросила она. — Обед есть?

Я сделала вид, что не слышу вопросов, и стала застегивать пальто.

Кристина швырнула на стул куртку и пошла по коридору. Через секунду по квартире понесся ее громкий голос:

— Ой! Кого это убили у нас на кухне? Вилка, ты что тут делала?..

— Лаврик печенку украл, будь другом, убери, я опаздываю.

— Ангелина Григорьевна где?

— Ушла, — бросила я, пытаясь открыть замок.

— Вилка, — возмущенно заорала Кристя, выскакивая в прихожую, — так я и знала! Ни о чем тебя попросить нельзя. У меня завтра диктант, мне из-за тебя Ворона пару влепит, что ты ей сказала?

— Варваре Карловне?

— Ангелине Григорьевне!!!

— Ничего. Она пришла, разделась, вошла на кухню, постояла секунду и ушла!

Кристя схватила трубку.

— Ща Мишке позвоню! Кого он мне посоветовал! Сказал, отличная училка!

Увидав, что девочка занялась делом, я быстренько выбежала из квартиры и полетела к метро. Интересно, почему Ангелина Григорьевна удрала? Все-таки некоторым людям свойственны более чем странные поступки.

«Голубые просторы» оправдывали свое название. Дом и впрямь был покрыт краской цвета летнего неба. Огромный многоэтажный красавец, он стоял в центре довольно большого парка, вокруг не было никаких других зданий. Идеальное место для жилья! Единственным недостатком комплекса была его удаленность от метро. Я бежала от станции минут пятнадцать, чувствуя, что лицо начинает напоминать каток. Надо же, как неудобно! Но потом я сообразила: жильцы элитной новостройки не пользуются подземкой, они ездят на автомобилях.

Подъезд, естественно, был заперт. Над домофоном висела табличка: «Убедительная просьба не ломать двери. Для вызова дежурной наберите 35, разносчиков рекламы и коробейников просят не беспокоиться».

Я ткнула пальцем в кнопки и беспрепятственно вошла внутрь. В просторном холле, за столом, сидела женщина лет сорока, у лифта маячил парень в черной форме охранника частного предприятия.

— Вы к кому? — вежливо поинтересовалась консьержка.

— К Мамаевой, в сто двадцатую.

— К кому?

— Я к Мамаевой Сильвии Яновне.

Дежурная переглянулась с охранником.

— Такая у нас не живет.

— Не может быть! Сильвия Яновна с девочкой Настеной.

Консьержка склонила голову набок.

— А вы им кто будете?

— Ну, в общем, никто.

— Зачем тогда идете?

На меня напал приступ вдохновения, и я принялась врать.

— Понимаете, несколько лет тому назад я работала у Сильвии Яновны домработницей, а потом по глупости уволилась. Сейчас снова ищу место, только никуда без рекомендации не берут. Вот решила попросить у бывшей хозяйки характеристику, звонила ей, звонила, никто трубку не снимает, пришлось приехать!

Консьержка снова переглянулась с охранником.

— Значит, вы ничего не знаете?

— А что случилось? — воскликнула я.

— С тех пор, как Аглая умерла, в той квартире никто не живет!

Я хотела было спросить, кто такая Аглая, но вовремя прикусила язык. Если я бегала по дому с тряпкой, то обязана, естественно, хорошо знать всех членов семьи. Но лифтерша тут же добавила:

— Вы ведь не застали Аглаю? Няню несчастной Настены?

— Нет, — пробормотала я.

Глаза дежурной вспыхнули огнем.

— И про Настену не слыхали?

— Нет!

— Валя, — подал голос охранник, — не трепись много.

— Так этой можно, — радостно парировала Валя, — она же не из хозяев, а из наших, из обслуги. И вообще, Колька, твое дело за порядком следить, а не мне замечания делать. Кстати, начался перерыв на обед, так что садись за стол.

Потом она повернулась ко мне:

— Чаю не хочешь?

— С огромным удовольствием, — воскликнула я, — окоченела как собака, пока от метро доскакала! Очень неудобно здание стоит.

— Это для нас, безлошадных, — ухмыльнулась Валя, — жильцы-то на «мерсах» с печками катаются, в туфельках из квартиры выходят.

В довольно просторной комнате без окон, расположенной за лифтами, меня усадили за стол, покрытый липкой клеенкой, и поднесли кружку с дымящейся жидкостью. Валя села напротив и, блестя глазами, спросила:

— Хочешь, расскажу про Сильвию Яновну? Чистый детектив!

Я кивнула.

— Конечно.

Есть такие женщины, вдохновенные сплетницы, самую большую радость им доставляет повествовать о несчастьях, случившихся с разными людьми. Похоже, Валентина из этой стаи. Главное теперь определить, что в ее рассказе правда, а что художественный вымысел.

— У нас тут такие кадры живут, — завела Валя, — ни в сказке сказать, ни пером описать. Не дай бог, на зеркале в лифте пятнышко заметят. А самая противная — Ленка из сотой квартиры, шестнадцать лет всего девчонке, а жуткая дрянь. Всех поучает, чуть что, орет: «Вам деньги платят, извольте работать!»

— И Сильвия Яновна такая? — решилась я подтолкнуть разговор к нужной теме.

— Уж не знаю, какая она с тобой дома была, а с нами всегда корректна, — вздохнула Валя, — поздоровается вежливо, улыбнется. И Аглая, нянька Настены, тоже милая. Здесь кое-кто плакал, когда узнал о несчастье.

— Да что случилось?

— Девочку у Сильвии Яновны похитили.

— Как?!

— А никто не знает, — вздохнула Валя, — Сильвия никому ни словечка не обронила. Я-то первая заподозрила: дело неладно. Ну сама посуди: девочка две недели из квартиры не выходит, мать чернее тучи ходит.

Валентина не выдержала и полюбопытствовала:

— Что это Настену не видно?

Всегда подчеркнуто вежливая Сильвия Яновна неожиданно рявкнула:

— Не лезьте не в свое дело!

Валентина шарахнулась в сторону. Мамаева тут же взяла себя в руки:

— Извините, Валечка, спустила на вас собак. Настена заболела, вот я и нервничаю, она подцепила какой-то вирус.

Но у Валечки уже зародились подозрения. Если девочка, как утверждает мать, тяжело больна, то почему в квартиру не ездят доктора? Отчего Сильвия Яновна каждый день, словно в доме нет больного ребенка, бегает на службу. И уж совсем странно, что няня, Аглая, пробегает мимо столика Валентины с «перевернутым», нервным лицом. И еще — у няни изменился распорядок дня. Сильвия Яновна работает в банке и живет по четкому расписанию. До сих пор Аглая являлась на работу к семи утра.

— Хозяйка спит до девяти, — когда-то откровенничала няня с Валечкой, — ей на работу к одиннадцати, а Настена в полвосьмого вскакивает. Я тихонько вхожу, и в детскую.

Уходила Аглая в одиннадцать вечера. Сильвия Яновна возвращалась домой в десять, и няня подавала ей ужин.

Но теперь Аглая приходила без четверти одиннадцать, а уходила сразу после того, как Сильвия поднималась в квартиру. Но самым странным, конечно, было то, что к больной девочке ни разу не приехал врач.

Недели через две после разговора Вали с Сильвией Яновной Мамаева, как всегда, вернувшись домой около одиннадцати, поднялась наверх. Но Аглая не спустилась, она вообще не появилась в тот вечер в подъезде! Примерно через час после прихода Сильвии Яновны к ней заявилась милиция, а потом приехала «Скорая помощь».

Валентина вся извелась, теряясь в догадках. Но потом к ней пришел мент, и Валя чуть не умерла, узнав правду. Оказывается, Настену похитили. Якобы в тот страшный день в квартиру позвонила служащая прачечной «Кристалл». Няня знала, что должны приехать за бельем, и беспрепятственно впустила женщину в квартиру. Больше девушка ничего не помнила, ее оглушили и крепко связали. А Настену, очевидно усыпленную, сунули в фирменный мешок с надписью «Кристалл», забросали сверху грязными простынями и вынесли из дома. Жильцы «Голубых просторов» пользуются этой прачечной, и служащие «Кристалла» не вызывают никакого удивления ни у лифтеров, ни у охраны.

Сильвия Яновна побоялась сообщить в милицию. Похититель позвонил матери на работу и велел:

— Хочешь увидеть дочь — не смей бегать в отделение. С тебя триста тысяч баксов. Даю две недели. Не соберешь деньги — пеняй на себя. За квартирой следят, жди нашего звонка, увидим ментов — ребенку кирдык придет.

Испуганная Сильвия Яновна сделала ужасную глупость: она послушалась киднепера и стала искать деньги. Аглае было велено сидеть весь день у телефона. Спустя четырнадцать дней негодяй сообщил адрес, куда следовало принести валюту.

Сильвия Яновна поехала на указанную улицу одна. Вернулась она без Настены и без денег. Встреча была назначена в каком-то сарае, идти к которому нужно было через гаражи. Когда Сильвия Яновна поравнялась с одним из боксов, двери распахнулись, вылетел человек, отнял чемоданчик...

Сами понимаете, в каком состоянии мать вернулась домой. Не сумев сдержаться, она налетела на рыдающую Аглаю.

— Это ты виновата!

Няня продолжала судорожно плакать. Сильвию Яновну понесло, она схватила девушку за плечи и заорала:

— Сволочь! Закончишь дни на зоне! Как я сразу не сообразила, что ты с преступниками заодно! Впустила их в дом, отдала ребенка!

Аглая только заливалась слезами, пытаясь вырваться из рук хозяйки. Но Сильвия Яновна от гнева стала во много раз сильней, наконец она отбросила бьющуюся в истерике няню, тщательно заперла входную дверь, демонстративно, на глазах Аглаи, опустила ключ в карман и пошла вызывать милицию. Через час прибыли стражи порядка. Аглая заперлась в ванной и не издавала ни звука. Посовещавшись между собой и получив согласие хозяйки, менты выбили дверь и обнаружили няню... висящей на трубе. Девушка покончила с собой — никакой записки она не оставила.

На следующий день Сильвия Яновна съехала из квартиры, апартаменты она выставила на продажу, но люди не спешат приобретать это жилье. Каким-то образом все покупатели узнают, что здесь произошло самоубийство, и шарахаются прочь.

— И где сейчас Сильвия Яновна? — тихо спросила я.

— Понятия не имею, — пожала плечами Валя, — живет где-то, только она ничего не взяла, ни мебель, ни вещи. Ну да денег много, небось новое себе купила. Борис вот все унес: дубленку Аглаи, сапоги, сумку...

— Кто такой Борис?

— А муж Аглаи, — пояснила Валя, — хороший такой паренек, вечерами за ней частенько приходил, наверх, к хозяйке, не поднимался, тут ждал, я его чаем угощала. Представь, вскоре после того как Аглая руки на себя наложила, я на этого Бориса возле своего дома, в Ясеневе, налетела. Оказывается, мы с ним соседи, живем в двух шагах друг от друга, он в доме, где аптека, а я в том, где супермаркет.

Валя остановилась поболтать с парнем.

— Ты, Боря, подай в суд на Сильвию Яновну, — посоветовала Валентина, — ясно же, что Аглая ни при чем! А в кодексе есть такая статья: доведение до самоубийства. Тебе деньги заплатят, за ущерб.

— Думаешь, заплатят? — мрачно спросил Борис.

— Конечно! — воскликнула Валя. — Знаешь, сколько с Сильвии Яновны содрать можно! Она тугрики не считает, как мы, требуй миллион компенсации, глядишь, дадут! Говорят, она за Настену миллион долларов выкупа несла.

— Так уж и миллион? — проронил Борис и, забыв попрощаться, быстрым шагом рванул к метро.

Я почувствовала, как между лопаток побежал холодок.

— Дайте мне адрес Бориса.

— Я не знаю, — ответила Валентина.

— Только что же говорили, будто рядом живёте!

— Верно, он мне дом показал, а про квартиру ничего не сказал.

— Тогда объясните, как до места добираться.

— От метро «Ясенево» на маршрутке до остановки «Супермаркет», — затараторила Валя, — как выйдешь, прямо башня стоит, девятиэтажка, внизу аптека, там он и живёт!

Я попрощалась с болтливой консьержкой и выскочила на улицу.

Глава 20

До нужного места я добралась без приключений. На улице уже стемнело, холод стоял страшный, поэтому рассчитывать на то, что около подъезда окажется парочка словоохотливых старушек с вязанием в руках, не приходилось.

В подъезде не оказалось консьержки. Поколебавшись секунду, я позвонила в дверь первой квартиры.

— Вам кого? — просипел кто-то из-за двери.

— Борис тут живёт?

— Ступай себе, нет таких.

— А не знаете, в какой квартире живёт Борис, он вдовец, его жена, Аглая, повесилась.

— Иди на... — посоветовал голос.

Я вздохнула и позвонила в следующую квартиру. Там разговаривали намного вежливее, но тоже ни о каком Борисе слыхом не слыхивали.

Поразмыслив, я поднялась на лифте под крышу и пошла вниз, методично названивая в квартиры. Удача улыбнулась мне на шестом этаже. Хорошенькая девушка ткнула пальцем в сторону двери, обитой жутким зелено-желтым дерматином.

— Боря там проживает, а он вам зачем?

На ум не пришло ничего оригинального.

— Страховая компания «Феникс», у него полис заканчивается!

— Скажите пожалуйста, голытьбой выглядит, а туда же! Страховаться решил, — пропела девушка. — Вы хоть у него были? Мебель — дрова, занавески — рвань! Смотрите, надует он вас.

— Каким это образом? — поддержала я разговор.

— Да просто, — пожала плечами соседка, — небось набрехал вам, что у него евроремонт и золотой унитаз. А потом подожжет квартиру и с вас денежки потребует.

В мозгу закопошилось какое-то воспоминание, что-то связанное со сгоревшей квартирой и страховым полисом, но я быстренько прогнала посторонние мысли и поинтересовалась:

— А он способен на такой поступок?

Девица закашлялась:

— Наш Боречка за две копейки маму родную удавит! Когда на благоустройство двора по сто рублей с квартиры собирали, знаете, что он сказал?

— Откуда бы!

— «Я через двор не хожу», — засмеялась соседка, — так и не дал, жадина! А Аглая его тоже штучка с ручкой была, хотя о покойниках плохо не говорят, но она — врунья...

Тут загрохотал лифт, и девушка, не закончив фразу, захлопнула дверь. Из кабины шагнул парень, одетый в черную дубленку и огромную лохматую шапку. Мрачно глянув на меня, он начал всовывать ключ в замочную скважину.

— Вы Борис? — обрадовалась я.

— Ну?

— Можно к вам зайти?

— Зачем?

— Я из милиции.

Неожиданно парень изменился в лице.

— Откуда?

Поняв, что он испугался, я быстро сказала:

— Вернее, не совсем из милиции, то есть вовсе даже не оттуда... я — частный детектив.

— Кто? — вытаращил глаза Борис.

— Такой человек, который расследует преступления за деньги.

— Какие преступления?

— Ну, всякие.

— И при чем тут я?

— Ваша жена работала у Сильвии Яновны, именно Аглая впустила в дом служащую «Кристалла», которая украла Настену...

Борис тревожно глянул в сторону двери, за которой спешно исчезла не любившая его соседка, и тихо сказал:

— Не надо на лестнице орать, идите в квартиру.

Если бы я не знала, что парень вдовец, то подумала бы, будто в доме есть хозяйка. Чисто убранная комната, служащая здесь и спальней, и гостиной, выглядела так, словно ее пять минут назад тщательно убрали. На ковре, покрывавшем софу, не было ни пылинки, а на спинки кресел были накинуты изумительно белые кружевные салфеточки. Я поняла, что соседка была необъективна, — видно, Борис чем-то ей досадил.

Борис сел на софу и мрачно повторил вопрос:

— При чем тут я?

— Аглая открыла дверь...

— Аглая умерла, а мертвых не судят.

— Никто не собирается подавать в суд.

— Тогда чего пришли?

— Сильвия Яновна, разочаровавшись в правоохранительных органах, наняла меня для поисков Настены.

Борис скривился:

— Вот уж кому никогда не стану помогать, так это Сильвии! Она убила Аглаю!

Я помолчала немного и продолжила:

— Сильвия Яновна обещала заплатить миллион рублей тому, кто подскажет, где девочка. Она обещает сохранить тайну и никогда не выдаст информатора. Бедная мать понимает, что ребенка нет в живых, год уже прошел, ей просто хочется увидеть могилу, поставить памятник, понимаете?

В глазах Бориса мелькнул алчный огонек.

— Миллион рублей? А не обманет?

— Нет, конечно, — самым убедительным тоном заявила я, — как только кто-нибудь приведет ее к могиле девочки, он сразу же получит деньги: хотите в деревянных, хотите в долларах, по курсу.

По лицу Бориса промелькнула тень, и он вдруг спросил:

— А два миллиона не даст? Ведь Сильвия похитителям триста тысяч баксов отвалила. Что ей стоит еще немножко наскрести, а? Пара лимонов рубликов для нее не сумма, а так, тьфу.

Жадность парня возмутила меня, я раскрыла было рот, чтобы прочитать ему нотацию, но вдруг поняла: Борис владеет какой-то информацией. И потом, откуда он знает про триста тысяч?

— Если сведения ценные, то Сильвия Яновна не пожалеет ничего! — выпалила я.

— Сам знаю, — быстро сказал Борис, — но...

— Что?

— Вернее, могу узнать.

— У кого?

Парень мерзко ухмыльнулся:

— Пусть Сильвия даст задаток, триста тысяч рублей, вот тогда и продолжим разговор!

Следующие полчаса я и так и эдак пыталась «сломать» Бориса, но парень стоял насмерть, повторяя каноническую фразу: «Сначала деньги, потом стулья».

Не добившись никакого толка, я ушла. Но уже на лестнице меня осенило. Борис явно знает, кто убил Настену, у его покойной жены рыльце было в пуху, не зря она покончила с собой, услыхав про милицию. Аглая не от оскорбленного достоинства полезла в петлю, а от страха. Видно, хорошо знала, какая судьба ждет ее в заключении. Будучи женой милиционера, я в курсе того, как относятся в тюрьме и на зоне к насильникам и похитителям детей. Большинство из них от невыносимых издевательств предпочитает покончить с собой. Если я не ошибаюсь, сейчас жадный Боречка спешно звонит кому-то. Естественно, обсуждать возникшую ситуацию он по телефону не станет. Значит, надо притаиться, подождать, пока парень выйдет из квартиры, а он обязательно выйдет, проследить за ним...

Минуты текли медленно, дверь квартиры Бориса не спешила открываться. Я приуныла. Неужели ошиблась в расчетах и теперь стою тут абсолютно зря?

Промаявшись полтора часа, я уже собралась уйти, но тут из подъехавшего лифта выскочила ярко размалеванная девица и бросилась к квартире Бориса. Я прижалась к железной трубе мусоропровода. Все правильно, только парень никуда не собирался, к нему прибежала подельница.

— Чего так долго? — укорил Боря, распахнув дверь.

— Как могла, — окрысилась девица.

Парочка исчезла за дверью. Я заметалась по площадке. Как бы услышать, о чем они говорят? Взгляд упал на замок. Он был самый обычный, российского производства. Точь-в-точь такой «украшал» в свое время дверь в нашу с Раисой «двушку». Я, безалаберная школьница, пару раз теряла ключи, за что мне крепко доставалось от мачехи. Потом я наловчилась пользоваться пилочкой для ногтей. Это, в общем, просто, засовываешь железку в скважину, поддеваешь пружинку...

Я пошарила в сумочке, вытащила пилочку. Стоит попробовать, будем надеяться, что парочка сидит не в гостиной, а в кухне. Прямо у входа расположен туалет, юркну туда...

Дверь послушно распахнулась, не издав скрипа, я шмыгнула в санузел и чуть не вскрикнула от восторга. Спасибо вам, милые строители, спасибо за то, что возвели стены, сквозь которые слышно абсолютно все. Конечно, жить в такой квартире не особенно комфортно, зато подслушивать секреты в самый раз.

— Ты думаешь, это не обман? — спросила девица.

— Не похоже, — прогудел Борис, — раз ко мне пришла, значит, о чем-то догадывается.

— А если нас арестуют?

— Маловероятно.

— Мне так не кажется.

— Ты, Нюська, вечно всего боишься, а выходит всегда по-моему.

— Ага, — парировала Нюся, — в особенности Аглае повезло.

— Так она дура, — спокойно ответил «безутешный» супруг, — кто же думал, что Аглая так испугается! Я ей досконально объяснил: все схвачено, найти концы невозможно. Она потерпевшая, ты ее здорово по башке огрела, у нее такая гематома была! У ментов сомнений не возникло, что Аглая пострадавшая. Нет бы понять, что Сильвия просто так орет. Впрочем, что ни делается, все к лучшему. Аглая нас выдать могла. Приходила домой и каждый день ныла: «Сильвию жалко, убивается по Настене, может, намекнем, что девочка жива-здорова?»

— Лучше сказать ей, что мы ничего не знаем, — перебила его Нюся, — целый год прошел, все утихло.

— Она даст два миллиона рублей за любые сведения, — протянул Боря, — а если поторговаться, и три выбить можно. Представь, какая куча денег!

— Опасно это, — предостерегла Нюся, — лучше сделать вид, что ты ни при чем.

— Ерунда. Значит, так, завтра позвоню этой бабе, которая приходила, телефончик она оставила, и сообщу, что есть девка, которой известно место захоронения.

— Еще чего! — возмутилась Нюся. — Опять меня подставляешь! Я Настену выноси, я Аглаю лупи, а теперь еще и это! Нет уж, фиг тебе!

— Ты денежки получила?

— Ну.

— И еще поимеешь, неужели не хочется?

— Кто бы отказался от баксов, — рассудительно заявила Нюся, — только я боюсь очень, прямо до усрачки. Ладно, с Настеной по-твоему вышло, а вдруг сейчас нас на крючок менты ловят?

— Выбрось это из головы, — повысил голос Боря, — дело давно закрыто и забыто, была им охота нас искать! В городе каждый день кого-нибудь убивают или грабят. Слушайся меня, тебе что, пятьсот тысяч помешают?

— Сколько? — заорала Нюся. — Ты же говорил про три миллиона!

— Но нас ведь двое!

— Хитрый какой! Себе вон сколько заберешь.

— Я мозговой центр.

— А я собой рискую, меньше чем за половину не согласна.

— Семьсот пятьдесят тысяч!

— Полтора миллиона!

— «Лимон», и точка, — каменным тоном произнес Борис.

— Ладно, — недовольно согласилась Нюся, — только ничего у нас не выйдет.

— Почему?

— Где же мы могилку возьмем? Или хочешь ей про Ефима Ивановича рассказать?

— Лучше бы тебе забыть это имя! — воскликнул Борис. — Навсегда, а то, не ровен час, рот заткнут землей. Ефим Иванович шутить не станет. Ты представь только, что он с нами сделает, если про триста тысяч баксов узнает!

— Страшно мне, страшно, — забубнила Нюся. — Я почти год спать не могла, на каждый звонок дергалась, думала, милиция идет, только-только успокоилась, и снова здорово! Господи, боюсь жутко!

— Не глупи, — буркнул Борис, — у тебя появилась возможность получить семьсот пятьдесят тысяч!

— Ты обещал миллион!!!

— Извини, я оговорился, конечно, ты получишь «лимон».

— И как ты собираешься выкрутиться?

— Да просто, — вздохнул парень, — отвезешь бабу-детектива в область, надо только пораскинуть мозгами куда, и покажешь, предположим, березу. Сообщишь, что там между корнями Настена и зарыта. Пусть Сильвия памятник ставит.

— Сбрендил, да?

— Почему?

— Так она первым делом велит тело выкопать, а где оно?

— Ну... разложилось, год уже прошел.

— Совсем офигел! Кости должны остаться.

— Ага, действительно.

Воцарилось молчание, прерываемое звяканьем, потом Борис сказал:

— Придумал! Надо узнать, где хоронят неопознанные трупы.

— И чего?

— Небось среди них и дети бывают.

— Наверное.

— Вот и скажешь, что Настену похоронили в общей могиле, пусть разрывает. Там костей вагон.

— Ну... не знаю.

— Ладно, — подытожил Борис, — я еще подумаю, но тебе придется встречаться с этой детективной бабой. Только сначала возьми триста тысяч задатка, а потом успокой ее, дескать, знаю, где тело, но покажу лишь после того, как все денежки получу.

— Ой, боюсь! Имей в виду, если меня арестуют, тут же все про тебя расскажу!

Послышался глухой удар, стук, вскрик, потом плач.

— Имей в виду, сучара, — прошипел Борис, — если хоть намекнешь про меня, мигом Ефиму Ивановичу отзвоню. Угадай, что тогда с тобой будет? У Коростылева руки длинные, никакие тюремные стены не спасут. Давай уматывай!

Поняв, что Нюся сейчас уйдет, я ужом скользнула за дверь, спустилась во двор и уставилась на подъезд. Минут через десять на улице появилась девица, но далеко не в том ярком виде, в каком она вбежала в квартиру к Борису. Косметика размазалась по лицу, а глаза и нос были красными. Не обращая на меня никакого внимания, девчонка бросилась на автобусную остановку, я побежала за ней. Через пару минут мы обе благополучно вскочили в подъехавшую маршрутку. Мое место оказалось напротив Нюси, и я стала украдкой разглядывать девчонку.

Нюся, не замечая моего интереса, уставилась в окно, изредка она шмыгала носом. Вид у нее был самый несчастный, глаза смотрели жалобно, а руки, комкавшие платок, нервно тряслись. Нюсеньке явно было не по себе.

— «Хозяйственный», — объявил водитель.

Девушка вскочила и рванула дверь маршрутки. Мы выбрались наружу. Я поежилась, только что, у дома Бориса, было намного теплее. Такое ощущение, что я приехала на самый край Москвы.

Конгломерат блочных зданий остался позади, впереди чернел лес, между голыми деревьями вилась узенькая дорожка, по которой стремглав побежали все пассажиры маршрутки. Нюся неслась в авангарде, я замыкала процессию. Бежать пришлось довольно долго, наконец мы выскочили на небольшую площадь, за которой стояли два длинных, одноэтажных барака. Нюся вошла в левое здание, я за ней.

Абсолютно прямой коридор был заставлен детскими колясками и завешан тазами. Ловко лавируя между препятствиями, Нюся добралась до последней двери, погромыхала замком и исчезла.

Я постояла некоторое время, прижавшись к ободранному экипажу какого-то младенца, потом заколотила кулаком в дверь.

— Щас, погодите, — ответила Нюся и распахнула дверь.

Увидав меня, она удивилась.

— Вам чего?

— Здравствуй, Нюсенька, — сладко улыбнулась я.

— Добрый день, то есть вечер, — ответила негодяйка.

— Не узнаешь?

— Вроде нет.

— Правильно, мы с тобой пока не знакомы.

— Что вам надо? — отступила назад девушка.

— Может, в комнату пригласишь, — лучилась

я, — зачем на пороге толковать, ушей тут небось полным-полно, а к ним еще и языки с глазами прилагаются.

— Проходите, — посторонилась Нюся.

Я вошла в маленькую, меньше десяти метров комнату. Узенькая кровать, ободранная тумбочка, гардероб... Свободного пространства в помещении просто не осталось. Все выглядело старым, убогим, обшарпанным. Единственной дорогой вещью был компьютер, стоящий на придвинутом к стене обеденном столе.

Внезапно на меня снизошло вдохновение. Я ткнула пальцем в сторону роскошного плоского монитора.

— Нехорошо, однако!

Нюся уперла руки в бока.

— Чего? Ты, ваще, кто такая? За фигом явилась?

— И грубить нехорошо!

— Не пошла бы ты на... — рявкнула «воспитанная» девушка и с самым решительным видом двинулась в мою сторону.

Я села на единственный колченогий стул и покачала головой. Если начну сейчас ругаться, то мигом заткну за пояс Нюсю. Я выросла рядом с Раисой, а мачеха никогда не стеснялась в выражениях, ее лексикону мог позавидовать любой портовый грузчик. Еще я все детство дралась во дворе с мальчишками. Они не боялись отвесить тумака девчонке, у которой не было ни отца, ни старшего брата. С пяти лет я усвоила простую истину: в потасовке побеждает не сильный, а хитрый и изворотливый, умеющий ударить или ущипнуть в самое незащищенное место. Годам к четырнадцати я настолько преуспела в боях, что подростки стали меня побаиваться. Как-то мы с Олегом начали возиться на ковре, так, в шутку. В какую-то минуту муж попытался использовать физическую силу и прижал меня к полу.

— Сдаешься? — засмеялся он. — Все, полная победа, ты на лопатках.

— Никогда не сдавайся! — азартно выкрикнула я и укусила его за кончик носа.

— С ума сошла! — орал супруг, вскакивая. — Это же не по правилам!

— Прости, милый, — залепетала я, — машинально получилось, чисто рефлекторно.

— Где только ты обучалась подобным приемам, — ворчал муж, трогая укушенный нос, — с ума сойти можно.

Я хотела было ответить сущую правду: «В подворотне, меня там вечно поджидали пацаны, желавшие намылить шею», — но осеклась.

Лучше Олегу не знать в деталях, каким было мое детство. Я рассказала в свое время ему парочку историй и очень хорошо помню, как на лицо супруга наползли сначала ужас, а потом жалость. Я же терпеть не могу, когда меня жалеют.

Теперь понимаете, почему я совершенно не испугалась Нюси, сжимавшей кулаки?

— Привет тебе от Сильвии Яновны, — улыбнулась я.

Девушка остановилась, словно налетела на стену.

— Это кто такая?

— Хватит дурой прикидываться.

— Вы о ком говорите?

— О Сильвии Яновне, матери Настены.

— Первый раз слышу эти имена, — ответила

Нюся, плюхнулась на кровать и попыталась нагло улыбнуться.

Но у нее получилось плохо. Губы ее не слушались, они побледнели и задрожали.

— Неужели? — продолжала ухмыляться я. — Склероз в столь юном возрасте редкое явление, позволь освежить твою память. Сильвия Яновна — хозяйка повесившейся Аглаи.

— Не знаю такую, — прошептала Нюся.

Яркий макияж внезапно словно вспыхнул на ее лице. Размазанные пятна румян из кирпичных стали кроваво-красными, а глаза загорелись лихорадочным огнем.

— Деточка, — сочувственно вздохнула я, — ты сейчас упадешь в обморок. Когда человек врет, у него меняется тонус сосудов, кстати, именно на этом эффекте основана работа детектора лжи. Сосуды сужаются, кровь не поступает в мозг, и индивидуум валится без чувств. Неужели ты забыла несчастную Аглаю, няню похищенной Настены, жену Бориса? Извини, но мне трудно поверить в это. Ты ведь только что была у Бори, буквально пять минут назад вернулась домой.

Нюся привалилась к стене. Я испугалась, что она сейчас от страха и впрямь лишится чувств, и быстро сказала:

— Да не пугайся так! Я не из милиции.

— А откуда? — прошептала Нюся.

— От Сильвии Яновны.

— Ой!

— Вернее, от ее друзей, которые решили помочь Мамаевой. Понимаешь, Сильвия Яновна убивается по Настене, вот приятели и наняли частного детектива, то бишь меня. Кстати, идея

Бориса выдать за труп Насти тело какой-нибудь другой девочки очень глупа. Есть такая вещь, как генетический анализ. Кости несчастного ребенка могут пролежать в земле много-много лет. Сильвия Яновна сдаст свою кровь, и эксперт сразу определит, что разложившийся труп не принадлежит Настене, ясно? Где после этого окажетесь вы с Борисом?

— Откуда вы знаете? — прошептала Нюся.

— Про то, как вы решили обмануть глупую Сильвию и потребовать у нее три миллиона рублей, или про анализ? Один раз вы уже получили триста тысяч баксов, показалось мало? Кстати, очень глупо...

— Что?!

— Небось Борис велел не тратить пока денежки, а ты купила компьютер.

Нюся затрясла головой, потом уткнулась в подушку и горько зарыдала. Я села к ней на кровать и погладила девицу по крашеным волосам.

— Ну-ну, не все так плохо, главное, ты раскаиваешься!

Нюся подняла порочную, залитую слезами мордочку и начала с жаром говорить:

— Я не виновата, это все они: Борька и Аглая, это их идея, меня заставили силой, грозили убить, если не соглашусь! Вот и пришлось мне подчиниться! Господи, так и знала, что попадемся, так и знала...

В этот момент у нее затренькал мобильный. Она схватила трубку и, прежде чем я успела помешать ей, заорала:

— Да... а... Борька! А... а... а, меня сейчас арестуют, говорила я тебе...

Я мигом вырвала у нее из рук аппарат и нажала на красную кнопку. Нюся уставилась на меня круглыми огромными глазами, зрачки ее медленно расширились, потом девица рухнула лицом в подушку и принялась то рыдать, то хохотать. Я хотела плеснуть на нее водой из стоящего на тумбочке стакана, но тут вновь ожил сотовый. Я ткнула пальцем в зеленую кнопку.

— Нюся, ты чего? — послышался нервный голос Бориса. — Офигела? Кто тебя арестовывает?

— Эт-то не Нюська, точно не она, — прогундосила я.

— А кто? — заорал Боря. — Отчего берешь ее мобилу?

— Не пыхти, я соседка ейная, Танька. Нюська ваще никакая.

— Ты о чем? — сбавил тон Борис.

— Так ужратая пришла, — вздохнула я, — с собой бутылек притащила, меня позвала, только я вермуть не пью, ливер берегу, нам бы водярки беленькой, так нет, сладкую... приволокла! Ну не дура ли? Ну ты скажи: ведь дура, а?

— Что с Нюськой? — прервал мое «пьяное» бормотание Борис.

— Дык в койку свалилася. Сначала чушь несла, потом квакать стала, ваще без ума. Теперь вона, храпит!

— Ты что у нее в комнате делаешь?

— Да пошел ты! — рявкнула я и отсоединилась.

Нюся села и потрясла головой.

— Вот что, любезнейшая, — пробормотала я, — наломала ты дров на целый сарай. Теперь утирай сопли и спокойненько, по порядку, рассказывай, как было дело. Попробую вытащить тебя из этой истории.

Глава 21

Нюся давно живет без родителей. Сначала спился и умер папа, потом мама. Спасибо, старенькая бабушка проскрипела до того момента, как внучке исполнилось восемнадцать. Нюся окончила торговое училище и работает продавцом в супермаркете. Жутко нервная работа. Покупатели теперь капризные, то им это не так, то другое. К концу смены сводит спину и ноги, да еще Нюсю угнетает, что, находясь в окружении всяких вкусностей, она может позволить себе лишь самое необходимое. Нюся обожает тигровые креветки, но полкило этого продукта тянет на тысячу рублей. Сами понимаете, что остается только скрипеть зубами от зависти, глядя, как дамы в норковых шубах катят к кассе битком набитые тележки с деликатесами.

Но хуже всего Нюся чувствовала себя на втором этаже магазина. Там торговали не едой, а шмотками, совершенно недоступными ей из-за заоблачных цен, а потому особо желанными. Одно время она очень любила заходить в бутики и мерить понравившиеся вещи. Но в один прекрасный день девочки из «Кензо» нагло заявили ей:

— Ступай отсюда, испортишь костюм, нам его потом не продать.

Больше всего на свете Нюся хотела денег, денег, денег и только денег. Хрустящие бумажки могли решить все ее проблемы. На них легко покупалась красивая квартира, машина... Иногда, поздним вечером, навалившись на прилавок, Нюсенька начинала мечтать. Вот она, одетая в невесомую шубку из щипаной норки, сидит за рулем белого «Мерседеса». Вот подъезжает к воротам собственного коттеджа, охранник распахивает ворота, кланяется, берет из багажника сумку с креветками...

Самое ужасное, что в супермаркет поздним вечером частенько являлись бабы, которые жили такой жизнью, о которой грезила Нюся. Кое-кто приходил регулярно. Особенно хорошо Нюся запомнила пару: мать и дочь. Обе расфуфыренные, в бриллиантовых серьгах. Когда парочка останавливалась у прилавка с готовыми салатами, где с наклеенной на лицо улыбкой маячила Нюся, в нос продавщице бил резкий запах французских духов. Мать принималась делать закупки, а дочка, по виду одного возраста с Нюсей, капризно топала ножкой, обутой в сапожок стоимостью в пятьсот баксов, и ныла:

— Фу! Не хочу авокадо с курицей! И семга надоела, и икра... Купи что-нибудь оригинальное.

У Нюси каждый раз сводило от напряжения ноги, так хотелось треснуть избалованную девчонку черпаком по голове. Ну отчего одним везет родиться в богатой семье, а другие появляются на свет в бараке, у родителей-алкоголиков?

Многие люди, имеющие такие же стартовые условия, как и Нюся, сцепив зубы, вылезали из нищеты, учились, упорно шли к своей цели, не ныли, не стонали, не завидовали, а работали, достигая в конце концов всего собственным трудом. Нюся была из другой стаи, ей хотелось всего и сразу, без усилий, мгновенно.

Лучше всего было выйти замуж за богатого. Но где его взять? Отлично одетые мужчины, которым тележку с продуктами катил шофер, либо имели на пальцах обручальные кольца, либо кричали в мобильный аппарат:

— Котик, ты какой салатик хочешь? Тут есть раки под майонезом.

Никто из них не обращал внимания на Нюсю. Впрочем, кавалеры у нее имелись в избытке, но замуж за них идти она не собиралась. Жить так, как ее ближайшая подруга Аглая, она не хотела.

Аглая год стояла рядом с Нюсей, только она не отпускала салаты, а резала дорогущий сыр, тот, который хозяева супермаркета не решались выкладывать на прилавок с открытым доступом. Промучившись двенадцать месяцев, она выскочила замуж. Муж Борис пристроил жену в богатый дом няней, и Аглая взахлеб рассказывала Нюсе о том, какие у Сильвии Яновны платья, белье, косметика, посуда, драгоценности... Нюся начала потихоньку ненавидеть Сильвию, кстати, довольно молодую женщину, управлявшую банком. «Одним все, а другим ничего», — мрачно думала Нюся, слушая заливающуюся соловьем Аглаю. А потом Борис позвал Нюсю в гости и сделал предложение. У Сильвии Яновны имелся любовник, отец ее дочери Настены. В законном браке Ефим Иванович и Сильвия никогда не состояли, более того, у мужика имелась жена. Роман длился некоторое время и завершился беременностью любовницы. Когда Сильвия была уже на седьмом месяце, они поругались и разбежались в разные стороны. Девочка появилась на свет без отца. Ефим не имел детей в законном браке, он попытался было настаивать на встречах с дочерью, но Сильвия заявила:

— Нет, забудь мой адрес и телефон.

— У ребенка должен быть отец, — сопротивлялся Ефим.

— Зачем?

— Ну, — растерялся бывший любовник, — для воспитания, и потом, деньги...

Сильвия рассмеялась:

— Найму гувернера, а что касается рублей, так я способна самостоятельно содержать целый детский сад, оставь нас в покое.

— Я имею право...

— Никакого, — оборвала его Сильвия, — по документам у Настены нет отца.

— Я готов признать девочку своей, — мигом заявил Ефим.

— Мерси, — язвительно ответила Сильвия, — обойдемся, кстати, у тебя супруга есть, постарайтесь, и у вас девочка получится.

Но жена Ефима была бесплодна, и он очень хотел заполучить Настену. В конце концов у него родилась идея: выкрасть девочку.

Схема киднепинга была проста: днем, когда Сильвия на работе, в квартиру явится сотрудница прачечной. Усыпленную Настену положат в фирменный мешок и под видом грязного белья вынесут на улицу. Чтобы ни у кого не возникло сомнений в невиновности Аглаи, последнюю следовало, не жалея, изо всех сил ударить по голове. Что Нюся и проделала без всякой дрожи в руках.

Няня свалилась кулем, из рассеченного затылка хлынула кровь. Нюся подхватила мешок и была такова. В деле их, по словам девушки, было всего трое: Борис, Аглая и она.

Сначала все шло просто прекрасно. Девочку отдали Ефиму, получили «гонорар» и успокоились. Сильвия Яновна не пошла в милицию, ждала, как и велел похититель, указаний. Кстати,

Ефим не собирался брать с бывшей любовницы никаких денег, он просто потребовал, чтобы у Сильвии сложилось впечатление: ребенок похищен ради наживы.

Потом Борис узнал каким-то образом, что Ефим с женой уехали на постоянное местожительство в Америку. И тут в голове у парня родился план. С момента похищения прошло две недели, Сильвия вся издергалась. Деньги она приготовила, хозяйка не скрыла от Аглаи этот факт, на глазах няни положила в сейф тугие пачки зеленых купюр. И тогда Борис решил: можно рискнуть. Ефим в Америке, в Россию он в ближайшее время не приедет. Отец ребенка понимал, что рано или поздно, не дождавшись никаких сведений о Настене, Сильвия пойдет в милицию, а первый, кому захотят задать вопросы, будет он, бывший любовник, отец девочки. Поэтому организатор преступления будет сидеть тихо-тихо и не высунет нос из Соединенных Штатов. Откуда бы ему узнать про триста тысяч баксов?

Нюсенька, услыхав про то, что ей отводится роль человека, который должен отнять у Сильвии Яновны сумку с деньгами, замахала руками.

— Ни за что!

Борис попытался уговорить подельницу, но та только качала головой:

— Нет, ищи кого другого.

— Но тогда наша доля уменьшится! — пытался образумить ее Борис. — Придется платить еще кому-то, лучше сами все заберем.

— Не могу. Боюсь. Отчего сам не хочешь пойти или Аглаю послать? — воскликнула Нюся.

— Аглая вообще дура, — буркнул Боря, —

ноет целый день, жалуется, плачет. Ее нужно отправить к бабке, в деревню, пусть там посидит.

— А вдруг Сильвия заподозрит что? — испугалась Нюся.

— Ничего, — ответил Борис, — у Аглаи рана на голове, сотрясение мозга. Скажет, что стало хуже, вот и вынуждена уехать. Так как, берем деньги?

— Это без меня!

— Нет, дорогуша, с тобой, — обозлился Борис, — не хочешь сумку отбирать, на атасе постоишь! Тебе денежки исполнитель передаст, ты их мне и привезешь.

Пришлось Нюсе соглашаться, а куда, скажите, ей было деваться, она уже повязана с Борисом одной веревочкой, да и денег хотелось еще «заработать».

Нюсе велели стоять за углом дома на Расторгуевской улице. Тут ей исполнитель должен был передать сумку. К изумлению Нюси, исполнителей оказалось двое. Одна, быстроглазая девчонка, заявила:

— Ты, главное, будь начеку, внимательно смотри за дорогой. Сначала Лиза появится, она отвлечет тетку.

Вторая девица кивнула:

— Лиза — это я.

— Ну а уж потом я подбегу, с сумкой, — сказала первая воровка.

Но Нюсенька напрасно пропрыгала на холоде. Хотя на календаре был самый конец ноября, стужа стояла просто жуткая, и дул пронизывающий до костей ветер.

Поняв, что сумки не дождаться, Нюся поехала к Борису. Тот сначала, не поверив, наорал на девушку, даже обыскал ее, затем пригрозил, что убьет, если Нюська стырила всю сумму... Он бы, наверное, поколотил подельницу, но тут раздался звонок из милиции: Аглая покончила с собой.

Нюся едва устояла на ногах, услыхав, что сделала с собой ее подруга. Девушка рухнула в кресло и попыталась успокоиться, но ее колотил озноб, руки ходили ходуном... Борис же заметался по квартире, нервно выкрикивая:

— Дрянь, сука, сволочь...

— Значит, вот ты как про Аглаю, — пробормотала Нюся, — а вдруг она нас слышит...

— Да при чем тут эта неврастеничка, — прошипел Борис, — даже лучше, что она сама догадалась убраться! Теперь точно никаких следов нет! Анька — сволочь. Это она наши с тобой баксы стырила! Вот гнида! Ну я ей покажу! Я ее урою! Я ее...

— Думаешь, она? Та, которую звали Аней? — пискнула Нюся, холодея от ужаса.

— Не твоего ума дело! — заорал Борис. — Вали домой да держи язык за зубами, не то укорочу, ясно?

Испуганная Нюся понеслась в свой барак. В результате ее «навар» составил десять тысяч баксов, те, которые сразу дал ей Борис, сумма на первый взгляд огромная, но, ей-богу, маленькая, если понять, что пережила девушка за этот год. Нюсенька вздрагивала от любого стука в дверь, по ночам ей снилось, как в комнату, топая грязными ботинками, вваливаются менты. Нюся похудела, осунулась и выглядела больной. Да и деньги, заветные десять тысяч, таяли, словно масло на горячей сковородке. Сначала Нюсе невесть зачем захотелось купить компьютер, потом шубку...

С Борисом она больше не сталкивалась и очень пожалела, что сегодня поехала к нему. Хитрый парень вновь задумал обмануть несчастную Сильвию, выманить у той три миллиона рублей. Не про таких ли сложена пословица: повадился кувшин по воду ходить, там ему и голову сложить...

— Ты точно помнишь, что вторую девчонку звали Лизой? — спросила я. — Может, ее звали Ксюшей?

— Нет, — покачала головой Нюся, — я еще всю голову сломала, целых полгода думала: ну кто это такие хитрые мартышки, кто наши денежки уволок? Триста тысяч! Из них моих пятьдесят было! Борька сто обещал, если сама сумку отниму. Эх, зря не согласилась, не сидела бы сейчас тут...

— Это точно, — кивнула я, — сидела бы ты в менее приятном месте, за хорошо запертой дверью, в Бутырской тюрьме. Хотя нет, женщин теперь в этом изоляторе не содержат. Значит, Аня и Лиза? Не Аня и Ксюша?

— Да Лиза, Лиза, — повторила Нюся, — я всех знакомых перебрала, не было у Аглаи таких. В супермаркете, в рыбе, Елизавета Сергеевна стоит, только ей полтинник стукнул, да и не пойдет она на такое дело никогда! Где только Борька их взял, явно что знакомых позвал, ведь не объявление же в газете дал!

Я молча уставилась в окно. Ох, думается мне, что Аня — это Кузовкина. Наверное, Борис нашел ее и... То ли убил, то ли держит где-то взаперти, пытаясь вытрясти из девчонки деньги.

Хотя скорей всего Ани нет в живых. Или... Ладно, на эту тему подумаю не сейчас, лучше дома, в спокойной обстановке, возьму лист бумаги и начерчу схему, поразмышляю. Лиза... Лиза, это кто же такая?

Глава 22

Дома меня первой встретила мрачная Кристина.

— Из-за тебя завтра получу «два» по диктанту, — заявила она, — и если в четверти поставят то же самое, имей в виду...

— При чем тут я?

— А кто Ангелину Григорьевну прогнал?

— Глупости, она ненормальная, сама убежала!

— И ты не знаешь почему? — прищурилась Кристина.

— Нет, конечно, ей что-то взбрело в голову, заглянула на кухню, и ку-ку!

Кристя подбоченилась:

— Знаю, ты это нарочно!

— Да что я сделала?

— От нас Ангелина Григорьевна пошла к Мишке и все ему рассказала!

Я села на стул и устало попросила:

— Сделай милость, изложи факты.

— Она была жутко напугана.

— Чем?

— Тобой.

— Почему?

— Сначала ты открыла дверь в окровавленном фартуке и, сообщив, что убиваешь кота, велела училке идти за тобой на кухню.

— Ну не совсем так...

— Ты не перебивай, а слушай.

— Ладно, говори.

— Когда Ангелина Григорьевна вошла в кухню, то увидела, что ты режешь несчастного кота на ломтики, приговаривая: «Вкусный ужин будет». Естественно, русичка подумала, что ты ненормальная, и убежала.

Я разинула рот. Однако как можно извратить события. На самом деле, буркнув: «Мне надо убить кота», я побежала в кухню, из которой доносилось утробное чавканье Лаврика, укравшего печенку. Но я ведь не собиралась лишать его жизни. Это просто фигура речи. Ну кричат же женщины у нас во дворе летом: «Петька, если сейчас не придешь ужинать, убью».

И ведь никто не воспринимает этот вопль как сообщение о предстоящем преступлении.

Да, конечно, когда Ангелина Григорьевна вошла в кухню, я прижимала окровавленного Лаврика к разделочной доске, рядом лежал тесак, усеянный буро-коричневыми пятнами. Но только ко полной идиотке могло прийти в голову, что я пытаюсь сделать из орущего благим матом кота фрикасе!

— Она сама сумасшедшая!

— Не знаю, — сердито возразила Кристина, — Мишка очень училку хвалит, а я из-за тебя двойку огребу. И потом, Лаврик похож на ходячий кошмар, Марина Степановна...

— А, Виолетта, — донеслось из коридора, — очень рада, что вы наконец вернулись. Скажите на милость, в чем вы испачкали милого мальчика?

Кристя хихикнула:

— Ща тебе мало не покажется. Раз Марина Степановна сладко щебечет, жди большой беды.

Вымолвив последнюю фразу, девочка убежала. Я осталась сидеть на стуле, чувствуя огромную, давящую усталость. Больше всего на свете мне хотелось, чтобы ни одна душа не подходила ко мне, не дергала, не теребила.

Но тут нос уловил запах омерзительных духов, потом взгляд наткнулся на вплывшую в прихожую Марину Степановну. Глаза старухи горели огнем, на щеках играл румянец. Бабуся славно провела денек, кочуя из кресла на диван, несколько раз поела, попила кофейку с конфетами и теперь не знала, куда девать бьющую через край энергию. Мне кажется, что пожилым людям надо обязательно находить какое-то тяжелое занятие днем. Ну, допустим, перемешать рис с гречкой и велеть отделить друг от друга. Посадить распутывать нитки или тонкую леску. Пусть бабушка трудится, напрягает руки и зрение, иначе вы, придя с работы еле живая, обнаружите дома существо, готовое в минуту, ради выхода клокочущей энергии, закатить вам грандиозный скандал. Бабуся целый день смотрела сериалы и теперь хочет от вас любви, ласки и поцелуев. Бесполезно объяснять ей, что вас только что «утюжило» начальство, а руки вывернулись из плеч от тяжеленных сумок. Поэтому мой вам совет: перепутайте мулине и суньте бабусе, к вечеру она устанет и сил на общение у нее не останется.

— Позвольте полюбопытствовать, милейшая, — ехидно завела Марина Степановна, — кто это?

— Кот, — вздохнула я.

— Верно, — согласилась старуха, — *это* еще утром было котом.

— Оно и сейчас не превратилось в крокодила.

— Не смейте мне хамить, — взвизгнула Марина Степановна, — прошу учесть: вы разговариваете со свекровью самой Лоры!!! Да, это был Лаврик! Но на кого он похож сейчас?

Я посмотрела на кота:

— Видите ли, Лаврентий вор. Он украл печенку и, естественно, с головы до лап перемазался в крови!

— Уму непостижимо, — заверещала Марина Степановна, — вся шерсть свалялась, страх смотреть, извольте теперь его вымыть! Немедленно! В теплой воде! В ванной стоят шампунь и кондиционер! Специально для котов!

— Мне купать Лаврентия? Ни за что!

— Кто испачкал, тот и моет, — категорично отрезала Марина Степановна и сунула мне апатично висящего Лаврентия.

Я не успела издать и звука, как старуха, словно в нее вставили батарейку «Энерджайзер», вылетела из коридора.

Я посмотрела на кота. Следует признать, Лаврик выглядел не лучшим образом. Честно говоря, просто отвратительно. Пушистая шерстка была усеяна бурыми пятнами. Кое-где шерсть склеилась и торчала вверх, словно иголки у взбесившегося ежа.

— Всегда считала, — сообщила я Лаврику, — что приличные коты сами приводят себя в порядок, но ты страшно ленив и не утруждаешься вылизыванием. И теперь мне придется тащить тебя в ванную.

В глубине души я надеялась, что Лаврик при виде струи воды издаст дикий вопль и удерет, но кот меланхолично смотрел, как я достаю тазик. Подобное поведение удивляло и не оставляло мне никаких надежд на то, что можно с чистой совестью сказать Марине Степановне:

— Лаврик не дался, извините, но я не способна мыть царапающегося и вырывающегося зверя.

На бортике ванны стояли две бутылочки. На одной крупными буквами было написано «Шампунь», на другой — «Кондиционер». Я налила в воду большую часть из первой емкости. Меня слегка смутил цвет и запах раствора. Он отчего-то было густо-коричневым и издавал довольно едкий, «химический» аромат. Но я никогда не пользовалась специальными моющими средствами для животных. Может, мы неправильно делаем, но своих собаку и кошку всегда моем детским шампунем «Малыш».

Я с сомнением посмотрела на таз. Не многовато ли набухала мыла? Потом не смою, небось Лаврик, едва поставлю его в воду, начнет вырываться. Впрочем, наверное, я не переборщила, потому что на бутылке имеется инструкция, а в ней написано: «Флакон рассчитан на один раз: если волосы короткие, следует использовать половину. Для яркости цвета обязательно применяйте кондиционер. Способ употребления: разделите содержимое на две части. Сначала вымойте волосы, потом нанесите вторую часть, расчешите и подождите пару минут. Если должного эффекта не получится, повторить процедуру. Внимание! Цвет проявляется только после смывания кондиционера».

Однако какие сложности! Ей-богу с «Малышом» намного проще. Может, наплевать на указания Марины Степановны и вымыть Лаврика по-своему?

Я посмотрела на тазик. Ладно уж, начну процедуру, ведь уже отлила часть шампуня в воду. Кстати, помывочное средство очень дорогое, на флаконе есть наклейка «350 рублей».

— Лаврик, — фальшиво заулыбалась я, — иди сюда, кис-кис.

Противный кот равнодушно отвернул голову. Я схватила его и сунула в тазик. Честно говоря, я ожидала услышать утробное мяуканье и громкое фырканье, но лентяй преспокойно сидел в теплой воде, то ли он такой пофигист, то ли любит купаться.

Лаврентий без всяких проблем дал себя вымыть, потом абсолютно хладнокровно перенес процедуру расчесывания и обмазывания кондиционером.

Я пришла в полный восторг, глядя, как он мирно сидит под струей душа.

— Лаврик — ты золото. Сейчас высушу тебя и угощу колбаской, ей-богу заслужил! Хороший мальчик. Ну-ка, давай тетя тебя полотенцем укутает.

Почувствовав к коту искреннее расположение, я энергично потерла его махровой простыней, а потом, освобождая Лаврика, радостно заявила:

— Сейчас пойдешь к Марине Степановне, красивый, пушистый, а я наконец-то отправлюсь отдыхать. Ты, дружочек, в следующий раз не воруй печенку, а попроси по-человечески, разве мне жаль дать послушному котику кусочек чего-нибудь вкусного!

Я сдернула с кота полотенце. Он апатично глянул на меня... Крик застрял в горле.

На кафельной плитке, изредка встряхиваясь, сидел пушистый, кристально чистый, абсолютно... черный кот. Не веря своим глазам, я присела около Лаврика и погладила его по голове.

— Мр... мр... мр... — запел он.

В полном ужасе я схватила флакон и тут только увидела над большими буквами «Шампунь» более мелкую надпись «красящий».

«Спокойно, Виола, главное, не нервничай, — принялась я уговаривать себя, — вполне вероятно, что Марина Степановна решила оттенить кота. Ну надоел ей его прежний цвет, может, в тусовке поп-звезд, к которой принадлежит Лора, модно иметь крашеных кошек. Небось невестка позвонила свекрови и велела: «Ну-ка, беги рысью в магазин. Хочу, чтобы к моему возвращению Лаврик стал черным».

Кстати, этот цвет коту очень даже идет, он превратился в настоящего красавца.

Но тут в ванную влетела Кристя и воскликнула:

— Ну сколько можно здесь сидеть? Другим тоже надо сюда, между прочим, я собралась волосы покрасить.

— В какой цвет? — робко спросила я, загораживая собой Лаврика.

— В черный, — сообщила Кристя, — суперский шампунь купила, дорогой, правда, зато качественный. Девчонки сказали, что полгода на волосах держится, ничем не смыть. Мы всем классом решили попробовать.

Я похолодела. Нет, только не это. Кристина подошла к ванне и схватила флакон.

— Минуточку, а где же шампунь? — растерянно спросила она.

Лаврик чихнул, Кристя повернула голову на звук и заорала:

— Мама! Это кто?

— Лаврик, — тихо сказала я.

— Но он же был светлый!

— Был. А теперь такой, черненький. Правда, классно вышло? Очень модно, элегантно и практично, на коте и грязи не заметно будет, — бубнила я.

— Ты вымыла его моим шампунем! — догадалась Кристя. — Вилка! Ну как ты могла! Завтра все девчонки придут в класс с новым цветом волос, одна я, как дура...

— Сейчас сбегаю в супермаркет за краской, — пообещала я, — без проблем!

— А что ты скажешь Марине Степановне? — спросила девочка.

— Ну... пока не знаю, — растерялась я, — надо, конечно, как-то объяснить. Модно иметь дома крашеную кошку — по-моему, это хороший аргумент.

— Лично я тебе не завидую, — вздохнула Кристина, — и в супермаркет сама побегу.

— Уже поздно, я схожу.

— Нет-нет, ты оставайся разбираться с Мариной Степановной.

Мы начали спорить и не заметили, как Лаврик выскользнул за дверь. Тут же из коридора донесся крик, потом шлепки, стук двери и снова негодующий вопль старухи.

— Какое безобразие! Отвратительно! Сколько раз говорить, запирайте двери! Заразу принес!

— Началось, — прошептала Кристя и попыталась втиснуться между ванной и рукомойником. — Эх, не успела в супермаркет убежать. Ну, Вилка, держись, ща тебя убивать станут.

Красная от гнева старуха влетела в ванную и воскликнула:

— Виолетта! Ваша привычка, заявившись домой за полночь, не запереть за собой дверь — просто отвратительна! Сюда может зайти кто угодно: бомжи, грабители, насильники. Они на нас накинутся!

Я покосилась на бабусю. Ну, насчет насильника — это, пожалуй, перебор. Это каким же надо быть извращенцем, чтобы польститься на Марину Степановну. На мое лицо стала наползать глупая ухмылка.

— Ничего смешного тут нет, — разъярилась Марина Степановна, — если ваш супруг соизволит прийти ночевать, поинтересуйтесь у него, какова криминальная обстановка в городе. Между прочим, только что из-за того, что дверь не была заперта, в прихожую проник дворовый кот омерзительно черного цвета, просто посланец сатаны! Всем известно, переносчиками каких заболеваний являются беспризорные животные: чума, холера, оспа, СПИД! Из-за вашей беспечности к нам попала зараза! Неужели непонятно, дверь...

— И где этот черный кот? — перебила я старуху.

— Естественно, я выгнала его на улицу! Еще, не дай бог, оближет Лаврика. Кстати, где мой мальчик? Вы его вымыли?

— Расскажи ей про шампунь, — велела я Кристе.

— Почему я? — прошептала девочка, вжимаясь в стену.

— Потому что я побегу ловить несчастного Лаврика, он может замерзнуть, — быстро сказала я и, не надевая ни сапог, ни куртки, полетела на лестницу.

На нашей площадке кота не было, впрочем, на других этажах его тоже не оказалось. Я выскочила из подъезда и вздрогнула, ледяной холод сковал меня. Нужно вернуться домой и одеться. Но тут мой взгляд упал на цепочку мелких следов, ведущую в сторону детской площадки. Наплевав на стужу, я понеслась вперед и около гаражей увидела черный комок. Я схватила кота.

— Мяу, — коротко вякнул он.

— Прости, милый! — воскликнула я и, прижав к себе замерзшее животное, ринулась назад.

Дома сильно пахло валокордином. Я не буду сейчас повторять вам все, что сказала мне Марина Степановна. В конце концов, где-то через час старуха успокоилась и, прихватив «посланца сатаны», отправилась спать. А мне пришлось еще бежать в супермаркет за краской.

В магазине было пусто. Между торговыми рядами бродила лишь одна женщина. Я поравнялась с ней и узнала нашу соседку, Лену.

— Привет, — кивнула она, — чего по ночам за покупками бегаешь?

— А ты чего днем не ходишь? — парировала я.

Честно говоря, я не слишком-то люблю Ленку, она сплетница и жуткая болтунья.

— Так мой драгоценный, — принялась жаловаться Ленка, — явился домой пьяный и теперь требует яичницу. Взбрело ему в голову глазуньей полакомиться, а яиц нет, у соседей не попросить, ночь на дворе, пришлось сюда топать. Ну и цены тут, скажу тебе, ломовые! Совсем стыд потеряли. Где это видано, за десяток яиц семьдесят рублей просят. А куда деваться, мой поколотить может! Вот так всю жизнь мучаюсь, в командировку уехать не могу. Боюсь, вдруг мой ляжет с сигаретой и заснет. Сгорит ведь квартира. Во как плохо! И еще за яйцами ему бегай!

Опершись на тележку, Ленка продолжала со вкусом жаловаться. Но я перестала ее слышать, меня вдруг осенило. Сгоревшая квартира, соседка, Лиза!!! Так звали девицу, которая жила рядом с Еленой Тимофеевной, Аней и Полиной. Ох, думается, это она участвовала в афере.

На следующее утро я унеслась из дома в семь утра. С одной стороны, мне очень не хотелось встречаться с Мариной Степановной, с другой — я боялась, что Лиза уйдет на работу. Уже подбегая к знакомому дому, я подумала, что девушка, наверное, там не живет. Огонь уничтожил ее квартиру, и Лиза, очевидно, уехала к знакомым. Слегка приуныв, я поднялась на нужный этаж и увидела, что все изуродованные пламенем двери заменены на новые.

Ни на что не надеясь, я постучалась к Лизе. Естественно, никакого ответа не последовало. Стукнув пару раз ногой по двери, я хотела уже отойти, сесть на подоконник и попытаться подумать, как найти девушку, но тут раздалось звяканье и на пороге появилась растрепанная Лиза, одетая в грязный халат. Увидев меня, она удивилась:

— Вы? Здрасьте.

— Доброе утро, — кивнула я, — извини, что я так рано, боялась, что на работу уйдешь.

— У меня сегодня выходной, — с легким укором в голосе заявила Лиза, — вот, выспаться решила.

— Прости меня, пожалуйста, — я изобразила улыбку, — дело спешное, не терпит отлагательства.

— Что случилось-то? — зевнула Лиза и посторонилась. — Входите, только осторожно.

Я втиснулась в обгоревшую квартиру. Хозяйка старательно пыталась навести порядок, но, честно говоря, получилось плохо. Лиза сорвала обгорелые обои и подмела полы, но потолок остался черного цвета, паркет отсутствовал, вместо него были настелены картонки. Не было и никакой мебели, кроме старой раскладушки, прикрытой застиранным пледом, и маленького колченогого столика. В воздухе, несмотря на то что после пожара прошло довольно много времени, ощущался запах гари.

— Как только живешь тут, — покачала я головой.

Лиза развела руками:

— Альтернативы нет.

— Ты же вроде говорила, что жилплощадь застрахована от пожара, причем на большую сумму!

Девушка кивнула:

— Точно, только страховая компания сразу выплаты не производит, проверяет все. В моем случае нет никаких проблем, на днях получу баксы. Эту халупу продам за копейки, куплю себе новые апартаменты, уже присмотрела их...

Ее личико приняло мечтательное выражение, на губах заиграла улыбка, я решила, что момент самый подходящий, и заявила:

— Вот что, дорогуша, имей в виду, мне все известно.

Лиза распахнула заспанные глазки.

— Что?

— Все. Отпираться глупо.

— Вы о чем?

— О деньгах, о трех сотнях незаконно полученных баксов.

Лиза плюхнулась на раскладушку и растерянно бормотнула:

— Не понимаю.

Я прищурилась:

— Лучше не ври, говорю же, я отлично знаю об афере, в жизни так чаще всего получается: задумываешь гадость, осуществляешь ее и полагаешь — никто никогда ни о чем не узнает. Ан нет, что-либо скрыть от посторонних глаз очень трудно: всегда найдутся свидетели. Один видел, другой слышал, третий сложил вместе увиденное и услышанное, да и понял суть. Тебе не повезло, я все знаю. Ты хоть понимаешь, во что вляпалась?

Лиза молча комкала край ветхого пледа, прикрывавшего раскладушку.

— Деньги получены преступным путем, — заявила я и перевела дух.

Далее я собиралась сказать, что Сильвия Яновна подаст в суд на Лизу, но она не дала мне произнести ни слова. Она легко вскочила на ноги и подбежала ко мне.

— Сколько вы хотите за молчание?

Я скривилась:

— Мне не нужны доллары.

— Что же надо тогда? — осеклась Лиза.

— Информацию.

— Какую?

— Всю правду об афере.

Лиза вздрогнула и снова села на раскладушку.

— Какая хитрая! Значит, я сейчас тут признаваться стану, а ты меня в милицию сдашь! Лучше возьми деньги!

— Вот если ничего не расскажешь, — сурово заявила я, — тогда точно двину в отделение. Из-за этой истории погибли люди.

Внезапно Лиза заплакала.

— Ты не поверишь, но я совсем измучилась! Не думала, что так получится, ну совсем не предполагала. Ой, мне их так жаль, но это не я, а Юрка. Он, правда, уверяет, что не он, а кто же еще? Ведь договорились с ним... Теперь уже ничего не поделаешь, все умерли...

И Лиза стала судорожно вытирать пледом лицо. Я постаралась сохранить каменное спокойствие: так, теперь в деле еще появляется какой-то неведомый Юра.

Наверное, на моем лице промелькнуло нехорошее выражение, потому что Лиза, прижав к груди крепко сжатые кулачки, принялась быстро рассказывать о грязном деле. Чем больше она говорила, тем сильней у меня отвисала челюсть. Это было совсем не то, что я ожидала услышать.

Глава 23

Лиза всю жизнь мечтала выехать из блочной дыры. Другим ее отдельная квартирка могла показаться шикарной, но Лиза работает в фирме, которая шьет занавески, чехлы на мебель, покрывала на диваны и кровати, поэтому она часто выезжает к клиентам и великолепно знает, какие бывают квартиры. Вся ее халупа уместится там в ванной.

Грезя о просторных комнатах с зимним садом и камином, Лиза великолепно понимала, что мечты так и останутся не воплощенными в жизнь. Где ей, дизайнеру по интерьеру, взять деньги?

Конечно, должность ее называется красиво, но, по сути, Лизочка являлась тем человеком, который привозит на дом к привередливому клиенту альбомчики с образцами тканей, а потом оформляет заказ. Платили ей соответственно. С голоду Лиза не умирала, но на просторную квартиру было не накопить.

Так бы она и плакала по ночам в подушку, но тут ее любовник Юрка пристроился на работу в страховую компанию. Юра юноша оборотистый, с авантюрным складом ума, вот и придумал аферу.

— Давай застрахуем твои хоромы на хорошую сумму, — предложил он, — а потом подожжем их.

— Ты чего, — испугалась Лизочка, — нас поймают, да и обманывать нехорошо.

— Скажешь тоже, — фыркнул Юрка, — так им и надо, бизнесменам. Никто нас за руку не схватит, не дрейфь. Я все продумал. Сначала ты вносишь страховку, и мы целый год ничего не предпринимаем, а там посмотрим.

Юра говорил так убедительно, что Лиза сначала заколебалась, а потом сдалась.

Используя служебное положение, Юра застраховал квартиру Лизы по полной программе. По бумагам жилье значилось как элитное, с евроремонтом и дорогой мебелью. Лиза и Юра не женаты, поэтому в компании ни у кого не возникло подозрений, когда парень принес очередной заполненный полис.

Лиза отдала страховой взнос и тут же рассердилась на себя. Вытрясла всю кубышку ради пустой затеи! Но Юра только хитро улыбался.

— Погоди! Потерпи годик!

Через десять месяцев Юра перешел на работу

в другую компанию, а в начале декабря велел Лизе:

— Ну пора.

— Ой, не надо, — испугалась девушка.

— Прекрати, — отмахнулся любовник, — все под контролем. Значит, так, потихоньку вынеси самые ценные вещи и уезжай к кому-нибудь из подруг с ночевкой, остальное мое дело.

Но Лизу крепко держал страх. В намеченный день она собралась в гости, но тут ей позвонила Рита и попросила пустить ее к себе на пару часов.

Лиза страшно обрадовалась: вот и повод отказаться от стремной затеи. Она мигом соединилась с Юрой:

— Все откладывается.

— Не трусь!

— Да нет, ко мне приехала в гости родственница.

— Вот едрит твою налево, — обозлился Юра, — у меня-то все готово, жалко откладывать. Ладно, сними ей номер в гостинице, скажи, что у тебя ремонт.

— Она уже тут, поздно пить боржоми, — солгала Лиза.

Чем больше она думала об афере со страховкой, тем сильнее ей все это не нравилось.

— Ладно, — бормотнул Юра, — ща подумаю!

С тяжелым сердцем Лиза отправилась на веселье. Но совсем плохо ей стало, когда Юра позвонил на мобильный и веселым голосом заявил:

— Ситуацию я разрулю, ты, главное, не высовывай носа и домой приходи не раньше одиннадцати утра.

Представляете теперь состояние Лизы, когда

она, очутившись на лестнице, узнала, что в огне погибла Елена Тимофеевна, Полина и ее подруга?

В полном ужасе девушка позвонила Юре и закричала:

— Что же ты наделал!

— Да в чем дело?

— Ты еще спрашиваешь! Все погибли!

— Кто?

— Идиот, — зарыдала Лиза, — и где мне теперь жить прикажешь, на пепелище? Господи, зачем я повелась, почему согласилась?

Юрка мигом примчался к любовнице и начал ходить по пожарищу, приговаривая:

— Во блин! Ну дела! Не плачь, Лизка, получим сто тысяч баксов, купим новую фатеру.

— Сволочь, — заикалась девушка, — ты хоть понимаешь, что убил трех человек? А? Девочку-то за что? И зачем было всю площадку выжигать? Разговор шел лишь обо мне.

Юра попятился.

— Ты чего, думаешь, это я?!

— А кто?

— Понятия не имею, может, само вспыхнуло.

— Не смей врать, — затопала ногами Лиза, — ты же звонил, говорил, что разрулишь ситуацию, и велел не ночевать дома!

— Ага.

— Так это ты?

— Нет. Ситуация не разрулилась, и я все отложил.

Лиза села прямо на обгорелые доски и зарыдала, Юра топтался возле нее, пытаясь оправдаться.

Да, он все приготовил, продумал, как следует замкнуть проводку, чтобы у пожарных создалось впечатление: огонь вспыхнул из-за неисправности в электросети. Юра очень не любит откладывать задуманное, поэтому жутко расстроился, когда узнал о приезде родственницы. Поразмыслив немного над ситуацией, он решил напугать глупую провинциалку. Позвонил к Лизе домой и каменным тоном заявил:

— Участковый беспокоит, до нас дошли сведения, что у вас в квартире находятся лица без регистрации, сейчас приедем и проверим и, если найдем кого, арестуем.

— Пошел вон, кретин, — рявкнула Ритка.

Она была москвичкой, имела в сумочке паспорт с постоянной пропиской и никого не боялась. Пришлось Юрке откладывать мероприятие.

— Смотри, как здорово вышло, — вдруг заявил он, — получим денежки, купим квартиру... Эх, заживем!

Лизу перекосило. И за этого человека, совершенно спокойно рассуждающего о деньгах в месте, откуда только что вынесли трупы, она собиралась замуж? Господи, где были ее глаза!

Не выдержав напряжения, она сначала устроила истерику, а потом выгнала Юру.

Но не тут-то было! Парень начал ей названивать и говорить:

— Половина денег моя. Я считал тебя почти своей женой, а раз разошлись, навар поровну.

— Значит, все-таки ты поджег! — обомлела Лиза. — Знал, что в квартире спит Рита, и устроил пожар.

— Это еще доказать надо, — прошипел Юра, — имей в виду, если ко мне явится милиция, сразу скажу, что автор затеи ты. Кстати, ты еще и обманула страховую компанию. Твоя дыра копейки стоит, а что в полисе записано?

Лиза шмякнула трубку и зарыдала. Больше всего ей хотелось отмотать ленту времени назад и сделать так, чтобы этого полиса не было вообще.

Но потом ей на работу позвонил представитель страховой компании, очень вежливый человек, и деловито сообщил:

— Сумма будет вам выплачена в два приема. Первый платеж в конце декабря, второй в январе. Кстати, можем взять на себя услуги по покупке для вас новой жилплощади. У нас имеется собственное риелторское агентство.

Лиза вначале хотела отказаться от денег, ей казалось, что эти деньги обагрены кровью невинных Елены Тимофеевны, Полины и Риты. Но если компания сама купит ей квартиру, то денег она не увидит. Подобный шанс выпадает раз в жизни. В конце концов, несчастные соседи уже умерли, ведь не ложится же ей вместе с ними в могилу! Кстати, если страхователь сам провернет все операции, Юрка не сумеет отобрать у нее пятьдесят тысяч. Еще чего! За что платить ему деньги? Он убийца. Пусть скажет спасибо, что остался на свободе, а не сидит под стражей.

Вымолвив последнюю фразу, Лиза уставилась на меня. Я тяжело вздохнула.

— Да уж, в гадкую историю ты, милочка, вляпалась, только я не из-за нее пришла.

Лиза тихонько ойкнула, потом спросила:

— Да? О какой же еще афере идет речь? Больше я ни во что такое не впутывалась.

— Дорогуша, — прищурилась я, — только не ври. Говорила же, я знаю все.

— Что?!

— Про Аню.

— Какую?

— Твою соседку, Аню Кузовкину, неужели забыла ее?

— Нет, конечно, помню, но Аня пропала.

— Думается, ты знаешь, где она.

— Я?!

— Нет, я!

— Вы?!

Бессмысленный диалог начал меня раздражать.

— Ну-ка быстро рассказывай, как вы отнимали сумочку у Сильвии Яновны.

— Так вы об этом, — облегченно рассмеялась Лиза, — так это ерунда!

Однако! Девица считает триста тысяч долларов ерундой.

— Ну-ка быстро рассказывай.

— Да зачем?

— Затем. Если сейчас не ответишь на все мои вопросы, то я моментально отправлюсь в милицию и изложу правду про пожар, — пригрозила я.

Личико Лизы мигом осунулось.

— Вы этого не сделаете! Ведь я рассказала все только потому, что решила: вам и так все известно. Господи, какая я дура!

Очевидно, Лиза и впрямь плохо соображает. Сначала совершит какой-нибудь поступок, а потом начинает причитать: «Ох, идиотка, зачем так сделала?»

— Очень даже пойду, — процедила я, — выложу ментам все до мельчайших подробностей.

— Не надо, — прошептала Лиза, — пожалуйста, не надо.

— Хорошо, буду держать язык за зубами, но только в том случае, если услышу сейчас обстоятельный рассказ про то, что вы проделали с Аней.

— Ну ей-богу, не о чем говорить!

— Начинай.

Лиза зябко передернула плечами, натянула на себя дряхлый плед и принялась каяться.

Примерно год назад Аня пришла к Лизе и с порога спросила:

— Ты мне подруга или нет?

— В общем, да, — осторожно ответила Лиза.

— Тогда помоги.

— Что надо делать?

— Отобрать у одной тетки сумку. Да не волнуйся, в ней не будет ничего ценного. Я бы и сама справилась, но нужны двое. Ты выхватишь кейс и передашь мне.

— Зачем же отнимать портфель, если в нем ничего не будет?

Аня поморщилась:

— Понимаешь, меня один парень попросил, дал за услуги триста баксов, я тебе сто пятьдесят отсыплю, неплохой заработок за пять минут.

— К чему парню сумочка? — не успокаивалась Лиза.

— Да жена у него обалдуйка, шляется по ночам незнамо где, — усмехнулась Аня, — вот Борис и решил ее напугать, инсценировать ограбление. Баба перепугается и перестанет по ночам шлендрать. Нам, главное, чемоданчик выхватить, чтобы она не сомневалась: на нее напали настоящие грабители.

— Ну... не нравится мне эта затея, — протянула Лиза, — прямо совсем не нравится! А если эта особа нас схватит?

Аня расхохоталась:

— Ой, не могу! Да в ней росту метр с кепкой и вес, как у кошки. И потом, ты вообще ни под какое подозрение не попадешь, в случае чего я все на себя возьму!

— Но сумочку-то выхватывать придется!

— Тебе нет, сама выдерну.

— Зачем тогда я тебе понадобилась?

Аня шумно вздохнула:

— Говорю же, дело ерундовое. Подойдешь к Сильвии и спросишь: «Подскажите, где тут ближайшее метро» — или еще что-нибудь такое, мы придумаем. Она остановится, повернется к тебе, а тут я... хоп, и нету саквояжика! Ясно? В самом худшем случае ты просто свидетельница. Никакой головной боли и сто пятьдесят долларов в кармане!

Лиза помялась, потом вспомнила об увиденной вчера в витрине кофточке стоимостью как раз в полторы сотни «зеленых» и... согласилась.

Все прошло без сучка без задоринки, по плану, который придумали девицы.

Улица была совершенно пустынна, когда Лиза двинулась навстречу Сильвии. Когда она поравнялась с женщиной, а произошло это как раз под ярким фонарем, Лизу поразило ее лицо: мертвенно-бледное, с лихорадочно блестящими глазами. Скорей всего, тетка была больна. Несмотря на холод, она не надела шапку и не застегнула шубку. Лиза сделала пару шагов и крикнула:

— Женщина, вы деньги потеряли.

Сильвия резко остановилась и побежала назад.

— Где? — лихорадочно закричала она. — Какие?

Лиза показала заранее приготовленную сторублевку.

— Вот, на снегу лежала, заберите.

— О господи, — вздохнула та, — ерунда какая, раз нашли, они ваши.

И в эту секунду на тетку налетела Аня. Лиза даже не поняла, как все случилось. Подруга в маске черной тенью метнулась к потерявшей всякую бдительность бабе и тут же испарилась, прихватив ее сумку.

— В чем дело? — растерянно спросила Сильвия. — Кто это? Что случилось?

— Кажется, у вас хулиган вырвал сумочку, — тихо сказала Лиза, — развелось их теперь, никого не боятся...

И тут женщина снова удивила ее. Она не стала кричать, звать на помощь, а тихо села на корточки и обхватила голову руками.

— Вам плохо? — спросила Лиза. — В сумочке что-то ценное?

— Нет, — еле-еле прошептала Сильвия, — ерунда, пустяк, пожалуйста, уйдите, оставьте меня в покое.

Страшно обрадованная тем, что женщина не затевает скандала, Лиза быстрым шагом пошла в глубь квартала. Вдруг ее словно толкнули в спину, девушка обернулась. Сильвия по-прежнему сидела на корточках, обхватив голову руками. На секунду Лизе стало жалко обманутую тетку, но потом она быстро прогнала это чувство. Не из-за чего переживать, она сама же только что сказала, что в саквояже ничего ценного нет.

Я посмотрела на Лизу.

— Это все?

— Ну да, а что еще? — удивленно ответила она. — Вон, некоторые мужья как о женах заботятся: специально их пугают, чтобы по вечерам не шлялись где ни попадя.

Я уставилась в окно. Значит, Борис знал Аню, причем очень хорошо, раз решил, что она согласится на разбой. Анечка же сказала парню, будто привлечет к делу подружку, Лизу. Небось она потребовала у Бори долю для себя и для нее. Пришлось юноше соглашаться. Он был мозгом операции и старался по мере сил оставаться в тени. Всю «практическую» работу хитрец свалил на девчонок: Аглаю, Нюсю и Аню. Сам он боялся принимать участие в действиях. Борис — подлец и трус, но не о нем сейчас речь.

Значит, Аня обманула подружку, дала Лизе сто пятьдесят долларов и ушла, спокойно унося чемоданчик, в котором лежало триста тысяч зеленых бумажек. Вполне вероятно, что Аня хотела отнести добычу Борису и получить с него две доли: свою и Лизину, которую без всяких угрызений совести тоже собиралась присвоить. Но, очевидно, по дороге к Борису ей в голову пришла совсем замечательная мысль: ну зачем вообще отдавать деньги, если можно их заполучить целиком.

Поэтому Анечка, прихватив саквояж с валютой, просто испарилась, небось купила квартиру и живет себе припеваючи.

Нет, что-то не вяжется. Аня любила свою дочку и ни за что бы не бросила ее. А может, нет? Скорей всего Елена Тимофеевна достала дочь нравоучениями, и та вдруг поняла, что может, получив денежки одна, не выслушивать каждый вечер нудные нотации.

Непонятно только, с какого бока в этой истории Ксюша, каким образом куртка Ани оказалась на ее плечах и где сама Аня?

— Значит, больше ты Аню не видела, — пробормотала я.

— Анька пропала во вторник, — пояснила Лиза, — на следующий день после того как дала мне заработать. Жалко, в воскресенье еще она такая веселая была, с цветами.

— С цветами?

— Ага, — кивнула Лиза, — я ее в воскресенье, накануне «грабежа», увидела с розами, такими красивыми. Середина лепестков желтая, а краешки бордовые, очень недешевые!

Девчонки столкнулись в подъезде. Лиза не сдержала любопытства.

— Где взяла букетик?

— Уж не сама купила, — счастливо блестя глазами, ответила Аня, — дорогой-то какой! Баксов на сто потянул. Подарили мне.

— Если не секрет, скажи кто?

— А вот не дождешься, — захихикала Аня.

— Мужика завела?

Анечка кивнула:

— Астрального близнеца.

— Кого? — не поняла Лиза.

Анечка засмеялась:

— Знаешь, оказывается, у каждого человека имеется двойник. Вот ты живешь себе и не знаешь, что где-то по свету ходит вторая Лиза. Впрочем, скорей всего, ее зовут по-другому, но лицом, прической, макияжем она походит на тебя как две капли воды.

— По-моему, это глупости, — вздохнула Лиза.

— Я тоже так считала, — с жаром воскликнула Аня, — но потом встретила Женю Славского!..

— Это кто такой? — полюбопытствовала Лиза.

— Парень, — улыбнулась Аня, — жутко похож на моего покойного Ваню, тоже в Чечне воевал, был ранен, но остался жив. Я его когда в первый раз увидела, чуть не заорала: вылитый Ванька, даже голову так же набок наклоняет, прямо мороз по коже. Потом, конечно, пригляделась повнимательней и сообразила: не он. Во-первых, цвет волос другой, во-вторых, шрам на руке, в-третьих, Ванька немного мямлей был. Женя такой конкретный, решительный, в общем, настоящий мужчина. Смотри, какой букет мне подарил.

— Да уж, — поджала губы Лиза, — ясненько. Зря, значит, ты всем уши прожужжала, что собираешься вдовой жить, вечную верность погибшему солдату хранить.

Аня стала пунцовой.

— Вредная ты, Лизка! Постоянно норовишь гадостей наговорить!

— А я чего, — смутилась Лиза, — я ничего!

В душе у нее неожиданно подняла голову зависть. Юрка ни за что не подарит ей цветов, да еще таких шикарных! Скорей удавится. Поэтому, увидав, что Ане очень не понравились ее последние слова, Лиза решила вновь воткнуть иголку в больное место.

— Это ты говорила про вечную верность, а не я.

Аня топнула ногой.

— Да, говорила. Но он так похож на Ваню! Иногда кажется, что это он.

— Значит, по твоей логике, измена мужу оправданна, если любовник на него похож? — издевалась Лиза.

Аня неожиданно серьезно ответила:

— Я никогда не была законной женой Вани и могу считать себя совершенно свободной. И потом, Полине нужен отец.

— Ты сказала ему, что имеешь ребенка?

— Да.

— И что?

— Женя очень обрадовался, — гордо вскинула голову Аня, — вот так!

— Ну если теперь ты сообщишь, что он олигарх, то я скончаюсь от зависти, — ерничала Лиза.

— Это любовь, — пропела Аня, — то, что без денег делает тебя богатой... Женя просто шофер, работает в химчистке «Кристалл», белье развозит, зарплата невелика.

— Значит, он транжира, — подвела итог Лиза, — сам гол как сокол, в кармане вошь на аркане, а цветы дорогущие покупает. Ох, наплачешься ты с ним! По мне, лучше хозяйственного поискать.

— А по мне, лучше сдохнуть, чем с таким занудой, как твой Юра, жить, — заявила Аня и, захлопнув перед носом подруги дверь лифта, уехала наверх.

— Когда Елена Тимофеевна забеспокоилась об Ане, — закончила Лиза, — я сначала подумала, что она к этому Жене Славскому переехала.

— Ты точно помнишь его имя и фамилию?

Лиза кивнула:

— Еще я подумала, что она у него какая-то не шоферская, Славский! Все мучилась, ну где же видела такую, где... А потом дошло: Юрка в техникуме английский учит, так вот у него учебник есть, толстый такой, в бордовой обложке. А написал его Славский Евгений Арчибальдович. Я вот почему запомнила: Юрка-то все незачеты по инглишу получал, ну тупой он к языкам, хотя в остальном очень даже сообразительный был. Так вот, Юрка все время повторял:

— Ну, Славский Евгений Арчибальдович, чтоб тебе сгореть! Напридумывал идиотских текстов, а я переводи!

Глава 24

Возле нашего дома стоял фургон «Скорой помощи». Последнее время погода просто издевается над москвичами. Три дня тому назад неожиданно потеплело до плюс пяти. Но не успели люди вылезти из тяжелых шуб и накинуть более легкую одежду, как ртутный столбик вновь со страшной скоростью стал обваливаться вниз. Замер он возле отметки минус двадцать пять. А сегодня после обеда вновь резко потеплело, повалил картинно красивый, бело-кружевной снег... Ну скажите, какой организм выдержит такие перегрузки? Ясно, что сердечникам плохо, в нашем подъезде есть несколько очень пожилых людей. Интересно, к кому из них прикатила «Скорая»?

Я вошла в квартиру и тут же почувствовала резкий запах каких-то лекарств. Не успела я снять сапоги, как в прихожую выглянул Олег.

— Ты дома? — удивилась я.

Куприн кивнул.

— Что случилось? Преступность искоренена? — съязвила я и тут же пожалела о сказанном. Если стану так себя вести, Олегу вообще не захочется возвращаться домой. Наверное, наш брак претерпевает кризис, иначе с чего бы я принялась язвить? Сейчас муж обидится и будет абсолютно прав. В кои-то веки пришел со службы около восьми вечера, а любящая жена, вместо того чтобы поспешить к плите и подать ужин, начинает хамить.

Но Олег пропустил мое замечание мимо ушей, то ли не услышал, то ли решил не обращать внимания.

— Нас с Вованом Томуська вызвала, — сообщил он.

Сапог выпал у меня из рук.

— Что случилось?

— Похоже, у Марины Степановны инфаркт.

— Не может быть!

— Почему?

— Она вчера была такая бодрая, веселая.

— Марина Степановна уже не молода, — вздохнул Олег, — всякое может случиться.

Я надела тапки и понеслась в комнату к старухе. Марина Степановна была жива. Увидав меня, она приподнялась, ткнула в мою сторону указательным пальцем правой руки и прерывающимся голосом произнесла:

— Вот сейчас Виолетта нам все объяснит.

Я растерялась.

— А в чем дело?

Мужчина в голубом халате укоризненно глянул на меня.

— У вашей мамы на фоне сильнейшего стресса случился сердечный приступ.

Вован, сидевший в изголовье постели, робко вмешался:

— Это моя мама.

— Ну и что? — удивился доктор. — Разве она не может быть еще и ее мамой?

— Теоретически да, — завел было Вован, но его прервал Ленинид, сидевший отчего-то на корточках в углу комнаты.

— Ладно вам спорить, кто чья мать, — заявил папенька, — лучше покажьте Вилке, в чем дело.

— Действительно, — прошелестела с кровати Марина Степановна, — пусть Виолетта объяснит, как подобное вышло!

— Кто такая Виолетта? — с недоумением поинтересовался Олег.

— Вы не знакомы? — удивился доктор.

— Виолетта — это Вилка, — тихо пояснила Томочка, — Марина Степановна ее так называет.

— Почему? — удивился Куприн. — Мою жену зовут Виола.

— Марине Степановне так больше нравится!

— Еще чего! — перекосился Куприн. — Может, мне захочется звать ее Маргаритой Семеновной. Ей понравится?

Я дернула мужа за рукав, но Олег ловко увернулся.

— Гляди-ка, Вилка, — позвал папенька.

Тут только я поняла, что Ленинид сидит около картонного ящика, на котором нарисованы длинные желтые плоды.

— Зачем нам двадцать кило бананов? — вырвалось у меня.

— Абсолютно ни к чему, — пожала плечами Томочка. — А кто их купил?

— Так вон же коробка.

— Мы ее от ларьков пустую притащили.

— Зачем?

— Да ты иди сюда, — поторопил меня папенька.

Я приблизилась, заглянула внутрь и ахнула. На розовом байковом одеяле лежало шесть угольно-черных комочков. У стенки мирно возлежал Лаврик. Передними лапами он обнимал потомство. Из груди кота вырывался мерный, успокаивающий, я бы даже сказала, усыпляющий звук: «Урк-урк-урк». Даже и не предполагала, что мурлыканье может иметь подобную тональность.

— Это что? — ожила в подушках Марина Степановна.

— Ну, котятки, — растерянно ответила я, — хорошенькие...

— Просто замечательные, — подхватила Кристя.

— Виолетта! Как вы...

— Она Виола, — взъелся Куприн, — Виола! Или Вилка, но никак не Виолетта!

— Думаю, сейчас не стоит спорить по этому поводу, — влез доктор, — больная слаба, давление низкое.

Пришлось Олегу недовольно замолчать.

— Виолетта, — завела Марина Степановна, — как вы это объясните?

— Что?

— Появление котят.

— Ну... наверное, Лаврик на даче, как бы это поделикатней сказать... сами понимаете...

— Трахнулся! — радостно подсказала Кристина.

Марина Степановна побагровела. Сначала я испугалась за ее здоровье, пониженное давление старухи явно трансформировалось в повышенное. Потом я поняла, как бабуся сейчас обозлится на Кристю, и стала медленно выталкивать девочку в коридор.

— Ты чего пихаешься? — обиженно сопротивлялась Кристина.

Тут Марина Степановна перестала хлопать глазами и открыла рот. Я съежилась, ну, держись, Кристя.

— Лаврик кот, — закричала Марина Степановна, — кот! Животное мужского пола! Он не способен ни с кем трахаться!

Я онемела. Кто бы мог подумать, что старуха станет употреблять такие глаголы.

— Ну это вы, пожалуй, зря, — задумчиво сказал доктор, — лица мужского пола очень часто об этом думают, то есть... а... ну, в общем...

Окончательно запутавшись, он замолчал.

— Кот! — сердито повторила Марина Степановна. — Кот! У него не могли народиться котята. Следовательно, Лаврик — кошка, но этого не может быть, значит, в коробке не Лаврентий, а кто? И где мой маленький несчастный мальчик?

— Я же сразу сказал, что это не Лаврентий, — прогудел Вован.

— Вы, Владимир Семенович, — вскинулась маменька, — всегда хотите казаться умней других! Никто не понял, а вы сообразили, интересно, каким же это образом!

Вымолвив последнюю фразу, Марина Степановна откинулась на подушки и шумно задышала. Доктор схватился за тонометр.

— Так и сомнений не было, — мирно дудел свое Вован, — этот, то есть эта — черная, а Лаврик светленький.

— Его вчера Вилка покрасила, — перебила его Кристя.

Вован осекся, а затем с невероятным изумлением спросил:

— Зачем?

Я почувствовала, как к ушам приливает кровь.

— Мне нравятся крашеные кошки.

— А... ну тогда, да... понятно, — забормотал Вован.

Олег молча смотрел на меня.

— Сто двадцать на восемьдесят, — сообщил доктор.

Однако у бабульки давление, как у космонавта.

— Где мой Лаврик? Где? Где? — завела Марина Степановна.

Голос ее, сначала тихий, слабый, постепенно набрал силу и под конец загудел, словно орган в католическом соборе.

— Виолетта...

— Она Виола, — попытался «построить» Марину Степановну Олег.

— ВИОЛЕТТА, — легко переорала его мать Вована, — немедленно отвечайте: куда вы задевали Лаврентия и откуда взялась кошка, а?

Я попыталась сосредоточиться. Значит, вчера вечером, выбежав из подъезда, я пошла по чужому следу и схватила животное, обитающее во дворе. Вот беда! Лаврик небось погиб. Изнеженный домашний кот не способен, как его беспризорные сородичи, выжить в декабрьской Москве. Лаврик либо замерз, либо попал под машину, либо его разорвали собаки. И что теперь прикажете делать? Ясно одно, Марине Степановне ни за что нельзя рассказывать правду. Старуха обожает Лаврика как родного сына.

Я посмотрела на Вована. Нет, неправильно, бабуся любит Лаврентия намного больше сына.

И тут ко мне, как всегда в трудные минуты пришло вдохновение.

— И что вас всех смутило? — презрительно спросила я.

— Она еще издевается! — обозлилась Марина Степановна. — Кот не может рожать!

— Вы так считаете?

— А вы полагаете иначе?

— Конечно, — совершенно спокойно соврала я, — в природе частенько случается подобный казус, кстати, он описан у Брэма, живет себе кот спокойненько на свете, потом, бац... и в кошку превратился. Мутирующий гермафродит!

— Что? — обалдело закрутила головой Марина Степановна.

— Мутирующий гермафродит, — повторила я, весьма довольная собой.

Надо же, изобрела новый научный термин.

— Я о таком даже... — завел было доктор, но я изо всей силы пнула его ногой, — очень много слышал, — мигом сориентировался понятливый эскулап, — подобные случаи изредка у людей случались. Живет себе мальчик спокойно, а потом, в момент созревания, выясняется, что он девушка. У гермафродитов иногда неправильно сразу определяют приоритетный пол...

— И нам учительница биологии рассказывала о таких животных, — затараторила Кристя, — они в зависимости от желания трансформируются из мужской особи в женскую...

— Да? — недоверчиво переспросила Марина Степановна. — Скажите пожалуйста, чего только не бывает!

— Могу учебник принести, — оживилась Кристя и убежала.

Доктор продолжал с упоением рассказывать о двуполых представителях фауны. Марина Степановна хмурилась, но тут появилась Кристя и сунула старухе под нос толстую книгу.

— Вот, читайте.

Бабуся погрузилась в текст.

— А как же они в баню ходят? — заинтересовался Ленинид. — В какое отделение?

Но ответа на свой вопрос он не услышал, потому что Марина Степановна подняла глаза, и я поняла, что она поверила нам.

— Лаврик! Мой кот — урод! — чуть не заплакала старуха.

— Древние греки считали гермафродитов богами, — мрачно заявил Олег.

По щеке старухи поползла слеза. Томочка, Вован и Ленинид принялись утешать ее.

— Да Лаврентий уникум!

— Вы считаете? — шмыгнула носом бабуся.

— Конечно, — заорали все хором, — такое раз в сто лет случается!

— Лаврика можно занести в книгу рекордов Гиннесса, — брякнула Кристя.

Я легонько ущипнула ее за бок. Ей-богу, вот это уже слишком. Марина Степановна сначала села, потом встала и весьма бодро посеменила к ящику.

— Действительно, — воодушевленно заявила она, — следует подать заявку в книгу рекордов Гиннесса. Лаврюша, ты будешь самый знаменитый кот России. Ой, какие котяточки! Как на Лаврика похожи! Наверное, их можно дорого продать, раз отец, то есть мать, уникальное животное.

Марина Степановна склонилась над коробкой и начала бурно умиляться.

— Сейчас чаек поставлю, — засуетилась Томочка.

— Лучше кофеек, — попросил доктор, — если не жалко, конечно.

— Для вас что угодно, — улыбнулась я, — сиди тут, Томуся, я сама накрою.

Кристина побежала за мной на кухню.

— Ловко я про учебник вспомнила? — спросила она.

— Молодец, спасибо!

— Марина Степановна очень противная, — защебетала девочка, вытаскивая чашки, — но мне ее жаль!

— Мне тоже, — согласилась я, — надеюсь, она никогда не сообразит, что от светлого кота, выкрашенного в черный цвет, не могут родиться котята-негритята.

— В жизни случаются еще большие метаморфозы, — философски заявила Кристя.

— Что ты имеешь в виду?

Кристина вытащила из пакета кекс и рассмеялась.

— Прикинь, я сделала в диктанте двенадцать ошибок.

— Что же тут смешного, небось «два» получила.

— А вот и нет, — торжествующе выкрикнула Кристя, — угадай, сколько?

— «Два» с минусом!

— Говорю же, нет.

— Кол!

— Опять мимо.

— Ноль? Ворона влепила тебе зеро?

Кристя покачала головой.

— Вилка, ты не в ту сторону пошла.

— Неужели «три»? — Я пришла в полнейшее изумление.

— «Четыре»!!!

— Сколько? — обомлела я.

— «Четыре», — повторила торжествующе Кристина, — я сама чуть не рехнулась, когда увидела, но главное... Ты главного не знаешь.

На всякий случай я села на стул и велела:

— Выкладывай.

— Ворона подошла ко мне после урока и сказала: «Я немного поругала тебя, когда приходила мама, но это только для твоей пользы. Ты хорошая девочка, в полугодии получишь твердую четверку, а в году может и «пять» выйти. Передай привет своим родителям, папе в особенности. Кстати, как называется его машина?»

Кристина настолько обалдела от любезности вечно злобной Карловны, что, сама не понимая почему, брякнула: «Мерседес».

— С какой стати я это сказала? — удивлялась она сейчас. — Почему именно «Мерседес» в голову пришел? У папы же «Нексия», вот до чего меня Ворона удивила.

Учительница, услыхав про «Мерседес», кивнула:

— Ага, я сразу поняла, когда увидела, что автомобиль твоего папы дороже всей нашей школы будет, обязательно передай ему привет!

— Машине или папе? — прошептала, вконец растерявшись, ученица.

Но учительница, не расслышав эту фразу, величаво удалилась в столовую.

— Вот это метаморфоза, — запоздало удивлялась Кристя, — во чего с людьми случается. На фоне этого Лаврик-гермафродит бледно выглядит.

Не в силах сдерживаться я захохотала во весь голос и потом рассказала Кристе, как оказалась на автобусной остановке вместе с классной дамой, как туда неожиданно подкатил на своем шикарном джипе Вован и как он, бряцая цепями и сверкая перстнями, начал запихивать меня в иномарку, радостно сообщая: «Поехали скорей домой, я там на столе пистолет забыл».

— Так она подумала, что...

— ...твой отец бандит, — закончила я за нее, — и на всякий случай решила не связываться и подольститься к дочке криминального авторитета.

— Только бы она до конца года не узнала правду, — подскочила Кристя, — как думаешь, может, мне начать растопыривать пальцы и ругаться?

— Думаю, это будет лишним, — усмехнулась я, — между прочим, у некоторых бандитов вполне воспитанные дети. Был у меня ученик...

— Но ты же не станешь разубеждать ее? — с тревогой заглянула мне в лицо девочка.

— Нет, конечно, подобное в голову не придет.

Кристина подлетела ко мне, быстро поцеловала и убежала. Я вытерла липкую щеку. Очевидно, Кристя, как всегда, грызет леденец. Ни за что не стану объяснять Вороне ошибочность ее предположения, пусть теперь противная училка трясется от страха. Папа-бандит — это серьезно, такой может и с гранатометом заявиться в школу.

Глава 25

Домашние, уставшие от треволнений, заснули рано. Позже всех улегся Олег, но, когда я пришла из ванной, муж уже тоже спал. Включенная на тумбочке лампа била ему прямо в глаза, на груди лежала книжонка в яркой обложке. Лицо Куприна было совершенно детским, немного изумленным и совершенно беззащитным. Я зажгла свой ночник, погасила лампу и осторожно убрала томик.

— Спасибо, — пробормотал Олег и перевернулся на бок.

Я легла и попыталась отвоевать кусок одеяла. Не знаю, как в других семьях, а в нашей идет вечная борьба за одеяло. По ночам Олег постоянно стягивает на себя перинку и не отдает, а еще, если мне все-таки удается заполучить краешек, то, как правило, одеяльце натягивается, и холодный воздух беспрепятственно проникает внутрь. Наверное, надо купить второе одеяло, но пока оно у нас одно, и сегодня Олег снова замотался в него, теперь лежит довольный, очень похожий на гигантский голубец.

Я выдернула из-под мужа край одеяла и расслабилась. Боже, как хорошо. В комнате тепло, в квартире тихо, на моей тумбочке лежат два мандарина и шоколадка. Сейчас съем сначала фрукты, а потом и плитку. Еще можно почитать. Есть у меня под рукой и новый роман Татьяны Устиновой, увлекательная вещь, кстати, она пишет не хуже Смоляковой!

Настроение мигом испортилось. Небось Смолякова уже накропала парочку романчиков, а я все никак не выстрою сюжетную линию. Ладно, убирайтесь прочь, грустные мысли, подумаю о всем неприятном завтра, сейчас же буду просто отдыхать.

Но отчего-то брать Устинову расхотелось. Интересно, что за книгу читал Олег?

Я потянулась к яркому томику. «Магические знания». Ну и ну! Кто бы мог подумать, что подобное издание заинтересует моего майора. И ведь изучил больше половины книги, закладка лежит на сто девяностой странице.

Я раскрыла пособие по практическому колдовству и пробежала глазами по строчкам. «Двойники. Встретить случайно свое второе «я» не означает для вас ничего хорошего. Доподлинно известно, что Екатерина Великая однажды ночью, пробудившись, одна отправилась в парадный зал, где и обнаружила саму себя сидящую на троне. Императрица испугалась и упала в обморок. Через несколько часов самодержица скончалась, так и не приходя в сознание».

Я захлопнула книжицу. Нелогично получается! Вот Смолякова подобных ляпов никогда не допускает. Если Екатерина была в тронном зале одна, а потом умерла, так и не очнувшись, то кто тогда рассказал про двойника?

К сожалению, люди, обожающие читать подобные истории, как правило, напрочь лишены умения логично мыслить, а я в отличие от них сразу вижу идиотские нестыковки.

Я выключила свет и попыталась заснуть. Славский, Женя Славский. Шофер с «нешоферской» фамилией. Значит, Анечка, украв триста тысяч долларов, перебралась жить к любовнику. Девушка бросила мать, дочку и решила начать жизнь сначала, так сказать, с белого листа. Что ж, это вполне возможно. Завтра поеду в центральный офис химчистки, узнаю адрес шофера, и дело можно считать законченным. Непонятно лишь, кто и почему убил несчастную Ксюшу Савченко и каким образом на ней оказалась куртка Ани, да еще с паспортом в кармане! Конечно, документ мог просто провалиться в дырявую подкладку...

Внезапно мне стало жарко, и я рывком села в кровати. Господи, отчего же я не сообразила сразу! Ксюшу, очевидно, убили этот Женя и Аня. Зачем? Да очень просто! Чтобы выдать ее тело за труп Ани! Подельники специально сунули в куртку Анин паспорт, чтобы те, кто обнаружит девушку, поняли — перед ними Анна Кузовкина. А сама Аня великолепно живет, абсолютно не боясь разоблачения. Очевидно, девушка полагала, что Борис станет искать ее, триста тысяч не копейки, и решила обезопасить себя. А этот Женя Славский помог любовнице. Только им не пришло в голову, что работники морга окажутся невнимательными, не заметят завалившийся за подкладку паспорт и оформят тело несчастной Ксюши как неопознанное. И уж совсем, конечно, ни Евгению, ни Ане не могло прийти в голову, что господин Геннадий Крысин, самозабвенный алкоголик, снимет с бедной Ксюши красивую курточку и подарит своей сожительнице, а та, промариновав не подходящую по размеру вещь в гардеробе целый год, решит наконец избавиться от нее и сдаст в секонд-хенд. И уж, конечно, ни в каком страшном сне преступникам не могло привидеться, что куртенка попадет в мои руки. Значит, следует отыскать Женю Славского! А около него окажется и Аня.

Я вскочила с кровати. Незачем завтра ехать в прачечную. Парень москвич, следовательно, имеет прописку, а у Кристи в компьютер закинута база данных с адресами жителей столицы.

— Ты куда? — поднял голову Олег. — Что случилось?

— Спи спокойно, сейчас приду.

Но муж решил проявить ненужную настойчивость:

— Зачем встала?

— В туалет.

Куприн замолчал и через секунду начал издавать ровное сопение. Я на цыпочках прокралась в комнату Кристины. Да уж, бардак у нее отменный! Повсюду разбросана одежда, учебники, стол усеян фантиками от конфет и мандариновыми шкурками, а на подоконнике выстроилась батарея из пустых баночек от детского питания. Тамарочка покупает Никитке еду, но мальчик не может сразу слопать двести граммов пюре из бананов или абрикосов, поэтому остатки отдаются Кристе, которая с превеликим удовольствием доедает их, а пустую тару мирно складирует на подоконнике, ленясь отнести ее в мусорное ведро.

Я плохо владею компьютером, но вполне способна пощелкать мышкой, чтобы получить нужную информацию. Через десять минут перед глазами побежали строки. Славских в Москве оказалось не так уж и много. Славиных и Славкиных проживает в столице намного больше. А Евгениев Славских оказалось всего двое. Евгений Арчибальдович и Евгений Евгеньевич. Первый родился в 1945 году, второй — в конце семидесятых.

Нужный мне Женя был сыном Евгения Арчибальдовича. Еще вместе с ними в квартире на улице Генерала Карбышева была прописана Славская Инесса Матвеевна.

Я почувствовала огромную радость. Даже если Женя и не живет больше с родителями, то Инесса Матвеевна, естественно, знает, где обитают сын и его девушка.

Утро началось с бодрого крика Марины Степановны:

— Купите Лаврику телячьей печенки!

Я нацепила халат, выползла на кухню и увидела старуху, Олега и Вована. Собравшиеся на работу мужики спешно глотали кофе, а Марина Степановна бойко раздавала указания.

— Владимир Семенович, извольте приехать сегодня не позже пяти часов и привезти Лаврику витамины, минеральную подкормку, свежий творог, сметану... И только с рынка.

— Может, Вилка туда сбегает? — с робкой надеждой спросил Вован. — У меня, вообще-то, дел невпроворот.

Я исподтишка показала ему кулак. Вот придумал!

— ВИОЛЕТТЕ нельзя ничего поручить, — отрезала старуха, — Виолетта вечно все путает, Виолетта очень безалаберна...

Олег поднял голову, я прижалась к плите. Ну вот, сейчас он выскажет Марине Степановне все, что про нее думает, и уедет, а старуха примется сначала пилить меня, а когда я убегу, возьмется за Томочку. Томуське же идти некуда, придется ей весь день выслушивать бабусю. Ну чего Олег злится! Мне совершенно все равно, как меня называют: Вилкой, Виолой, Виолеттой или Маврикией Пафнутьевной!

Но Куприн неожиданно ласково улыбнулся.

— Не волнуйтесь, я съезжу на рынок. Для вас, уважаемая Маргарита Семеновна, времени не жаль.

— Я Марина Степановна, — сердито дернула головой мать Вована.

— Да? — фальшиво изумился Олег. — Ну да это все равно, главное, Мирабелла Сигизмундовна, не волнуйтесь, я обязательно привезу творог, прямо сейчас за ним отправлюсь.

Старуха тревожно посмотрела на Олега, но ничего не сказала. Вован недоуменно уставился на друга, я, стараясь не расхохотаться, ушла в ванную.

Самое интересное, что Куприн на самом деле сгонял за творогом. Спустя примерно час он принес пакет и, положив на стол, спокойно сказал:

— Вот, кормящему Лаврику, пусть кушает.

— Благодарю вас, — царственно кивнула Марина Степановна, — очень обязана.

— Абсолютно не за что, Матрена Селиверстовна, — ответил Олег, — всегда рад помочь.

— Я Марина Степановна, — каменным голосом возвестила свекровь Лоры, — неужели так трудно запомнить простое русское имя? Очень невежливо постоянно обращаться ко мне на разный лад!

— Но вы же зовете Виолу Виолеттой, — прищурился майор.

— Это одно и то же, — рявкнула мать Вована, — дурацкое, между прочим, имечко!

— А мне ваше, Марфа Сатраповна, не нравится, — бодро заявил Олег и ушел.

Старуха начала медленно наливаться краской. Я не стала дожидаться скандала и быстренько убежала.

Дом, где жили Славские, был, очевидно, построен в пятидесятых годах прошлого века: большой, фундаментальный, он походил на гигантский океанский лайнер, окруженный мелкими лодочками блочных пятиэтажек. Нужный подъезд оказался закрыт на кодовый замок. Я попрыгала пару минут на морозе, сейчас кто-нибудь выйдет, а я войду. Так и случилось. Из дверей выскочила девочка примерно одного возраста с Кристиной и побежала к автобусной остановке. Она явно проспала и теперь торопилась успеть хотя бы на третий урок.

Я вошла в гулкое помещение, поднялась на второй этаж и позвонила. Дверь распахнулась мгновенно, словно хозяйка ждала меня.

— Вам кого? — прошелестело нечто, показавшееся на пороге.

На секунду я растерялась. Кого я вижу перед собой? Евгений Арчибальдович и Инесса Матвеевна еще относительно молодые люди, а перед моими глазами маячит старуха с седыми, давно не мытыми волосами, изможденным, морщинистым лицом и тусклыми глазами. Может, это престарелая бабушка Евгения?

— Вам кого? — прошептала бабуся.

— Э... можно Славского?

— Евгений Арчибальдович скончался, — грустно сообщила бабушка.

— А Инесса Матвеевна?

— Слушаю вас.

Я чуть не заорала: «Не может быть!» — но вовремя прикусила язык и принялась вымученно улыбаться.

— Здравствуйте, страшно рада познакомиться.

— Вы кто?

— Мама Ксюши Савченко.

Инесса Матвеевна сделала шаг назад и прислонилась к стене.

— Не понимаю.

— Я мама Ксюши Савченко, гражданской жены вашего сына.

Инесса Матвеевна сцепила пальцы рук, как-то жутко вывернула их и еле слышно спросила:

— Какого сына?

Я попыталась сохранить на лице улыбку, очевидно, у дамы склероз, случается иногда такое даже с не слишком старыми женщинами.

— У вас есть мальчик, Женя, — стала я растолковывать Инессе Матвеевне. — С ним живет девушка Ксюша, это моя дочь. Вот я и приехала познакомиться.

— У меня нет сына, — тихо ответила Инесса Матвеевна.

— Как это?

— Он погиб несколько лет тому назад.

— Извините, — пробормотала я, отступая к лестнице, — в справочной мне дали ваш адрес.

— Ошиблись, — грустно ответила женщина.

— Бога ради, простите.

— Ничего.

— Я не хотела...

— Все нормально, — печально улыбнулась Инесса Матвеевна и захлопнула дверь.

Я спустилась вниз, коря себя за глупость. Ну отчего я решила, что этот Женя москвич? Небось парень приехал из провинции, устроился шофером в прачечную и обитает либо на съемной квартире, либо в общежитии. Ладно, поеду в офис «Кристалла».

Пошатавшись по длинным коридорам, я толкнулась в дверь с табличкой «Отдел кадров». Передо мной предстала тетка, словно выпавшая из семидесятых годов прошлого века. Полное тело кадровички обтягивал трикотажный пиджак с люрексом, под ним была розовая «английская» блузка с отложным воротничком, на шее красовалась нитка жемчуга. Волосы дамы были уложены в высоко начесанную «башню», губы пламенели кроваво-красной помадой, глаза щетинились слипшимися ресницами, на веках лежал сантиметровый слой синих теней.

— Вы ко мне? — ледяным тоном осведомилась она. — Оформляться на работу? Документы с собой? Имейте в виду, берем только при наличии московской прописки.

— Иногородним нельзя?

— Только из Москвы и области, — процедила тетка, — мы не связываемся с выходцами из бывших союзных республик.

— А, — заныла я, — в шоферы берете всех!

— Глупости, кто вам сказал эту чушь!

— Ну... водитель Женя Славский, он молдаванин.

Кадровичка поправила склеенные лаком волосы.

— Молдаванин по национальности может иметь в Москве постоянную прописку. К чему пустые разговоры? Правило не мной придумано, так решил совет директоров, ни в одном из наших филиалов нет провинциалов или этих, с позволения сказать, иностранцев. Поищите работу в ином месте.

— Я москвичка!

— Тогда в чем дело? — начала сердиться тетка. — Не пойму вас!

Тут дверь приоткрылась и показалась голова, украшенная такой же «башней».

— Капитолина Михайловна, ваша Юля не хочет Танечку на «елку» сводить? Есть билетик.

— Спасибо, Ольга Евгеньевна, — кивнула тетка, — сейчас позвоню дочке.

Голова исчезла.

— Так в чем дело? — повторила Капитолина Михайловна.

На меня напало вдохновение:

— Вы, как мать, должны понять проблему!

Капитолина Михайловна снова осторожно поправила волосы.

— У меня нет времени на пустую болтовню.

— Я быстро все объясню.

— Да уж постарайтесь! — скривилась Капитолина Михайловна.

Я прижала руки к груди и залепетала. У меня есть дочь, хорошая девочка, домашняя, воспитанная мамой без папы на маленькую зарплату бюджетницы. Девочка отлично училась, настоящая умница, поступила в институт, да, на беду, влюбилась, просто потеряла голову, причем в самого неприятного парня, более неподходящей партии и придумать нельзя. Женя Славский работает шофером в фирме «Кристалл», но не это пугает. Парень просто поселился у нас, постоянно заговаривает о свадьбе, но... С родителями своими ни мою дочь, ни меня знакомить не спешит. Сколько раз ни намекали — отшучивается.

Я же на днях решилась на нехороший поступок, залезла в вещи предполагаемого зятя, думала найти там паспорт, но обнаружила только письмо с обратным адресом: «Кишиневская область, село Тарабуцы». И теперь меня гложут сомнения. Судя по тексту, в этой деревеньке со смешным для московского уха названием проживает бабушка Жени. Значит, он молдаванин? Зачем врал тогда, что вырос в Москве? Хочет охомутать доверчивую девочку, прописаться у нее в квартире, а потом?

Капитолина Михайловна забарабанила пальцами по столу. Я перевела дыхание, неужели не сработает? По всем расчетам, кадровичка должна проникнуться ко мне участием. Она, похоже, очень не любит жителей ближнего зарубежья, имеет дочку, должна обязательно «примерить» ситуацию на себя...

— Ну и что вы хотите от меня? — неожиданно ласково поинтересовалась Капитолина Михайловна.

Я чуть не захлопала в ладоши от радости: сработало.

— Пожалуйста, посмотрите по документам, где прописан юноша, если он москвич, я успокоюсь и не стану ничего рассказывать дочери, а если...

Капитолина Михайловна крутанулась на стуле и открыла шкаф.

— Очень хорошо вас понимаю, — пробормотала она, перебирая папки, — сама переживала, когда моя Юля заневестилась. А ну как приведет лимитчика или негра какого-нибудь! И что прикажете делать? Но у нас, слава богу, благополучно завершилось! Ровню нашла. Как вы говорите, Славский Евгений?

— Да-да, — быстро закивала я, — именно так!

Капитолина Михайловна вытащила тоненький скоросшиватель.

— Был у нас такой. Славский Евгений Евгеньевич. Можете успокоиться, он москвич, прописан на улице Генерала Карбышева...

— Где? — растерянно переспросила я.

— На улице Генерала Карбышева, — назвала хорошо мне известный адрес кадровичка, — по-моему, это где-то на севере столицы. Впрочем, точно не подскажу, сама в Теплом Стане живу. Только Славский у нас недолго проработал. Его взяли шофером, едва ли месяц поездил и ушел.

— Почему? Наверное, пил, да?

Капитолина Михайловна поворошила бумажки.

— Да нет, ни в чем отрицательном замечен не был, серьезный молодой человек, в Чечне служил, вроде ранен был.

— Тогда отчего он уволился?

— Зарплата у нас маленькая, — разоткровенничалась кадровичка, — а работы много, текучка поэтому огромная, в особенности среди шоферов. Мы белье обязаны клиенту вовремя доставить, ну, допустим, с семнадцати до девятнадцати. Редко кто из людей дома сидит. А в городе пробки, запоздает машина — мигом скандал поднимается. Начальство же у нас ни во что вникать не хочет: не привез бельишко вовремя — штраф. Поэтому от нас водители и бегут. Сколько раз говорила: ну при чем тут человек, сидящий за баранкой? Обстановка в городе такая, нельзя людей рублем наказывать, и так они четырех тысяч не получают. Но нет, не убедила, вот отсюда и текучка. На сегодняшний день у меня пять вакансий! Машины простаивают!

— А куда ушел Славский? — поинтересовалась я. — Нам-то с дочерью он ничего про смену места работы не рассказал!

Капитолина Михайловна хмыкнула:

— Откуда же мне знать, куда он подевался. Это раньше со службы не увольняли, пока с нового места подтверждения о приеме не принесешь. А теперь — свобода. У некоторых людей по две, а то и по три трудовые книжки лежат. Бардак, он и есть бардак! Такую систему учета поломали. Лет бы двадцать назад мигом вам сообщила, куда перебежал, а сейчас! Ищи ветра в поле.

Глава 26

Я вышла на улицу и поежилась. Мороз мигом сковал мне лицо. Чувствуя, как немеет кончик носа, я пошла к метро. Надо опять ехать к Инессе Матвеевне. Очень надеюсь встретить у нее дома еще кого-нибудь, потому как, похоже, у дамы маразм. Подобное несчастье может произойти с человеком в любом возрасте. В свое время в соседней с нами квартире жила Катя Виноградова, совсем молодая женщина. Моя мачеха Раиса, вернувшись однажды с работы, мрачно сказала:

— Видать, зашибает Катюха по-черному!

— Никогда не видела ее пьяной, — удивилась я.

— Мету сейчас двор, — стала рассказывать Раиса, — вижу, Катька шлепает. Привет, кричу ей, как дела... Угадай, чего она ответила?

— Ну... добрый день, хорошо.

Раиса засмеялась:

— Сто лет гадать станешь — не дотумкаешь. Подошла ко мне и шепнула: «Здравствуйте. А мы разве знакомы?» Вот до какого состояния ужраться можно! Соседей, с которыми всю жизнь на одной площадке толкаешься, не узнаешь!

Потом я встретила Катю Виноградову в прачечной. Она испуганно озиралась по сторонам и бормотала:

— Что это? Как домой пройти? Где я живу?

Люди, посчитав ее пьяной, брезгливо обходили стороной хрупкую фигурку. Я подошла к соседке и сразу поняла — алкоголь тут ни при чем. У Кати был безумный взор, не слишком связная речь, но спиртным от нее не пахло.

Я привела ее домой. Ее муж Костя, открыв дверь, тяжело вздохнул:

— Спасибо, Вилка. Не уследил, опять удрала.

— А что с ней такое? — полюбопытствовала я.

— Склероз, — ответил Костя.

— Так Катя же молодая, — удивилась я.

— Вот оно как, оказывается, бывает, — махнул рукой Костя, — сорока не справила, а из ума выжила, дома одну не оставишь! Глупости говорит, то плачет, то смеется. Вчера у меня спросила: «Вы кто!» Ну ответил ей: «Муж твой». Так она давай кричать: «Нет, нет, мой давно умер».

Вернувшись на улицу Генерала Карбышева, я вновь позвонила в дверь и опять увидела Инессу Матвеевну.

— Снова вы? — слабо удивилась мать Евгения.

— Скажите, дома, кроме вас, кто-нибудь есть?

— Нету, — спокойно сказала она, — да и кому взяться? Живу одна, муж умер, сын погиб.

— Можно к вам зайти? Не бойтесь, пожалуйста, я не причиню вам вреда.

— Я никого не опасаюсь, — мрачно заявила Инесса Матвеевна, — красть в квартире нечего, только книги, но они никакого интереса не представляют, в основном словари. А если задумали убить, так благодарна буду. Давно бы руки на себя наложила, только мужества не хватает.

Я вошла в коридор и стала расстегивать сапоги.

— Бросьте, — равнодушно обронила Инесса Матвеевна, — ступайте так.

— Но я пришла с улицы, там грязно.

— Не для кого чистоту беречь, — сухо уронила хозяйка, — никто не придет, никто!

Она закашлялась и побрела по коридору, маленькая, чуть сгорбленная, похожая на скомканную, ненужную бумажку.

Я поторопилась за ней. Инесса Матвеевна провела меня в большую комнату, служившую, очевидно, ее мужу кабинетом. Три стены здесь занимали полки с книгами, возле окна стоял письменный стол. На нем — две фотографии, увитые черными лентами. На одной был запечатлен седовласый мужчина со слегка угрюмым, замкнутым лицом, на другой — мальчик лет двенадцати, с веселой улыбкой. Белозубый, кудрявый, ясноглазый, он радостно смотрел на меня. Траурный бант казался абсолютно неуместным на фоне этого снимка.

Инесса Матвеевна опустилась на диван, указала мне на кресло и спросила:

— Что за печаль привела вас сюда и какое отношение имеет к вашим делам мой покойный сын?

Внезапно я поняла: с памятью у женщины полный порядок. Узнала же она меня сразу. Похоже, и с умом проблем нет, просто Инессе Матвеевне больше не для кого жить, вот она и перестала следить за собой, тихо влачит существование, не надеясь ни на что хорошее.

— Что случилось с вашим сыном?

— Он погиб.

— Где?

Инесса Матвеевна откинулась на спинку дивана.

— Зачем вам? Жени нет.

— Пожалуйста, расскажите!

— Не хочется.

— Очень прошу.

Инесса Матвеевна покачала головой:

— Не просите.

Я посидела пару секунд молча, но потом решилась, набрала в грудь побольше воздуха и начала:

— История может показаться вам невероятной, но жизнь порой подбрасывает такие сюжеты! Пару недель назад я зашла в магазин «секонд-хенд» и купила там чудесную куртку...

Инесса Матвеевна сидела тихо-тихо, словно заяц, учуявший охотника. Она слушала меня абсолютно молча, не перебивая, не удивляясь, не восклицая: «Надо же! Не может быть». Где-то в середине рассказа я испугалась, что Инесса Матвеевна меня попросту не слышит, и спросила:

— Вы понимаете, о чем речь?

Не меняя позы, хозяйка кивнула и снова замерла. Наконец фонтан сведений иссяк. Инесса Матвеевна пробормотала:

— Женя погиб в армии. Отец потом проклинал себя за тот разговор, но поздно. Слово вылетело, назад не вернешь. Правда, одно время мы с

Евгением Арчибальдовичем думали, что все к лучшему, надеялись, что армия из Жени человека сделает. Но потом супруг умер от удара, а я вот живу, вернее, прозябаю.

— Простите, — я робко перебила ее, — но я ничегошеньки не понимаю!

Инесса Матвеевна положила руки на колени.

— Попробую по порядку, если получится.

Я затаилась в кресле.

Инесса Матвеевна и Евгений Арчибальдович долго не имели детей. Сын у них появился далеко не сразу после свадьбы. Инессе Матвеевне пришлось долго лечиться, а потом всю беременность провести прикованной к кровати. Но это, ей-богу, было сущей ерундой, главное, что на свет появился мальчик.

С раннего детства Женечку окружили любовью и вниманием. Родители кидались выполнять все его желания. Надо сказать, что мальчик был просто замечательный: умный, красивый, здоровый. Женя великолепно учился, окончил школу с золотой медалью, без всяких проблем поступил в вуз. Но и на солнце случаются пятна.

Женя ни в грош не ставил родителей. На любую просьбу мамы, самую невинную, типа: «Убери за собой постель», мгновенно следовал взрыв негативных эмоций. Парень мог послать матом отца или нахамить матери. И еще он ничего не делал по дому, бросал незастеленный диван, оставлял на столе грязную посуду. Мог до трех часов ночи слушать на полной громкости магнитофон, а на замечание отца заявить:

— Если тебе мешает, заткни уши.

И уж совсем раздражающей была его привычка брать из семейной кассы деньги и тратить на

всякую ерунду. Пару раз в доме вспыхивали
дикие скандалы. Евгений Арчибальдович, интел-
лигентный человек, профессор, начинал орать и
топать ногами, Женя кидался на отца с кулаками, Инесса Матвеевна, рыдая, растаскивала своих мужчин в разные стороны.

Она надеялась, что Женя повзрослеет и обра-
зумится, но сын день ото дня становился все на-
хальнее. Иногда мать робко говорила ему:

— Женечка, папа тебе добра хочет.

— Вот бы сдох поскорей, старый козел, —
следовал ответ.

— Евгений! — возмущалась мать. — Как ты
можешь!

— Вечно ко мне придираешься, — рявкнул
парень, — да я у вас золото: не пью, не курю,
наркотиками не балуюсь, отлично учусь, чего
еще надо? Вечно всем недовольны, надоело!

Как правило, на этой ноте разговор заканчи-
вался. Инесса Матвеевна пасовала. «Женечка
вовсе не такой плохой, — думала мать, — просто
избалованный немножко».

Больше всего Инесса Матвеевна боялась, что
когда-нибудь Женя и Евгений Арчибальдович
поругаются в ее отсутствие, кто их тогда останo-
вит?

В один далеко не прекрасный день именно
так и случилось. Инесса Матвеевна пришла домой с работы и попала в разгар битвы. Она, как
всегда, заметалась между мужем и сыном, но те,
не замечая ее примиряющих высказываний, на-
скакивали друг на друга.

В конце концов Евгений Арчибальдович заорал с такой силой, что на столе лопнул тонкий
стакан.

— Ты мерзавец, захребетник, сидишь у нас с матерью на шее.

— Вы обязаны меня содержать, — парировал парень, — я отлично учусь!

— Тьфу, — сплюнул отец, — хватит нас своим институтом пугать. Он нам не нужен!

Неожиданно повисло долгое молчание, потом Женя, нехорошо улыбнувшись, тихо спросил:

— Значит, моя учеба никого не волнует?

Инесса Матвеевна испугалась и предостерегающе дернула мужа за рукав.

— Остановись, милый!

Но супруга понесло.

— Да, — завизжал он, — да. Я учился и работал, а ты...

— Хорошо, — кивнул Женя и ушел.

Растерянные отец с матерью переглянулись. До сих пор еще ни разу победа не оставалась за ними. Неделю Евгений ходил молча, скользил по дому как тень, а потом не пришел ночевать. До сих пор, несмотря на хамское поведение, парень всегда ночевал дома.

Инесса Матвеевна прождала юношу до утра, потом кинулась в милицию. Когда она вернулась домой, Евгений Арчибальдович лежал на диване.

— Тебе плохо? — кинулась к нему жена.

— Женя в армии, — еле слышно проговорил муж, — забрал документы из института, там, на столе, письмо.

Инесса Матвеевна схватила листок, белевший на скатерти.

«Если вам моя учеба не нужна, то и фиг с ней. Буду бегать с автоматом. Пожалеете, да поздно будет», — прочла она.

Несчастные родители выпили два литра валокордина и потом слегка успокоились.

— Может, оно и к лучшему, — подвел итог Евгений Арчибальдович, — армия из многих настоящих людей делала.

Инесса Матвеевна ничего не возразила. С одной стороны, ее сердце разрывалось от тревоги, с другой — в квартире стало очень тихо, уютно, она шла домой без всякого страха, без ожидания скандала, у нее перестал болеть желудок, прошла бессонница, а коллеги стали делать ей комплименты.

Полгода от Жени не было вестей, потом пришло письмо. «Дорогая мамочка, — писал он на листочке бумаги в клетку, — прости меня, дурака. Очень тебя люблю и горько сожалею обо всем, что было. Ты так долго терпела все мои закидоны, очень хочется тебя увидеть. Ну ничего, через восемнадцать месяцев вернусь, восстановлюсь в институте, женюсь, станешь внучат нянчить, наверное, хорошо, что я оказался тут: армия мне мозги вправила. Как вспомню, каким уродом был, так вздрагиваю». Еще из конверта выпало фото. Про отца не было сказано ни слова. Инесса Матвеевна зачитала небольшое послание до дыр. Она даже сбегала в церковь и поставила свечку, приговаривая:

— Спасибо тебе, господи, вразумил Женечку, он скоро поймет, что и отец ему зла никогда не желал.

Больше конвертов без марок в их квартиру не приносили, а еще через год пришла официальная бумага: «Славский Евгений Евгеньевич пропал без вести».

Инесса Матвеевна и Евгений Арчибальдович кинулись в военкомат. Люди в защитной форме разговаривали с несчастными родителями очень вежливо, но никакой информации от них было не добиться. В конце концов, потратив целый день на хождение по кабинетам, Славские узнали страшную правду.

Женю после подготовки отправили в Чечню. Он и еще несколько солдат сопровождали грузовик с продуктами для своей части, когда на колонну напали боевики. Дело произошло на узкой горной дороге, никаких шансов спастись у ребят не было. Чеченцы просто расстреляли их, сидя на более высокой точке, а потом ушли. На дороге остались только трупы.

— Но вашего сына среди погибших не было, — медленно растолковывал Инессе Матвеевне тучный, краснолицый майор.

— Где же он? — прошептала женщина.

Майор стал багровым и начал перекладывать бумажки.

— Ну... — забормотал он, — разное случается! Вы, главное, не переживайте раньше времени-то! Глядишь, живой объявится, мог просто в плен попасть!

Инесса Матвеевна тупо кивала головой. Евгений Арчибальдович с трудом вышел в коридор и упал.

Прямо из военкомата его увезли в больницу, где старший Славский через несколько дней умер. Инесса Матвеевна осталась одна. Больше в военкомат она не ходила. Все чаще ей казалось: уж лучше бы получить похоронную, неизвестность мучает хуже самого страшного известия.

Жизнь Инессы Матвеевны стала похожа на черный эластичный чулок, она тянулась сплошной, мрачной полосой, без каких-либо светлых пятен. Потом внезапно привычный ход событий был нарушен.

Совершенно неожиданно, через три месяца после того как она ходила в военкомат, к Инессе Матвеевне явился парень, по виду одногодок Жени. Представился он Павлом и рассказал столь долгожданную правду о Евгении.

Павел служил с ним вместе, парни дружили и в тот день были рядом в колонне, охранявшей грузовик. Когда чеченцы налетели на федералов, Паша был ранен, легко, в ногу, а вот Женя получил более тяжелую травму, пуля попала юноше в голову. Ни Павел, ни Женя самостоятельно передвигаться не могли. Боевики почему-то не стали их убивать, а прихватили с собой. Павлу надавали по зубам, а Женю не тронули. Потом ребят спустили в какую-то яму, швырнули им несколько лепешек и оставили до утра. Ночью Женя умер, перед смертью он многократно повторял свой адрес, просил:

— Пашка, если выживешь, напиши моей матери или, если вернешься в Москву, сходи к ней, расскажи про меня.

С рассветом к яме подошли чеченцы, о чем-то громко поспорили, потом вытащили труп Славского. Паша остался в яме, просидел он там довольно долго, потом его сделали рабом, продали каким-то крестьянам, которые заставили солдата работать на себя. Наверное, Павел бы просто умер от недоедания и изматывающего труда, но ему невероятно, феерически повезло. В село, где томился парень, неожиданно ворвались федералы.

Вылечившись и комиссовавшись из армии, Павел первым делом решил выполнить просьбу умершего друга. Адрес Инессы Матвеевны навечно врезался ему в память. Приехав домой, в Москву, Паша поспешил на улицу Генерала Карбышева.

Инесса Матвеевна только кивала головой.

— Значит, Женечка умер, погиб в мучениях, — пробормотала она.

— Нет-нет, — спешно сказал Павел, — он не чувствовал никакой боли, просто тихо заснул.

— И ничего не написал для меня?

Парень хлопнул себя ладонью по лбу.

— Я идиот, вот! Женя просил передать.

В руке Инессы Матвеевны оказалась золотая цепочка. Мать вздрогнула. Цепочку Инесса Матвеевна подарила парню на шестнадцатилетие, она очень понравилась сыну, и Женя с ней не расставался. Теперь у нее не оставалось никакой надежды — Женя погиб и похоронен в неизвестном месте.

Инесса Матвеевна замолчала. Я смотрела на нее. Если Евгений был убит боевиками, то каким образом его паспорт оказался у этого Павла? Значит, юноша жив. Но почему он не захотел вернуться к матери?

— Вы можете описать мне Павла? — попросила я.

Инесса Матвеевна подняла на меня тусклые глаза.

— Нет.

— Ну попытайтесь.

— Давно это было.

— Неужели совсем не запомнили?

Славская напряглась:

— Высокий, вроде светловолосый, худощавый...

— Все?

Инесса Матвеевна кивнула. Да уж, не густо. По таким приметам человека найти невозможно.

— Может, еще что-нибудь?

Славская вздохнула:

— Нет. Еще из милиции приходили, не так давно, интересовались Женей, я сообщила, что он пропал!

— Павел вам не оставил свой телефон или адрес?

— Нет.

Я окончательно загрустила, тупик. Бежала-бежала по тоннелю, надеясь увидеть свет в конце, и налетела лбом на стену.

И что теперь делать? Куда податься?

Инесса Матвеевна продолжала молча сидеть на диване.

— Можно дам вам свои координаты? — спросила я.

Славская безучастно ответила:

— Бога ради, только зачем?

— Вдруг этот Павел снова навестит вас, узнайте, пожалуйста, его адрес и сообщите мне.

— Ладно, — уронила Инесса Матвеевна.

Я нацарапала номер на бумажке и подала ей. Она молча положила клочок около себя.

На улице я чуть не зарыдала от отчаяния. Нечего даже надеяться, она моментально потеряет бумажонку с цифрами, и Павел, конечно, к ней больше не придет!

Глава 27

Домой я вернулась в ужасном настроении и нашла на кухне Вована, с шумом хлебавшего щи.

— Будешь супчик? — спросил он меня.

Я скривилась:

— Не люблю первое.

— Это ты зря, — протянул Вован и пошел к плите, — Томуська кислые щи сварганила, объедение! На мясе, с томатом, обожаю такие. Жаль, редко достаются!

— Вот скоро твоя Лора приедет, тогда и оторвешься по полной программе, — пообещала я Вовану, наливая себе чай.

— Лора не готовит, — грустно пробормотал мужик.

— Вообще? — удивилась я.

— Ага, — кивнул Вован, — у нее времени нет совсем, по сорок концертов в месяц дает!

— Зачем же так себя изводить?

— Деньги зарабатывает, — с набитым ртом пробубнил Вован, — вот, новую квартиру построили, сейчас обставим, дом заложим. Участочек уже присмотрел, гектар по Ново-Рижскому шоссе.

— И сколько же дней в месяц ты видишь жену?

Вован почесал в затылке.

— Иногда вообще не встречаю. Она может из города в город по полгода кататься!

— А вы, значит, с Мариной Степановной кукуете?

Вован кивнул.

— И тебе нравится такая жизнь? Извини, но, по-моему, это нельзя назвать семьей, — заявила я.

Мужик налил себе еще тарелку супа и сердито сказал:

— Только не начинай, как все!

— А что делают все?

— Да Лора с матерью мне плешь прогрызли. Дудят в два голоса: брось свою работу, становись у жены администратором.

— Ну, наверное, это выход, начнете вместе разъезжать.

— Я люблю свою службу, — отчеканил Вован, — и ни на что ее не поменяю. И потом, меня тошнит в автобусе, а с Лорой придется постоянно в нем ездить. Она специально для себя и музыкантов купила «Икарус», велела его покрасить в розовый цвет, а на боках написать: «Лора и группа «Аут».

— Может, тебе бросить ее и жениться на нормальной женщине? — брякнула я. — Станешь кислые щи каждый день хлебать!

— Я Лору люблю, — заявил Вован, — она скоро петь перестанет, сядет в загородном доме, начнет цветы разводить...

И он снова потопал к кастрюле за новой порцией супа. Я с сомнением покосилась в его сторону. Пока все, что слышу о Лоре, не позволяет думать, что она станет спустя какое-то время самозабвенно заниматься домашним хозяйством.

— Что же твоя супруга, раз она так хорошо зарабатывает, не наймет прислугу? Сейчас очень просто найти порядочную женщину. Будет вам стряпать, стирать, гладить.

Вован вывалил в суп остатки сметаны из банки.

— Так у нас домработницы долго не выдерживают.

— Почему?

— Сама видишь, какой у мамы характер, любую со свету сживет, — пояснил Вован, — да и мне не нравится, когда по дому посторонние шляются. Ничего, я привык уже, спасибо Лоре.

— Интересно, — стала я злиться, — за что же ты благодаришь жену?

— Она меня любит, — меланхолически сообщил Вован, — и маму тоже. А уж Марина Степановна ее просто обожает! Лора о нас заботится.

— Ее же дома никогда нет!

— Это верно.

— В чем же тогда забота проявляется?

— Лора купила посудомойку, стиральную машину-автомат, СВЧ-печку, — принялся перечислять Вован, — у нас с мамой теперь не жизнь, а праздник. Утром встал, на кнопочку нажал: пожалуйста вам из кофеварки эспрессо. Из морозильника готовые котлеты вынул, в СВЧ-печку сунул: будьте любезны, обед. Вечером еще в одну пупочку ткнул: все моется, стирается, вертится. Благодаря Лоре у нас нет никаких бытовых проблем. Знаешь, сколько такая техника стоит? Уж поверь мне, не одну тысячу баксов. Лора не жадная, она для нас с мамой ничего не пожалела.

Я не нашлась, что ответить на подобное заявление. Вован как ни в чем не бывало дохлебал суп и налил себе чай.

— Что не ешь? — спросил он. — Колбаса вкусная. Давай, Михайловский тебе!

— Что? — не поняла я.

— Михайловский тебе, — повторил Вован.

— Ты о чем?

— Тебе Олег не рассказывал?

— Нет.

Вован захихикал:

— У нас работает такой Степа Михайловский, хороший парень, но дико тупой. Зато положительный, водку не пьет, аккуратный, все бумажки у него всегда в порядке, брюки отглажены... Ну, сама понимаешь, начальство его постоянно в пример ставит.

Год назад московским ментам представилась возможность поехать за государственный счет, да не куда-нибудь, а в Париж. Французские полицейские должны были приехать в Москву, а наши отправиться в страну первой республики. Вован и Степа оказались среди членов делегации. Поскольку российские бравые служители правопорядка языкам не обучены, то с ними поехала и переводчица, хорошенькая девчонка лет двадцати пяти. У нее сразу вспыхнул роман с одним из москвичей, и девица манкировала своими служебными обязанностями. Вернее, она с удовольствием служила переводчицей для своего избранника, а Вована и Степу игнорировала.

Поселили мужиков в небольшой, но очень уютной гостинице, устроили их в ресторане отчего-то за разные столы, но за день до отъезда Степа сел вместе с Вованом.

— Чего тебе не понравилось с французами? — спросил муж Лоры.

Степа смущенно улыбнулся.

— Идиотство вышло.

— Какое?

— Не скажу, смеяться станешь!

Но Вован не отстал, и Степа объяснил, что случилось у него за трапезой. В первый день, когда он спустился к завтраку, один из лягушатников приветливо глянул на милиционера и сказал:

— Бон аппетит.

Прозвучало это у Степы в ушах так: «Бонаппети», и он подумал, что сосед решил представиться.

— Михайловский, — улыбнулся Степа и принялся за булочку с вареньем.

Вечером ситуация повторилась. Француз вновь улыбнулся.

— Бон аппетит.

— Михайловский, — спокойно ответил Степа, полагая, что сотрапезник просто забыл об их знакомстве.

На следующее утро между ними разыгрался тот же диалог, пять дней подряд мужчины говорили друг другу одно и то же. Степа пребывал в легком недоумении, ну неужели у этого парня напрочь отшибло память? Ладно, пусть он не способен выучить сложную славянскую фамилию Степана, но за каким чертом постоянно повторяет свою? Степа и так давно понял, что вертлявого мужичонку зовут Бонаппети. Но тут переводчица вспомнила и про других своих подопечных. Она подошла к столику, услыхала «диалог» и чуть не скончалась от смеха.

После завтрака она, противно хихикая, сказала Степе:

— «Бон аппетит» — это не фамилия, а пожелание приятного аппетита.

Степа понял, какого свалял дурака, и пересел за столик к Вовану.

— Не глупи, — фыркнул приятель, — иди на свое место.

— Он меня, наверное, за кретина держит, — краснел Степа, — правда глупо вышло?

— Не идиотничай, — покачал головой Вован, — пошли, я тебя назад отведу, ступай, еда стынет.

Степа нехотя побрел за Вованом. Тот довел Михайловского до столика. Француз оторвал взгляд от тарелки, улыбнулся парням, и тут Вован решил продемонстрировать, что они тоже не лыком шиты.

— Бон аппетит, — гордо произнес он, глядя в горбоносое лицо французика.

Тот еще раз широко улыбнулся и, смешно произнося звуки, ответил:

— Михайловский!

Вован и Степа зарыдали от смеха. Естественно, они, вернувшись, рассказали эту историю на работе, и теперь их коллеги, заходя в столовую, бодро говорят друг другу:

— Михайловский тебе, смотри не подавись!

Радостно смеясь, Вован выпил три кружки чаю, а потом, глянув в окно, сказал:

— Эх, бедная Лора, несется сейчас по холоду в автобусе...

Я тоже посмотрела в беспросветную тьму за стеклом. Лора мне совершенно не нравится, похоже, она жутко противная особа, которой повезло заполучить абсолютно неконфликтного мужа. Но в одном Вован прав, день-деньской разъезжать по городам и весям в автобусе очень тяжело. Я бы рехнулась на третьи сутки, даже оказавшись в роскошном «Икарусе» нежно-розового цвета с надписью «Лора».

Внезапно по спине пробежала дрожь. Машина с надписью!

— Боже! Ну и дура! — заорала я, вскакивая на ноги. — Кретинка!

— Кто? — подскочил Вован.

— Я!!!

— Что случилось?

— Машина с надписью «Прачечная «Кристалл», она...

В то же мгновение, сообразив, что говорю ненужные вещи, я прикусила язык. Молчи, Вилка, молчи.

— Чего с прачечной? — недоумевал Вован.

Я постаралась мило улыбнуться.

— Ничего.

— А все же? — неожиданно жестко поинтересовался приятель. — Сделай милость, объясни.

— Да вызвала вчера на дом прачечную, — ловко выкрутилась я, — а сама забыла. Небось приезжали, неудобно получается!

Лицо Вована разгладилось.

— Ерунда, еще раз позовешь.

— Ну-ну, — кивнула я, и быстренько осушив чашку с чаем, побежала в ванную.

Если где и можно остаться в нашем доме в одиночестве, так это около рукомойника. Сев на стиральную машину, я принялась теребить в руках брошенное кем-то полотенце. Настену украла Нюся. Девочку усыпили, наверное, Аглая дала ей какой-нибудь не слишком опасный препарат. Потом ребенка сунули в мешок, сверху прикрыли грязными простынями и увезли на машине с надписью «Прачечная-химчистка «Кристалл». Интересное, однако, дело получается. Организатором преступления был Борис, он где-то раздобыл фирменный автомобиль. От Нюси только требовалось снести Настену вниз. Значит, Борис знает водителя. Это раз. Теперь вспомним, что Аня незадолго до своего таинственного исчезновения познакомилась с Женей Славским, парнем, поразительно похожим на ее покойного гражданского мужа Ваню Краснова. А где работал Женя? Правильно, он водил машину с надписью «Кристалл» на борту. Это два. Причем Славский проработал в прачечной всего ничего. Кадровичку Капитолину Михайловну сей факт не удивил, в их коллективе большая текучка, но мне кажется, что Женя вовсе не собирался возить тюки с чужим бельем, он нанялся в «Кристалл» с одной целью — хотел получить машину. Женя тоже по уши замешан в похищении Настены. Это три. А теперь, если сложить вместе слагаемые, то в сумме имеем...

— Эй, Вилка, — загремел Куприн, распахивая дверь, — чем тут занимаешься?

— Голову мою, — растерянно ответила я.

— Сидя на стиральной машине?

— Да, то есть нет! И вообще, зачем врываться в ванную без стука?

Олег глянул на меня и вышел, я прижалась к стене. Борис великолепно знает Женю Славского, они подельники, организовавшие похищение ребенка. Но, может, я ошибаюсь?

— Вилка? — заверещала Кристя. — Гляди, что покажу! Котеночек глаза открывает.

Я начала потихоньку злиться. Только что промелькнула какая-то интересная, важная мысль, и вот, пожалуйста! Влетает Кристина, и в голове мигом образовалась пустота.

— Кристя! Какого черта ты врываешься без стука! Я моюсь!

— Сидя на стиральной машине?

— Да!!! Всегда так делаю! Именно восседая на «Канди»!!!

Кристина повертела пальцем у виска и выскочила в коридор. Я попыталась сосредоточиться.

Почему Женя Славский не вернулся к матери? Ну, предположим, достали его родители, случается такое. Юноша распсиховался, топнул ногой и решил отомстить им — подался в армию. Очевидно, Женя был инфантилен, вот и выдал реакцию подростка: назло кондуктору пойду пешком. Но мне сейчас не интересны мотивы, заставившие парня бросить институт. Почему он не вернулся к матери? Отчего подослал к ней этого Пашу?

— Вилка, — защебетала Томусечка, всовываясь в ванную, — посмотри, какую я кофточку Никитке купила, голубенькую, с мышками.

Я застонала. Опять в мозгу мелькнула замечательно интересная мысль и вновь исчезла безвозвратно. Томуська озабоченно глянула на меня.

— У тебя зубы болят?

— Нет!

— Но ты плохо выглядишь, хочешь, ложись в кровать, принесу тебе туда чаю.

О боже! Такая опека может доконать человека. Но на Томочку срываться нельзя, она начнет переживать, и вообще, мы никогда не ругаемся, в основном, конечно, из-за патологической незлобивости и уступчивости Томы.

— Спасибо, все в порядке, — прошипела я, — просто моюсь себе спокойно!

— Сидя на стиральной машине?

Ну что они все задают один вопрос!

— Да! — рявкнула я. — У каждого свои привычки.

— Извини, — бормотнула Томуся.

На ее лице заиграла робкая улыбка, и Тома тихонько ушла. Я расстроилась, знаю ведь, что она всегда, во всех ситуациях винит только себя и теперь наверняка огорчается, что испортила мне настроение. Сейчас побегу, обниму ее, поцелую и попрошу прощения.

...Все-таки странно, что Женя не пришел к маме, он ведь раскаялся, извинился перед ней в письме... Может, это не он сидел за рулем... А кто? Почему тогда у этого типа оказались документы Славского? И тут я наконец поймала вспугнутую мысль за хвост. Надо...,

— Эй, Вилка, — загундосил Ленинид, — принес тебе чего! Посмотри!

Из моей груди вырвался вопль.

— Немедленно уйди!

— Почему?

— Я моюсь!

— Сидя на стиральной машине?

— Да!!!

— И незачем так орать, — обиженно сказал Ленинид, — нет бы подойти к папке, поцеловать. Неласковая ты, даже грубая. Неприятно, между прочим! Я тебе подарок несу, а ты...

Продолжая бубнить, папенька сунул мне в руки яркий томик и удалился. Я уставилась на книгу. Смолякова. «Жила была курочка-жаба». Она опять выпустила новую повесть! С ума сойти можно. Это не женщина, а автомат по выпеканию криминальных романов. Наверное, у нее нет семьи. Хотя вроде в каком-то интервью я читала, что у Смоляковой трое детей! Небось вранье. Ну как она ухитряется работать в доме, набитом чадами и домочадцами? В нашей далеко не маленькой квартире совершенно невозможно сосредоточиться!

— Если хочешь, чтобы сюда никто не входил, почему дверь не заперла? — снова всунулся в ванную Ленинид.

Я соскочила с машины, вытолкала папеньку в коридор и опустила крючок. На этот раз интересная мысль осталась в голове. Надо узнать, какого числа похитили Настену, потом съездить снова к Капитолине Михайловне и разведать, кто работал на машинах фирмы «Кристалл» в тот день. И если в списках водителей окажется Женя Славский... Если он там будет, вот тогда и поговорим с Борисом. Но у кого узнать про дату киднепинга? Так у Нюси же!

Вдохновленная этой замечательной идеей, я выскочила из ванной и налетела на Марину Степановну.

— Виолетта! — взвизгнула старуха. — Что за манера скакать по квартире, словно больное кенгуру?

— Извините, — промямлила я, пытаясь скрыться в спальне, — взбодрилась после душа.

Марина Степановна уцепила меня за рукав.

— Виолетта! Вы отдавили мне ногу!

— Простите, я не нарочно.

— Теперь у меня снова начнется приступ астмы!

Как могут быть связаны между собой нога и астма, я не знаю. Ладно бы старуха вспомнила про артрит!

— Ей-богу, я нечаянно, Мадлена Пафнутьевна! — выпалила я. — Не со зла, мне очень жаль вашу ногу!

Марина Степановна сначала поджала губы, а потом прошипела:

— Хорошо, Виолетта, очень хорошо, — и удалилась по коридору с высоко поднятой головой.

— Ну, Вилка, ты даешь, — хихикнула Кристя, наблюдавшая за этой сценой из своей комнаты, — теперь тебя Марина Степановна со свету сживет.

— Да что я такого сделала-то? Ну наступила ей на ногу, случайно ведь!

Кристя прищурилась.

— Ты специально глупой прикидываешься?

— Нет, — растерянно ответила я, — ей-богу, не понимаю, что произошло?

— Ты только что назвала ее Мадленой Пафнутьевной, — захохотала Кристя, — и не говори, что сделала это случайно!

— Да ну?!

— Вилка, не притворяйся!

— Но честное слово, я не заметила как...

— Ладно тебе, — погрозила мне пальцем Кристя и включила компьютер.

Я пошла по коридору в свою спальню. Надо же, Мадлена Пафнутьевна! Откуда я только взяла это имечко, уму непостижимо! Ясное дело, теперь старуха объявит мне непримиримую войну.

Глава 28

В барак к Нюсе я прибежала на следующий день в районе семи вечера. По дороге, в метро, пролистала почти всю новую книгу Смоляковой. Надо же, опять у нее вышел отличный детектив. Крутой сюжет, моментами страшно, моментами смешно. Оторваться от ее произведений просто невозможно, похоже, что мне никогда не написать ничего даже отдаленно похожего. Как читатель я была в полном восторге, а как коллега по цеху едва справлялась с завистью.

Нюси дома не оказалось. Я отбила о филенку кулак и в изнеможении прислонилась к стене. Плечо задело висящий таз, и он, больно стукнув меня по голове, с ужасающим грохотом рухнул на пол.

— Кого тут черти носят, — послышался недовольный, хриплый голос.

Дверь, расположенная напротив, отворилась, и в коридор выплыла женщина огромных размеров. Скрестив на подушкоподобной груди две здоровенные ручищи, она принялась меня ругать:

— Глаз нету? Пообваливала все на пол, пошвыряла, шум устроила. Ты, ваще, кто такая? Че в нашем коридоре делаешь, кто пустил?

Я мирно улыбнулась:

— К Нюсе пришла, а ее нет. Можно подождать ее где-нибудь?

Бабища шумно высморкалась.

— Ступай отсюда, нечего здесь ошиваться.

— Так я не к вам пришла, а к Нюсе. Не имеете права меня гнать!

Соседка уперла руки в бока:

— Вали отсюда, нет твоей собутыльницы.

— А где она, не знаете?

— Знаю.

— Подскажите, пожалуйста.

— В морге, — гулко, словно из бочки, сообщила громадина.

— В морге? — растерянно переспросила я. — А когда вернется?

— Ты дура? — усмехнулась соседка. — Кто же оттуда возвращается? Если попал, все, пеките блины на поминки.

— Так Нюся умерла! — оторопела я.

— О чем тебе и толкую, — равнодушно подтвердила толстуха.

— Когда?

— Пару дней назад.

— Господи, она же молодая совсем, — растерянно бормотала я, — что же с ней случилось?

Баба презрительно сморщилась:

— Молодая, да ранняя, выпить любила, в особенности последнее время. Ужрется и весь туалет уделает, ее тут наши побить хотели! Никогда за собой не убирала...

Я тупо смотрела на «гренадера». Похоже, кончина Нюси ее совершенно не опечалила, даже наоборот — обрадовала.

— Пожалуйста, скажите, что с ней случилось.

— Я ей никто и знать ничего не хочу, у тетки спрашивай.

— У кого?

— Дверь пни как следует, — посоветовала бабища, — там ейная тетка или другая какая родственница, вчерась заявилась, наследница! Тьфу на нее.

— Но комната заперта, — растерянно пробормотала я, — я стучала, стучала...

— Стучала! — передразнила меня грубиянка.

Потом она со всего размаха треснула ногой по двери. Та с легким скрипом открылась. Стало видно всю пеналообразную комнату. На продавленном диване, поджав грязные босые ноги, свернулась калачиком женщина.

— Во, любуйся, — прогромыхала великанша, — наследница, блин! Тоже ужратая! Не будет нам покоя!

Я подошла к софе и потрясла спящую за плечо. Та приоткрыла мутные глаза.

— А? Что?

— Где Нюся? — накинулась я на нее.

Женщина села и потрясла растрепанной головой.

— Ты кто?

— Подруга Нюси, а ты кем ей приходишься?

— Валя я, тетка ее двоюродная.

— Где Нюся? — повторила я вопрос, в душе надеясь на то, что толстуха-грубиянка наврала мне про смерть девушки.

Но Валя шмыгнула носом и заголосила тоненьким, протяжным голоском:

— Ой, мамочки, ой, горе-несчастье, ой, какая беда...

Я пнула ее в бок.

— Не блажи, отвечай нормально.

Валя захлопнула рот, помолчала мгновение и уже другим тоном ответила:

— Умерла Нюська, водкой траванулась, купила бухалово и на тот свет отъехала, комната теперь мне достанется, других родичей у нее нет.

— Когда случилось несчастье?

Валя стала ерошить грязные, торчащие в разные стороны волосы.

— Ну... это... точно не упомню... Хоронить завтра надо, только деньги где найти? Откуда им взяться? Соседи тут гады, никто и копейки не дал.

У меня зазвенело в голове. В спертом воздухе, казалось, напрочь отсутствует кислород, от Валентины удушающе несло потом. Перестав слушать ее запинающуюся речь, я вышла в коридор, с трудом добрела до двери и выбралась во двор. Не хватало только упасть в обморок!

Но на улице мне сразу стало легче. Я стояла на детской площадке, вдыхая упоительно свежий морозный воздух. Нюся умерла, отравившись фальшивой водкой. К сожалению, это очень частое явление. На оптовых рынках и в ларьках, стоящих у метро, нередко продается некачественный алкоголь.

Но что делать мне? Как выяснить дату похищения Настены? Естественно, ее знает Борис, но мне отчего-то пока совсем не хочется идти к парню.

В метро мой мозг окончательно обрел работоспособность. Есть еще один человек, владеющий нужной информацией, — это несчастная мать Настены, Сильвия Яновна. Я вышла из вагона на ближайшей станции, села на скамейку и стала обдумывать ситуацию. Наконец решение было принято, и я поехала в жилищный комплекс «Голубые просторы».

Вообще говоря, я рассчитывала, что на месте консьержки будет сидеть словоохотливая Валентина. Но за столом маячила незнакомая дама лет пятидесяти, а у лифта ходил другой охранник, ярко-рыжий парень с лицом, покрытым, несмотря на декабрь, веснушками.

— Добрый день, — вежливо сказала я.

Дама кивнула, но ничего не ответила.

— В этом доме выставлена на продажу квартира.

Лифтерша окинула меня взглядом и высокомерно заявила:

— Информация верна, но, думается, апартаменты вам не по карману!

Я улыбнулась:

— Даже и не мечтаю о таких. Меня хозяйка прислала, эстрадная певица Лора, слышали о ней?

— Ага, — ожил секьюрити, — группа «Аут», прикольные девочки!

— Значит, можно поговорить о квартире?

Поняв, что у меня серьезные намерения, дежурная сменила гнев на милость. Она вытащила из ящика стола визитку и пододвинула к себе телефон.

— Софья Михайловна? Тут покупатель пришел, ну на ту жилплощадь! Подождите на диванчике, сейчас риелтор прибежит, она по соседству живет.

Последняя фраза была сказана в мой адрес. Я покорно уселась и уставилась на дверь. Примерно через полчаса влетела запыхавшаяся тетка лет пятидесяти и, едва переведя дух, спросила:

— И где она?

Консьержка указала на диван. Софья Михайловна посмотрела на меня и разочарованно протянула:

— Вы хотите купить квартиру в этом доме?

Я улыбнулась:

— Моя хозяйка не имеет возможности зря тратить время, поэтому сначала апартаменты осмотрю я, будем знакомы, Виола, помощница по хозяйству эстрадной певицы Лоры.

Софья Михайловна захлопала глазами.

— Лоры? Мои дети вечно ее слушают, прямо надоело, то есть я хочу сказать, знаю Лору.

Следующий час мы посвятили экскурсии по квартире.

Лично я бы никогда не стала жить в такой. Пол здесь везде был затянут нежно-розовым ковром, на стенах висели странные картины, состоящие из клякс и пятен, мебель представляла собой гнутые никелированные трубки. Те, что прикрывались подушками, назывались кресла, а те, на которых покоилось толстое стекло, — столами. Даже в детской комнате было, на мой взгляд, неуютно, а вместо нормальных светильников из самых неожиданных мест торчали галогеновые лампы с мертвенно-бледным светом.

Но я постаралась изобразить восторг.

— Потрясающе! Именно то, чего хотела Лора! Великолепно! Как можно связаться с хозяйкой?

— Сейчас дам вам телефончик, — радостно воскликнула Софья Михайловна, — хотя зачем вам Сильвия Яновна? Все вопросы Лора может решить через агентство.

— Нет, она захочет иметь дело лично с этой Сильвией, — настаивала я.

— У меня только мобильный номер...

— Отлично! — воскликнула я, стараясь сдержать рвущееся наружу ликование.

Следующие два часа я безуспешно пыталась дозвониться до Сильвии. Из трубки все время несся равнодушный голос:

— Аппарат абонента выключен или находится вне зоны действия сети.

Я дозвонилась лишь после шести.

— Слушаю, — прозвучало наконец-то из трубки.

— Сильвия Яновна?

— Да.

— Я по поводу вашей квартиры в «Голубых просторах».

— И что?

— Хотим ее купить.

— Сделайте одолжение.

— Но прежде надо поговорить с вами.

— О чем?

— Как это? Обо всем.

— Мои интересы представляет риелторская контора, запишите ее координаты.

— Но мне надо побеседовать с вами.

— Совершенно незачем, риелтор имеет безоговорочные полномочия.

— Если не встретитесь с нами, мы не станем связываться с покупкой квартиры, — решила я припугнуть даму, но она мгновенно ответила:

— И не надо, я абсолютно никуда не тороплюсь!

Из трубки понеслись гудки. Я растерялась. Придется искать другой предлог для встречи.

Минут через пятнадцать я снова соединилась с Сильвией.

— Сильвия Яновна? Я случайно стала обладательницей интересной для вас информации.

— Мой мобильный не предназначен для служебных разговоров, — мгновенно отрезала женщина, — завтра с утра звоните в банк, там и побеседуем.

— Речь идет о Настене.

Сначала воцарилось молчание, потом Сильвия Яновна коротко сказала:

— Хорошо, где встретимся?

— Могу приехать к вам домой.

— Нет, — быстро ответила она, — кафе «Ростикс» возле станции метро «Маяковская», через час.

— Но как я вас узнаю?

— На мне будет коротенькая шубка бело-розового цвета из крашеной норки и бежевые брюки, в руках бежевый портфель. Встану у входа.

Из трубки полетело противное «пи-пи-пи». Я поднялась со скамейки и пошла в сторону перехода на Замоскворецкую линию.

Сильвия Яновна оказалась точной, словно Восточный экспресс. Спустя ровно шестьдесят минут на пороге кафе возникла стройная фигурка в ярком полушубочке. Я подошла к ней.

— Добрый вечер.

Сильвия окинула меня оценивающим взглядом.

— Говорите, что вам известно.

— Может, сядем?

— Нет, прямо тут.

— За минуту я ничего не успею рассказать, мы привлечем к себе внимание, поверьте, это не нужно ни мне, ни вам.

Сильвия заколебалась, потом приняла решение.

— Хорошо, вот здесь у входа есть место.

Я не стала спорить и присела за выбранный ею столик. Сильвия уставилась на меня ярко накрашенными глазами.

— Говорите.

— Разрешите сначала представиться.

Мать Настены скривилась.

— Мне ваше имя ни к чему, но если желаете — валяйте.

— Виола Тараканова, частный детектив.

Брови собеседницы поползли вверх.

— Кто?

— Послушайте меня, — улыбнулась я, — во-первых, мне не надо никаких денег.

Сильвия отбросила с лица прядь тонких светлых волос.

— Что тогда хотите? Информацию? Какую? Но сначала я желала бы узнать, что известно вам.

— Расскажу вам кое-что о Настене даром.

Сильвия вытащила из вазочки зубочистки и принялась методично ломать их.

— Бесплатный сыр бывает только в мышеловке, — сердито сказала она, — мне в этой жизни ничего не досталось даром.

— Все когда-нибудь случается в первый раз, — улыбнулась я, — поверьте, у меня нет никаких меркантильных расчетов. Просто в ходе другого, не имеющего к вам никакого отношения, расследования я узнала, где находится ваша дочь...

Внезапно Сильвия схватила меня за запястье. Я вздрогнула, руки женщины были горячими, просто раскаленные гвозди, а не пальцы.

— Вы знаете, где Настена? Умоляю, скажите.

— Я не уверена, что владею точными сведениями.

— Плевать, говорите любые.

— Насколько я знаю, ваш бывший любовник, отец девочки, уехал на постоянное местожительство в Америку.

— По моим сведениям, в Канаду, — поправила меня Сильвия, — но какая разница!

— У вас работала няня Аглая?

— Да.

— А белье вы сдавали в прачечную «Кристалл»?

Сильвия кивнула.

— Тогда слушайте...

Чем больше я говорила, тем сильнее бледнела Сильвия, потом она прошептала:

— Вон там, в самом углу столик, давайте пересядем, от двери дует.

Мы переместились на новое место.

— Принесите мне кофе, прошу вас, — пробормотала банкирша.

— Он здесь очень плохой, — предостерегла ее я, — растворимый, не лучшего качества, просто отрава.

— Очень холодно, — прошептала Сильвия, — меня трясет.

Я сбегала к прилавку и принесла горячий шоколад, так сей напиток был обозначен в меню. На самом деле в стаканчике плескалось самое обычное какао, но мне показалось, что он все же лучше кофе.

Сильвия обхватила дрожащими пальцами пластиковый стакан.

— Так я и знала, чувствовала, что без Ефима тут не обошлось! Только никаких подозрений он не вызывал, уехал с женой за границу до того как Настену украли. Но внутренний голос мне подсказывал: знает Фима что-то, знает... О господи, только бы это было правдой.

— Думается, проверить информацию легко.

— Да, — подскочила Сильвия, — да, прямо сейчас начну искать его телефон, позвоню...

— Ни в коем случае, — испугалась я.

— Почему? — растерянно посмотрела на меня управляющая банком.

— Ефим, естественно, ответит вам, что не знает, где Настя.

— Я поеду и проверю!

— За то время, пока вы получите визу, ваш любовник спрячет девочку. Надо не так поступить.

— А как?! Как?! — нервно воскликнула Сильвия.

— Явиться к нему в гости без всякого предупреждения, просто обвалиться на голову, причем не одной, а с парочкой адвокатов и представителем посольства России. Настена по документам не имеет отца, Ефиму Ивановичу грозит нешуточный срок за похищение.

— Да, — засуетилась Сильвия, — да, ты права, сейчас, сию минуту...

Она вытащила из сумки красивый новенький мобильник и, набрав номер, неожиданно захлопнула крышку и отложила сотовый.

— Говори теперь, что хочешь за сведения?

— Помнишь, какого числа украли Настену?

— Такое разве забудешь, четырнадцатого ноября.

— Спасибо. Запиши телефон, если найдешь дочь, позвони мне, очень хочется знать, что вы снова вместе. Только не пори горячку, подготовься как следует и лишь тогда отправляйся в Канаду.

— Сколько с меня?

— Ничего.

— Так не бывает.

— Случается иногда, — улыбнулась я, — знаешь, не все люди гады. Мне от тебя совсем ничего не надо.

Неожиданно Сильвия заплакала.

— Тише, тише, успокойся, — зашептала я, — нам не следует привлекать к себе внимание.

Банкирша постаралась справиться со слезами.

— Ты не знаешь, как я вылезала из нищеты, сколько народу меня било мордой об асфальт, пока наконец я не заработала свои деньги. Пинали все, а потом этот Ефим...

Слезы снова побежали по ее щекам.

— Возьми баксы, — прошептала Сильвия, — умоляю! Могу дать сколько хочешь. А если Настена и правда у Ефима, я тебя озолочу! Ну пожалуйста!

Лихорадочным движением она выудила кошелек и принялась совать его мне под нос.

— Сколько? Ну? Двести, триста, пятьсот баксов?

Внезапно мне стало ее жаль до глубины души. Моя жизнь до встречи с Олегом была не такой уж радостной, но у нас с Томочкой имеется целая команда друзей, которые всегда могут прийти на помощь. И я очень хорошо знаю, что не все в этой жизни можно измерить деньгами. Сильвии же, похоже, несмотря на ее богатство, не очень повезло в жизни. Ей и в голову не приходит, что между людьми могут быть «нефинансовые взаимоотношения», она привыкла покупать необходимое. Но никакие сокровища не сделают вас абсолютно счастливыми.

— Хорошо, — вздохнула я, — если тебе так будет спокойней, то заплати мне.

— Да, да, да, — закивала Сильвия, — называй сумму.

— Один рубль.

— Сколько? — оторопела она. — Ты издеваешься?

— Вовсе нет, моя информация стоит сто копеек, давай монетку.

Банкирша растерянно заглянула в портмоне.

— Нету мелочи.

— Значит, останешься в долгу, — улыбнулась я, — раздобудешь рублик, звони, забери должок.

Сказав последнюю фразу, я встала и пошла к двери. Уже на улице, направляясь к метро, я посмотрела в большое, от потолка до пола, окно и увидела фигурку в яркой, розово-белой норковой шубке, сидевшую все в той же позе, с руками, крепко сжимавшими стакан с остывшим какао.

Ветер бросил мне в лицо пригоршню мелкой «крупы». Я сдула колкие снежинки и посмотрела на светофор. Пусть у меня нет больших денег, сверкающей иномарки, норковой шубки и россыпи бриллиантов, пусть мне приходится частенько отказывать себе в обновках, пусть порой в моем кошельке свищет ветер, а на новые сапоги приходится копить, но я намного счастливее Сильвии, которая только что размахивала кошельком, туго набитым баксами. В отличие от этой «упакованной» дамы я очень хорошо знаю, если со мной случится беда, друзья придут на помощь, и никому из них не взбредет в голову потребовать за это хоть копейку. Не в деньгах счастье! Только, к сожалению, до некоторых людей эта простая истина доходит лишь после того как они обнаруживают, что остались с этим миром один на один. Впрочем, прежде чем винить других и горько говорить: «Все люди сволочи», подумай, а что ты сделал для того чтобы получить настоящих друзей? Ты сам хоть кому-нибудь помог в жизни?

Глава 29

К Капитолине Михайловне я не попала. Дверь с табличкой «Отдел кадров» оказалась запертой, сидевшая в соседнем кабинете ярко размалеванная девица недовольно буркнула:

— Мы бухгалтерия, за кадрами следить не приставлены. Капитолина Михайловна сама себе хозяйка, ей тут никто не указ!

— А завтра она должна быть? — терпеливо спросила я.

— Она и сегодня должна быть! — рявкнула «красавица». — Рабочий день до восьми вечера, только те, кто за другими следит, себе, как правило, поблажки устраивают.

— Лена! — укоризненно воскликнула пожилая тетка с простоватым лицом. — Ну зачем глупости говорить! Капитолина Михайловна отправилась на ярмарку вакансий, у нас машины без шоферов простаивают.

— Платить надо людям по-человечески! — гаркнула девица и, схватив пачку сигарет, выскочила в коридор.

— Ну и молодежь пошла, — вздохнула, качая головой, тетка, — такая нетерпимая, ничего ей не скажи, только улыбайся. На работе-то всякое бывает.

— Ей бы с наше послужить, — поддакнула я, — да посидеть после службы на месткомовских или партийных собраниях.

— Ага, — подхватила тетка, — и потом в магазин скачком, по очередям, с сумищами в садик, затем домой. Ввалишься еле живая, руки-ноги трясутся, детей из одежек вытащишь, а тут сам идет, ключом по замочной скважине шморк, шморк, прямо сердце заходится: какой явится? Совсем вдрабадан или еще в уме? А у этих... ну какие заботы? Губную помаду купить с колготками! Денег ей мало!

Вымолвив последнюю фразу, тетка спохватилась:

— Вы к нам на работу наниматься?

— Да нет.

— Зачем тогда Капитолину Михайловну ищете?

Я улыбнулась:

— Дело есть.

— Может, я сумею помочь? У вас претензия по качеству?

И тут на меня, как всегда, снизошло вдохновение.

— Да, потеряли пакет с бельем, четырнадцатого ноября.

— Ну так Капитолина тут ни при чем, ступайте в семнадцатую комнату, к Альбине, она этим занимается.

Я поблагодарила приветливую тетку, прошла в конец коридора и толкнула дверь, украшенную единичкой и семеркой.

— Проходите, пожалуйста, — приветливо заулыбалась светловолосая женщина, — сейчас мигом разрешим все ваши проблемы. Я — Альбина, старший менеджер по работе с клиентами. Чай, кофе?

На лице Альбины сияла такая радость, словно она после длительной разлуки встретилась с горячо любимым человеком.

— Большое спасибо, лучше я сразу перейду к делу, — сурово заявила я.

— Только не волнуйтесь! — засуетилась Альбина. — Садитесь, расслабьтесь, вот минеральная вода. У нас клиент всегда прав, все для вас.

— Четырнадцатого ноября прошлого года пропал пакет с моим бельем.

— Ничего-ничего, — щебетала Альбина, — в «Кристалле», как в аптеке, никаких проблем.

Что скрывать, случаются порой досадные накладки. Иногда диспетчер или упаковщица путают, мы их немедленно уволим.

— Вы мне сначала белье верните, — рявкнула я, — а потом разбирайтесь со своими служащими как заблагорассудится!

— Конечно, конечно, — закивала Альбина, включая компьютер, — назовите свои данные.

— Сильвия Яновна Мамаева, проживаю в комплексе «Голубые просторы».

— Четырнадцатое ноября... — забубнила Альбина. — Да, был вызов, только нас пригласила Модестова.

— Ну и бардак у вас! — возмутилась я. — Приезжала девушка, такая симпатичная, привезла лишь один тюк.

— Девушка? — удивилась Альбина. — А как звали ее?

— Нюся.

— Очень странно.

— И что же тут необычного? — старательно изображала я удивление.

— У нас нет шофера-девушки.

— Да она не водитель, тот остался в машине сидеть, эта Нюся его фамилию назвала: Славскин, Славников... как-то так, вроде Женя.

— Секундочку, — пропела Альбина, — да, четырнадцатого ноября прошлого года работал Женя Славский, но он не ездил в «Голубые просторы», и никаких девушек с ним не было, у нас вообще шоферы все сами делают: принимают белье, рассчитываются, им за это доплачивают!

Я принялась шумно возмущаться, Альбина

стала упорно предлагать мне чай. Но я, продолжая изображать вредную клиентку, пригрозила:

— Ладно, если белье бесследно испарилось, подам на вас в суд.

— А квитанция есть? — оживилась Альбина.

— Нет.

— Тогда у вас ничего не получится, — злорадно воскликнула служащая, — так любой может заявиться и придумать черт-те что! И потом, почему вы так долго ждали? Отчего не заявили сразу? Год прошел. Мы не обязаны столько времени тюк хранить!!!

Поняв, что меня сейчас загонят в угол, я, бормоча: «Не надейтесь легко отделаться», ретировалась.

Круг замкнулся, Женя Славский скорей всего по уши замешан в похищении Настены. Наверное, с ним находится и Аня. Впрочем, нет, небось девушку, укравшую триста тысяч долларов, он спрятал. Дело за малым: выяснить хоть какие-нибудь координаты парня, а их абсолютно точно знает Борис. Однако идти к мерзавцу просто так, наобум, нельзя, это опасно. Надо что-то придумать. Но, как назло, мне в голову не приходило ничего достойного.

Во дворе я наткнулась на нашу соседку, Зою Феклистову. Зойкина квартира расположена над нашей, и пару раз у нас с потолка начинала капать вода. Муж Зои, спокойный, работящий Дима, всегда приходил с извинениями и предлагал:

— Давайте побелку сделаю и обои переклею.

Один раз мы воспользовались его услугами и остались довольны. И безалаберная Зойка, и рассудительный Дима вполне приятные люди. Одна беда, Феклистова самозабвенная неряха, а в хоромах у нее проживает сразу пять кошек. Зойка разводит котят и потом торгует ими на «птичке». Если на улице сильный ветер, к нам через шахту вентиляции долетает из верхней квартиры такое амбре!

— Здорово, Вилка, — заорала Зойка, размахивая пакетом, — как дела?

— Спасибо, нормально, а вот у вас, похоже, кто-то заболел, — кивнула я на фирменный зеленый пакет, на котором стояли цифры «36,6». — В аптеку бегала?

— Да все Матильда, будь она неладна, — охотно принялась разъяснять Зоя.

— У тебя кошка занедужила?

— Прямо чертовщина, — вздохнула Зойка, входя в лифт и нажимая кнопку, — понимаешь, Мотя была беременна, я на ее котят очень рассчитывала, у меня в очередь на них записываются. Берегла кошку, как себя, витаминчики, доппитание, творожок с рынка, мясо парное. Димка истерику закатил, когда увидел, что Мотьке покупаю! Но на днях такая беда случилась! Открыла дверь, а Матильда между ногами шмыг — и на лестницу. Знаешь, кошки, когда им пора рожать, убежать норовят. Ну я сапоги надела и за ней. Хорошо, она недалеко усвистела, этажом ниже нашлась, сидела у батареи.

Зоя схватила Матильду и отнесла домой. Роды должны были начаться с минуты на минуту. Но в тот день ничего не произошло, на следующий тоже, а в среду до Зои дошло: у Моти нет живота. Беременность рассосалась. Дальше — больше. Угольно-черная Матильда вдруг стала отчего-то линять и сейчас уже имеет оттенок шоколада. Зоя теряется в догадках, что же случилось с кошкой, и кормит ее минеральными добавками.

— Скажи пожалуйста, какая ерунда получилась, — пожимала она плечами, — может, беременность ложной была? Прямо беда, так потратилась на Мотьку, от досады теперь тушенкой ее кормлю!

Пару секунд я переваривала информацию, потом, еле сдерживая смех, велела:

— А ну, пошли к нам.

— Зачем?

— Давай-давай, интересное зрелище увидишь!

Зоя покорно двинулась за мной.

— Опять, что ли, протекли на вас? — робко поинтересовалась она на пороге квартиры.

— Сейчас обрадуешься, — пообещала я и постучала к Марине Степановне.

Старуха открыла дверь и прошипела:

— Нельзя ли потише! Лаврик только заснул.

— Можно нам войти?

— Зачем?!

— Зоя очень хочет на котят посмотреть.

— Ну ладно, — сменила гнев на милость мать Вована, — так уж и быть, но только руками не трогайте, не дышите в их сторону, и упаси вас бог чихнуть или кашлянуть возле новорожденных.

Зоя вдвинулась в спальню и заорала:

— Мотя!!!

— Сумасшедшая! — возмутилась Марина Степановна. — Умалишенка! Немедленно убирайтесь, вы перепугаете Лаврика!

Но Зоя выхватила из ящика кошку и принялась ее целовать.

— Мотечка, Мотюсечка...

— Что с ней? — растерянно спросила Марина Степановна, опускаясь в кресло.

Я собрала в кулак все мужество и принялась объяснять старухе ситуацию. Примерно через полчаса до нее дошла суть дела.

— Значит, это не Лаврик?

— Нет, я случайно перепутала кошек. Лаврентий сидел этажом ниже, у батареи, а я спустилась во двор и схватила беременную Матильду.

— Мой кот не уникум?

— Нет.

— Ага, — кивнула Марина Степановна, — и она заберет котяток?

— Конечно.

— Ни одного не оставит?

Зоя оторвалась от Моти.

— Хотите, котика подарю, через месяц?

— А где Лаврик? — подскочила Марина Степановна. — Где мой мальчик?

Зойка схватила короб с пищащими комочками и понеслась к себе. Спустя пару секунд старуха пробормотала:

— Какой-то странный случай.

— Бывает, — осторожно ответила я, отступая к двери, — еще не такое произойти может.

— Вы, Виолетта, сделали это нарочно, — мрачно заявила Марина Степановна.

Я постаралась взять себя в руки и молча пятилась к двери.

— Вы, Виолетта, — снова завела старуха, но тут, слава богу, появилась Зоя с Лавриком.

Марина Степановна принялась облизывать кота, выкрикивая:

— Боже, он жутко выглядит, совершенно не расчесан! Как вы умудрились превратить кота в чудовище? О господи, да у него блохи!

— Врете! — возмутилась Зоя.

— Сами посмотрите, вот сюда, видите расчесы.

— Это не кожные паразиты.

— А что? Что, по-вашему?

— Аллергия на питание.

— Ерунда, он заразился от ваших кошек власоедами, и чем, разрешите полюбопытствовать, вы кормили Лаврика?

— Ну... тушенкой!

— Идиотка!

— Сама дура!

Я решила испариться, пусть разбираются без меня, но тут красные от возмущения бабы повернулись ко мне и хором воскликнули:

— А все ты виновата! Перепутала Лаврика с Матильдой.

— Хорошо, хорошо, — закивала я, выскакивая в коридор, — просто здорово, что вы наконец поняли, кто заварил всю кашу, теперь можно успокоиться!

Всю ночь я провертелась на матрасе, ощущая себя котлетой на горячей сковородке. Каким образом заставить Бориса признаться? Идти на встречу с ним в одиночку нельзя. Взять кого-то с собой? И кого же? Кристину? Томочку? Или Марину Степановну с Лавриком?

Олег шумно вздохнул и сел. Я притаилась под одеялом, старательно изображая глубоко спящую женщину. Рассказать все Куприну? Нет, это просто невозможно. Я самостоятельно узнала массу вещей, проделала огромное расследование, дошла до последней точки. Теперь смогу написать отличную книгу, но нет развязки, так сказать, последней главы, а я никогда не узнаю, чем закончилось дело, если в него вломится Олег. Мой муж абсолютно уверен в том, что жена обязана стоять у плиты, гладить рубашки, убирать квартиру и ждать своего супруга. В крайнем случае она может ходить на службу, но чтобы в шесть как штык торчала на кухне, у кастрюль. При этом сам он может заявиться в два часа ночи, и не дай бог спросить у него недовольным тоном, где он был.

Моментально последует ответ:

— Конечно, в клубе «Красная шапочка», исполнял стриптиз. Между прочим, я работаю!!!

В первый год нашего брака мы постоянно ругались. Я искренне не понимала, отчего должна превратиться в рабу домашнего хозяйства и почему обязана изображать Пенелопу, сидя в одиночестве у телика? Потом я перестала вести войну за собственное освобождение и стала спокойно работать, возвращаясь от учеников порой за полночь. Через некоторое время Олег устроил дикий скандал.

— Мне нужна жена, а не прошмандовка, — орал Куприн, топая ногами, — где ты носишься по ночам?

— Естественно, сижу в клубе «Красная шапочка», смотрю, как ты исполняешь стриптиз, — огрызнулась я.

Олег захлопнул рот. Окрыленная успехом, я добавила:

— Извини, на твою зарплату не проживешь, поэтому я и набрала учеников, у меня-то нет оклада, что натопаешь, то и полопаешь, к трем ученикам пойдешь — четыреста пятьдесят рубликов получишь, к четырем — шестьсот!

Олег молчал два дня, потом с тяжелым вздохом сказал:

— Наверное, я очень плохой муж, не могу тебя обеспечить.

— Мне другого не надо, — бросилась я к нему на шею.

На том и порешили. Новый конфликт начался тогда, когда я стала писать детективы. Сначала Куприн обрадовался: жена день-деньской сидит дома и водит ручкой по бумаге, разве это не чудесно? Но потом он сообразил, что сам процесс письма — это заключительный этап, а до этого мне надо выстроить сюжет... И тут началось! На все мои робкие просьбы: «Ну расскажи, что у тебя интересного на работе» — следовал гадкий ответ: «Ерунда, не стоит внимания».

Поняв, что мой майор не может стать генератором сюжетов, я взяла дело в свои руки и стала заниматься расследованиями. Когда Куприн узнает, что женушка влезла в очередную авантюру... Лучше тут не приводить слова, которые полетят в мой адрес. Поэтому сейчас я ничего не стану рассказывать Олегу. Одно хорошо, он не читает моих книг. Но куда он собрался?

Олег тихо надел брюки, свитер и на цыпочках вышел в коридор. Не в силах сдержать любопытства, я приоткрыла дверь и стала в щелку наблюдать за мужем. Тот натянул ботинки, куртку, нахлобучил шапку и взял телефон. Я посмотрела на часы: пять утра.

— Валя, — прошептал Олег, — встречай, уже бегу. Ага, с букетом и конфетами.

Потом он вышел и острожно запер за собой входную дверь. Я обомлела. Куприн завел себе любовницу! Он, зная, что я просыпаюсь в восемь, ночью убегает из дома. Валя! С букетом и конфетами!

Я соскочила с кровати и забегала по комнате. Вот оно как! Но я не стану мириться с изменой. Я способна покупать вещи в секонд-хенде, но иметь подержанного мужа не собираюсь. Пусть отправляется к этой Валечке с букетами и конфетами, мне совсем не жаль!

Из глаз закапали злые слезы. Трясущимися руками я распахнула шкаф, вывалила из него все вещи Олега, запихала их, утрамбовывая кулаками в сумки, отволокла их в прихожую и швырнула у двери. Без всяких объяснений суну их Куприну, нет, все же скажу: «Можешь отправляться к своей Валечке! Наверное, она жуткая красавица!»

Сморкаясь и кашляя, я вернулась в спальню и разозлилась на себя. С какой стати лью сопли? Что такого ужасного случилось? Жила же я спокойненько большую часть жизни без мужа, и ничего, чувствовала себя абсолютно счастливой. И потом, что изменится в моей судьбе, после того как Олег уйдет? Ничего! Рвать на себе волосы, цепляться за неверного супруга с истерическим воплем: «Не уходи, все прощу», — не стану ни в коем случае.

Что за жизнь меня ожидает? При каждой отлучке Олега я буду думать, что он у очередной бабы, ну уж нет!

Слезы высохли. Я схватила телефон. Так, теперь я знаю, как действовать! Сначала надо вы-

бить из Бориса информацию — я наконец-то сообразила, кто мне поможет. Скоро, очень скоро
узнаю ответы на все вопросы, напишу книгу,
стану очень, ну очень знаменитой писательницей, буду раздавать интервью, выступать по теле-
визору. Пусть Олег, сидя у экрана рядом с толстой, отвратительной, глупой, некрасивой, истеричной, омерзительной, плохо пахнущей, не
умеющей готовить Валей, поймет, кого потерял!
Станет локти кусать, да поздно будет!!!

Глава 30

— Да, — сонно ответила Сильвия.
— Это Виола.
— Что случилось? — Она проснулась.
— В твоем банке есть охрана?
— А как же.
— И кто?
— Ну такие крепкие парни, бывшие военные,
да что произошло?
— Мне нужна твоя помощь, срочно.
— Приезжай к восьми утра в офис, — мигом
отреагировала Сильвия, — пропуск будет у де-
журного.

Через час разговора с Сильвией Яновной я
поняла, почему она сделала в столь молодом возрасте блестящую карьеру. Выслушав меня, управляющая не стала ахать, охать, закатывать глаза и задавать идиотские вопросы. Сильвия взяла
трубку и велела:

— Иди сюда.

Через пару минут в кабинете материализовался парень лет тридцати пяти, крепкий, с короткой шеей и бритым черепом.

— Знакомься, — бросила Сильвия, — Василий, начальник отдела безопасности. Насколько понимаю, у нас нет времени!

Я кивнула.

— Тогда не будем тратить его зря, садитесь, — велела управляющая.

Еще через час был выработан план, а в одиннадцать утра я уже звонила в дверь к Борису, молясь про себя, чтобы он мирно спал дома. На этот раз фортуна решила повернуть ко мне улыбающееся лицо.

— Ну кто там еще, — прогудел парень из-за двери, — ни черта не видать!

Василий, залепивший до этого «глазок» жвачкой, усмехнулся:

— Слышь, братан, вода от тебя течет!

— Какая? — недоумевал Борис, не спеша, однако, открывать.

— Водопроводная, — рявкнул Василий, — давай открывай, ща весь дом затопишь!

— У меня сухо.

— А не бреши-ка! У людей хлещет, а он врет!

— Так, ей-богу, все выключено.

— Значит, трубу прорвало.

— Вот, блин, хренотень какая, — загремел замком Боря, — разбудили не вовремя! Вода у них, и при чем тут я?

Дверь распахнулась. Борис, взлохмаченный, босой, одетый лишь в трусы, открыл было рот, чтобы продолжать возмущаться, но тут Василий и пятеро других ребят влетели в квартиру. Из коридора понесся мат, глухие удары, вскрик. Я осталась на лестнице. Не прошло и пяти минут, как Василий выглянул наружу и, весело улыбаясь, сообщил:

— Клиент испекся и подан к столу.

Я вошла в комнату. В центре ее на стуле сидел Борис. Позади него с пистолетами в руках стояли два охранника, еще двое застыли у двери, один у окна.

— Что вам надо? — белыми губами прошептал Борис.

Я молча смотрела на мерзавца.

— Деньги в комоде, под рубашками, красная коробка, — быстро затарахтел хозяин, — еще перстень возьмите, он дорогой, с бриллиантами, часы...

— Засунь себе эту дрянь в... — сказала я, — где Славский?

— Кто? — попытался изобразить удивление негодяй.

— Евгений Славский, шофер, который увез на машине Настену.

— Не знаю такого.

Я подмигнула одному из охранников. Тот приставил ствол к виску Бориса.

— Мы не шутим, — улыбнулась я, — ты даже не понимаешь, во что вляпался. Говори адрес Славского и телефон.

— Его нет, — прошептал Боря, делаясь синежелтым.

— Кого? Уточни, пожалуйста.

— Он живет в Подмосковье, вернее, это теперь Москва, но на самом деле деревня, то есть была колхозом, нынче новый микрорайон, — зачастил Боря, — телефона там нет.

— Адрес, — настаивала я, — живо, или ты покойник!

Борис посерел:

— Власихинский тупик, дом девять.

Я перевела дух. Слава богу, Боря дурак и трус. Имейте в виду, если на вас нападают и требуют выдать информацию, держитесь до последнего. Пусть бьют, обещают пристрелить, мужайтесь изо всех сил, потому что никто не уничтожает объект, обладающий эксклюзивными сведениями, а вот как только вы проболтаетесь, тут точно придет конец, ненужных свидетелей, как правило, пристреливают.

— Смотри, голубчик, — пригрозила я, — если решил обмануть нас и услать в неверном направлении, то зря. Вот эти двое останутся с тобой, если что, тебе мало не покажется!

— Совестью клянусь, не соврал, — завопил Борис, — это он все придумал! Он девочку украл, я только так, на подхвате был! Мне и денег не дали, меня обманули.

— Вяжи его, ребята, — спокойно велел Василий, — и рот ему заткните. Петя и Сережка тут останутся, Роман, Влад и Андрей со мной.

На улице Василий тихо спросил у меня:

— Что потом с ним делать надо?

— В милицию сдадим, — сказала я, — вечером, после беседы со Славским.

— У нас за такое лицензию отобрать могут, — сказал Роман, устраиваясь на заднем сиденье.

— Ты замолчи, — велел Василий, — не твоего ума дело, Сильвия Яновна все проблемы решить может.

Власихинский тупик оказался на Юго-Западе столицы. Узкая, длинная улочка, застроенная с двух сторон высокими блочными домами, тянулась, извиваясь змеей. Мы медленно ехали, читая номера. Третий, пятый, седьмой, одиннадцатый, тринадцатый.

— Проскочили, наверное, — покачал головой Василий.

Он развернулся, и мы вновь принялись всматриваться в таблички! Третий, пятый, седьмой, одиннадцатый, тринадцатый...

— Обманул, гад, — сплюнул Роман.

— Давайте спросим у аборигенов, — предложила я.

Василий притормозил, опустил стекло и крикнул:

— Гражданочка, мы что-то никак не поймем, тут есть девятый дом?

Молодая женщина с коляской махнула рукой влево:

— Все его ищут, сюда сворачивайте и по дороге езжайте.

Мы послушались, вырулили на небольшую площадку, заставленную машинами, и увидели длинное желтое двухэтажное здание, сильно смахивающее на барак. Угол дома украшала огромная цифра 9, намалеванная белой краской.

— Вот и славненько, — оживился Василий, — а ну, пошли.

Нужная квартира оказалась на первом этаже. Я позвонила.

— Кто там? — спросил женский голос.

Василий толкнул меня.

— Слышь, соседка, — запищала я, — из подвала прибегла, там склад, у нас с потолка вода течет.

— Ой! — воскликнула тетка, громыхая замком. — Да у нас полный порядок. Небось труба лопнула, сами знаете, какие они тут! Прямо беда.

Я вспотела от напряжения. Замки лязгали и лязгали. Складывалось ощущение, что их не меньше сорока, наконец послышался противный скрип несмазанных петель, дверь распахнулась. В темном коридоре стояла фигура, замотанная в платок. Я хотела было спросить:

— Где Женя? — как вдруг женщина метнулась внутрь помещения.

На секунду мы растерялись, потом Василий с ребятами кинулись за ней.

— Эй, лови, в окно прыгает, — заорал Роман.

Я решила, что он приказывает мне бежать во двор, и со всех ног кинулась на улицу. Перед глазами предстало изумительное зрелище. По маленькому дворику босиком бежит женщина в халате, за плечами у нее развевается оренбургский платок. Из окна первого этажа вываливается Роман с пистолетом в руке, за ним выпрыгивает Василий.

— Стой, падла, стрелять буду, — заорал начальник охраны.

Женщина вспугнутой птицей метнулась между машинами.

— Уйдет, гадина, — выкрикнул Роман, кидаясь следом, — уйдет, держи ее, комбат!

Вдруг у стоящего у обочины темно-серого «рафика» распахнулись двери, и оттуда, словно бусины разорвавшегося ожерелья, покатились люди, одетые в камуфляж. Черные вязаные шлемы закрывали лица, в руках у всех были автоматы.

— Бросай оружие! — заорал один из них.

— Лови, падлу! — вопил Роман.

— Всем стоять!

— Падай, гады!

Через секунду на небольшом пятачке началась драка, слава богу, никто из парней не решился применить оружия. Поняв, что мужики занялись разборками, я юркнула между машинами, увидела, что тетка бежит уже к автобусной остановке, за ней следом несся Роман. Ему удалось уцепить беглянку за плечо. Он изо всей силы дернул бабу. Она покачнулась и упала. Ее довольно тяжелое тело сбило Романа с ног, но он воспользовался ситуацией и сел ей на спину. Она стала извиваться под ним и выкрикивать что-то нечлонораздельное. В какой-то момент ей почти удалось выбраться, но тут на помощь подоспели парни в камуфляже. Вмиг они схватили Романа, подняли бабу и поволокли парочку в «рафик».

— Лицом к стене, — завопил один из омоновцев, довольно больно ударив меня по голени, — шире ноги, а ну шевелись!

Чья-то грубая рука стиснула мое плечо.

— Имя, фамилия, — загремел простуженный голос.

— Виола Тараканова, сейчас все вам объясню, мой муж работает в милиции, майор Олег Куприн, его телефон...

— Офигеть! — воскликнул грубиян и отпустил мое плечо. — Олега сейчас родимчик хватит.

Поняв, что меня больше не держат, я обернулась и почувствовала, что земля уходит из-под ног.

Передо мной стоял Валентин Шмаков, заместитель Олега, его, так сказать, правая рука.

— Ты что тут делаешь? — с невероятным изумлением спросил Валя.

— Э... э... э... — протянула я, — погулять решила, воздухом подышать, нельзя разве?

— Ступай в «Волгу», там Олег сидит.

— Ни за что! — затрясла я головой. — Никогда!

Валентин легко поднял меня, без всяких усилий донес до машины и сунул внутрь.

На заднем сиденье рылся в каких-то бумажках Олег. Он поднял голову. На лице мужа появилось сначала изумление, потом негодование.

— Виола! — воскликнул он. — Что за черт! Ты откуда?

— Ну, как бы это объяснить, в общем и целом, если сказать откровенно, без вранья, не боясь правды, то с улицы!

Виски Олега покрылись мелкими капельками пота.

— Какого дьявола, — налетел он на меня, — ты оказалась тут?! Что тебя носит по городу? Отчего не сидишь дома?

От обиды у меня перехватило горло, и я заорала:

— А сам? Сам чего не дома?

— Так я работаю!

— И я на службе!!!

— На какой?

— Книгу пишу!

— Офигеть можно!!! — перешел в диапазон ультразвука муж. — Просто сбрендить!

— Не нравится, уходи к своей Валечке!

— К какой?

— К такой! К которой сегодня в пять утра с букетами и конфетами отправился! — выкрикнула я и рухнула на сиденье.

Внезапно я почувствовала, что силы покинули меня. На душе стало черно, внутри ворочалась горькая обида, смешанная с невероятным удивлением. Я хотела найти Женю Славского, а наткнулась на какую-то сумасшедшую бабу, невесть почему решившую бежать. Значит, я шла по неверному пути, книги не будет!

Из глаз хлынули слезы. Куприн прижал меня к себе.

— Вилка! Ты ревнуешь!

Я уткнулась в пахнущий знакомым одеколоном шарф и, ощущая безмерную усталость, тихо сказала:

— Вовсе нет, можешь отправляться к своей Валечке, семь футов тебе под килем!

Куприн рассмеялся:

— Хочешь с ней познакомиться?

— Нет.

— Давай представлю вас друг другу!

Я пнула Олега сапогом.

— Нет!!!

Но муж встал, открыл дверь и крикнул:

— Валя, поди сюда!

Я быстро вытерла рукавом пальто лицо. Эта женщина не должна увидеть меня в слезах.

В «Волгу», сопя от напряжения, влез Шмаков.

— Вот, — хмыкнул Олег, — знакомьтесь, Валечка!

— Совсем заработались, — покачал головой Валентин, — мы сто лет друг друга знаем!

У меня в груди будто лопнула туго натянутая струна, по щекам вновь потекли слезы.

— А зачем ты к нему в пять утра поехал?

Валентин недоуменно смотрел на нас.

— Операция у нас тут была подготовлена, — вздохнул муж, — тщательно разработанная акция по задержанию.

— А букеты и конфеты кому?

— Да никому, — пожал плечами Олег, — позвонил Вальке на мобильный и сказал: «Уже бегу», а он...

Куприн глянул на Шмакова:

— Помнишь, что ты мне сказал?

— Так я пошутил, — растерянно ответил Валя, — дескать, букет с конфетами прихвати, раз на свидание торопишься. Я, если не высплюсь, всегда глупо шучу. А что у вас стряслось?

— Ничего, — хмыкнул Олег, — так, шум в канале связи, сбой в системе, маленькая техническая неполадка.

Домой мы явились поздно вечером. Сначала просидели несколько часов у Куприна на работе, а потом отправились в кафе, где провели еще много времени, выясняя отношения.

Открыв дверь, Олег споткнулся о сумку и спросил:

— Это что?

— Вот, — быстро нашлась я, — решила твои вещи в химчистку сдать, должны были приехать, да, наверное, забыли.

— У меня нету такого количества шмоток, — ответил Куприн, вешая куртку.

Я посмотрела в коридор и удивилась. Ну и ну! Все свободное пространство было заставлено чемоданами и сумками, мест двадцать, не меньше. На вешалке болталась дорогая шуба, похоже из соболя, рядом валялись высоченные сапоги-ботфорты на головокружительном каблуке.

— У нас гости! — в ужасе вскрикнула я.

Послышалось легкое шарканье, и из кухни вышла Марина Степановна со стаканом в руке. Увидав нас, она радостно заявила:

— Олег, вы сегодня спите на кухне.

— Почему? — удивился муж.

— В вашей комнате на диване постелили мне!

— Зачем? — подскочила я. — Что за ерунда!

— Лора приехала, ей нужна отдельная комната, — пояснила старуха.

— А с Вованом ей не хочется рядом лечь после долгой разлуки, с горячо любимым мужем? — прошипела я.

— Владимир Семенович храпит, — отрезала старуха, — Лорочка должна отдыхать. А я не могу жить в одной комнате с посторонним мужчиной, и вам, Виолетта, придется выключить лампу сразу, а не жечь ее до утра, я не способна спать при электрическом свете.

От такой наглости я просто потеряла дар речи и хлопала глазами, глядя, как старуха шаркает по коридору. Наконец она добралась до нужной двери, постучалась и воркующе-ласковым голоском запела:

— Лорочка, я принесла тебе чай, можно войти?

— О господи, — раздался в ответ тоненький, капризный голосок, — сколько раз можно повторять! Я не пью чай, никогда, только сок и воду! Оставьте меня в покое, только заснула!

Марина Степановна вжала голову в плечи и пролепетала:

— Но ты же всегда раньше любила в кроватке выпить чашечку «Липтона»!

— А теперь нет, — рявкнула певица, — отвяжись!

Свекровь попятилась и наткнулась на меня взглядом.

— Вот, — растерянно пробормотала она, — я старалась, купила самый дорогой, листовой, в жестяной банке, настаивала по часам. А она, оказывается, теперь только сок употребляет. И куда его деть?

— Сами выпейте, — посоветовала я.

— Мне нельзя такой крепкий.

— Вылейте!

— Да, наверное, так и надо сделать!

На глазах Марины Степановны неожиданно появились слезы. Мне вдруг стало жаль старуху, конечно, она противная, но эта Лора еще хуже! Что ей стоило взять из рук бабуси чашечку, а потом преспокойно вылить из нее содержимое?

— Давайте я выпью!

— Правда? — приободрилась Марина Степановна. — Попробуйте.

Я взяла стакан и отхлебнула.

— Волшебный напиток! Давно мечтала о таком, но у меня подобный не получается.

Старуха улыбнулась.

— Если нравится, я вам, Виолетта, завтра еще такой заварю, только не советую употреблять его часто.

— Почему?

— Чай сильно действует на нервную систему, а у вас она, похоже, совсем расшатана!

Я поставила пустой стакан на полочку, вот и жалей людей после этого.

Глава 31

Прошло несколько дней, прежде чем Олег сказал:

— А теперь я могу ответить на твои вопросы.

— На все? — обрадовалась я.

— Ну, — вздохнул муженек, — на все, пожалуй, нет!

— Как! — возмутилась я. — Мы же договаривались! Ты сказал, что будешь теперь мне помогать. Ведь я объяснила: максимум через неделю мне надо сдавать книгу, уже написала почти половину, а теперь...

— Расскажу все для повести, — перебил Олег.
Я обозлилась еще больше:

— Зачем тогда говорил, что не ответишь на все вопросы!

Олег прищурился:

— Вилка, для того чтобы успешно работать на моем месте, нужно, кроме много чего другого, уметь еще правильно строить беседу. Допрос — это искусство, его технике надо учиться. Ты ляпнула: «...на все мои вопросы?» Я, естественно, ответил: «Нет». Ты же не уточнила, о чем они будут. Вдруг заинтересуешься датой падения Римской империи? Вот если бы ты высказалась иначе, а именно: «Раскроешь все секреты, связанные с делом Славского», я бы тогда отреагировал по-другому. Обещал тебе помочь в написании книжонки и сдержу слово. Спрашивай.

Очень тяжело быть зависимой. Если бы речь не шла о будущем романе, я бы уже затопала ногами, придя в полное негодование от занудства Олега. Но сегодня я глупо хихикнула и уточнила:

— Значит, не станешь ничего скрывать?

— Нет, — ухмыльнулся Олег, — видишь, какой я добрый, зря ты меня из дома выставить хотела.

Чтобы разговор не скатился вновь на стезю выяснения отношений, я быстро перебила своего майора:

— Каким образом ты оказался во дворе дома, где живет этот Женя?

Олег потер рукой затылок.

— Ну слушай, только сделай милость, не перебивай, меня это бесит!

«А меня доводит до обморока твое занудство», — хотела выпалить я, но вновь огромным усилием воли сдержалась.

— Некоторое время тому назад, — завел Олег, — ко мне обратился парень, Антон Сухов, помнишь его?

Я наморщила лоб:

— Антон, Антон, жутко знакомое имя, откуда я его знаю?

— Это мастер, который чинил мою машину в сервисе.

— Точно! — обрадовалась я. — Такой симпатичный паренек, беленький, молчаливый.

— Он заикается, — пояснил Куприн, — поэтому и предпочитает помалкивать. С Антоном и впрямь трудновато разговаривать, он об этом знал и никогда не заводил с клиентами беседы.

Поэтому Олег очень удивился, когда механик позвонил ему на мобильный и попросил о встрече.

— Дело такое странное, — заикался юноша, — я словно привидение встретил или двойника, вот даже книгу купил по колдовству, почитать. Может, такое и впрямь случается?

Олег внимательно слушал неровную речь, недоумевая, что же случилось со всегда спокойным, даже апатичным Антоном.

Сухов служил в Чечне. Один раз ему в составе группы солдат велели сопровождать грузовик, как им было сказано, с продуктами. Но Антону сразу показалось, что лейтенант, командовавший операцией, чего-то недоговаривает. В машине и впрямь были ящики с тушенкой, буханки хлеба и пачки концентратов, но... Но отчего-то грузовик отправлялся после обеда, а ближе к вечеру федералы никогда без особой нужды не передвигались по дорогам. И путь следования машины был выбран очень странно, часть его нужно было проделать по дороге, контролируемой боевиками. Антон только удивлялся, за каким чертом тащить консервы в сумерках, да еще в непосредственной близости от чеченцев? Ведь можно по-другому спланировать путь.

Но на войне спорить не принято, приказы не обсуждаются. Солдаты заняли свои места и двинулись в путь. В том месте, где дорога, делая резкий поворот, сужалась, послышались выстрелы. Антон даже не понял, в чем дело. Он выскочил из автомобиля, отбежал чуть-чуть в сторону и увидел, что машина, в которой он сидел, мгновенно превратилась в огненный шар.

Антона оглушило, он перестал слышать звуки. Парень упал на землю и попытался отползти подальше от места, где бушевал огонь. Удалось ему это с большим трудом, встать на ноги он не мог. Перед его глазами носились люди в форме. Через мгновение до Антона дошло: грузовик с продуктами тоже полыхает жарким костром, около него лежит тело лейтенанта, над ним склонился солдат в форме федеральных войск. Вот он разрывает гимнастерку, сдергивает с шеи трупа мешочек, вешает на себя... События разворачивались словно в немом кино. Еще через секунду Антон сообразил, что чеченцев не видно, на дороге лежат трупы его товарищей, а двое солдат в форме российской армии бродят между ними с автоматами, делая контрольные выстрелы в головы.

Антон даже не успел испугаться, как они подошли к нему. Их лица, беззвучно шевелившие губами, нависли над контуженым. Естественно, парень узнал тех, с кем вместе спал в казарме и питался из одного котла. От непонятности происходящего у Сухова пропал не только слух, но и голос, он пытался сказать: «Ребята, вы чего», но из груди вырвался лишь хриплый стон.

И тогда один из друзей поднял автомат. Больше Антон ничего не помнил. Перед глазами взорвался фонтан разноцветных огней. «А ведь совсем не больно», — неожиданно подумал Сухов и потерял сознание.

Когда его глаза снова открылись, он увидел белый потолок. Антону повезло как никому. Он получил тяжелейшее ранение в голову, контузию, пролежал почти двенадцать часов на земле и... остался жив. Врачи только разводили руками: у парня просто железный организм, такое нельзя вынести, а он выжил.

Целый год потом Антон восстанавливал здоровье, учился заново говорить и, естественно, был комиссован из армии. Потом он узнал, что остался единственным живым во время происшествия, а еще через некоторое время приятель, возивший генерала на автомобиле, сильно выпив, рассказал Антону правду. В грузовике действительно были продукты, но они просто служили прикрытием. На самом деле лейтенанта послали к одному из полевых командиров, чтобы отдать ему выкуп за украденного ребенка. На шее у лейтенанта висел мешок с драгоценными камнями. Похищенная девочка была дочерью очень крупного бизнесмена, полевой командир захотел в виде выкупа не валюту, а бриллианты. Любящий отец мгновенно выполнил требование похитителя и договорился с руководством Российской армии. Наверное, ему тоже было заплачено, бизнесмен не хотел огласки. Миллион долларов, а столько стоили брюлики, не был для него запредельной суммой.

Но операция сорвалась. Чеченцы попросту напали на колонну, перестреляли федералов и похитили драгоценности.

Антон пришел в возбуждение. Перед его глазами мигом встала картина, которую он до сих пор старательно прогонял от себя. Вот он лежит на земле и видит, как один из его товарищей срывает с шеи убитого лейтенанта мешочек.

Сухов решил дать показания, потребовал к себе начальство. Но юноше не поверили. Врачи прямо сказали офицеру:

— У солдата тяжелейшая черепно-мозговая травма, серьезное нарушение речи, такие люди подвержены галлюцинациям.

Офицер с жалостливым выражением на лице выслушал Антона, похлопал его по плечу и сказал:

— Молодец, обязательно разберемся, выздоравливай.

Подлечившись, Сухов уехал домой, в Москву, устроился на работу в автосервис и зажил спокойной жизнью, как память о Чечне осталось заикание да периодические сильные головные боли. Антон постарался как можно быстрее забыть обо всем, что случилось с ним на военной службе, и преуспел в этом, но тут вдруг произошла неожиданная встреча.

Однажды к ним в сервис приехал парень. Когда его машину вкатили в бокс, Антон обнаружил в салоне бутылку дорогого коньяка. Сухов очень не любит, когда люди оставляют в ремонтируемых тачках вещи. Потеряют что-нибудь, а потом скажут, что мастер спер. Поэтому Антон взял бутылку, вышел в зал, где сидели клиенты, нашел хозяина машины, протянул было ему «Хеннесси», но, взглянув юноше в лицо, потерял дар речи. Перед ним был тот самый солдат, который выстрелил Сухову из автомата в голову. Пару секунд парни смотрели друг на друга, потом хозяин «Жигулей», широко улыбнувшись, сказал:

— Ты чего бутылку принес, пусть в салоне лежит, там не коньяк, чай вожу.

Антон, не в силах произнести слово, только мычал. На помощь ему пришла кассирша Ниночка. Ловко взяв из пальцев Сухова штоф, она сунула его хозяину машины.

— Что это с вашим мастером? — удивленно спросил тот.

— Он контуженый, — пояснила Ниночка, — в Чечне воевал, ранен был.

— Вот бедняга, — покачал головой парень, — не позавидуешь ему. Что, совсем не говорит?

Антон не услышал, что ответила Ниночка, он пошел в бокс и заглянул в книгу учета. Автомобиль по документам принадлежал... Евгению Славскому. Сухов почувствовал головокружение. Женя Славский был вторым солдатом, стоявшим над ним. Это он срывал мешочек с шеи лейтенанта, но сейчас в зале находился не Евгений, а...

— Кто? — подскочила я. — Ну говори же скорей!

— ...тот, кто стрелял в Антона, — спокойно договорил Олег, — Ваня Краснов.

— Погоди-ка, — забормотала я, — Ваня Краснов, Ваня Краснов... Мамочка! Да так звали гражданского мужа Ани Кузовкиной, отца ее дочки Полины. Он же погиб в Чечне! Мне об этом Елена Тимофеевна, мать Ани, рассказывала.

Олег усмехнулся:

— Видишь, значит, не погиб!

Антон, чувствуя себя совершенно больным, выписал из документов машины все данные ее владельца. И потом поехал к Жене Славскому домой. Его приняла мать Жени и сообщила, что ее сын погиб. У Антона просто голова пошла кругом. Сначала он решил обратиться в милицию, но у Сухова от волнения практически пропадает речь, произнести буквы «д», «т» и «п» он просто не может. И потом, он начал сомневаться: а Ваня ли Краснов стоял перед ним? Почему его автомобиль зарегистрирован на Славского? Где сам Женя? То, что Краснов и Славский преступники, Антон понял давно, а еще он сильно испугался за свою жизнь. Таким людям, как Краснов и Славский, ничего не стоит убить ненужного свидетеля.

Олег как мог успокоил мастера и пообещал узнать что к чему. На все запросы ушло дней десять. Ничего нового Куприн не разузнал. По документам получалось, что Ваня был убит при нападении на грузовик, его страшно обезображенное тело нашли рядом с искореженной машиной. Краснова опознали по медальону и записной книжке, которую обнаружили у несчастного в кармане. Славский считался без вести пропавшим, вместе с ним недосчитались еще одного солдата, Андрея Хрекова. Военные решили, что парни попали в плен.

Олег решил позвонить Антону и сказать:

— Знаешь, ты ошибся. Краснов погиб, а Славский пропал без вести. Скорее всего тебе просто попался однофамилец бывшего солдата, уж не такая редкая фамилия Славский, и имя Евгений тоже достаточно распространено.

Но в сервисе никто не отвечал, дома Антон тоже не снимал трубку. Олег, крайне удивленный этим обстоятельством, поехал в мастерскую и обомлел. Сервиса не было, на его месте чернело пепелище.

— Газ у них взорвался, — объяснила Куприну словоохотливая продавщица из расположенного рядом магазина, — так бабахнуло! У нас все стекла повылетали.

Но у Олега уже зародились нехорошие подозрения, и он пошел к начальству. Была дана команда покопаться в странном происшествии. Первое, что выяснил Олег, это то, что Славский Евгений, пропавший без вести, вот уже несколько лет совершенно спокойно проживает в столице по адресу... улица Генерала Карбышева. В военкомате утверждали, что Славский из Чечни не возвращался, а в домовой книге он числился как живой. Олег потряс начальника жэка и по совместительству паспортистку, пожилую Нину Ивановну, всю свою жизнь работавшую на участке, к которому относилась улица Генерала Карбышева. Ни в каких махинациях ранее женщина замечена не была, репутация ее была кристально чистой, но никто, кроме нее, не имел доступа к домовой книге.

Нина Ивановна стала бурно возмущаться, говорить, что не понимает, каким образом Славский оказался на учете... Но Олег очень быстро выяснил, что спустя месяц после того, как Евгений «вернулся», внучка Нины Ивановны поступила в институт, да не куда-нибудь, а в МГИМО, на платное отделение. Причем очень бедно живущая старушка оплатила все пять лет обучения сразу.

Куприн вызвал Нину Ивановну к себе в кабинет, и она раскололась. Да, к ней пришел парень, сказал, что зовут его Евгений Славский, что его мать, Инесса Матвеевна, проживает на улице Генерала Карбышева и что он хочет паспорт с пропиской по этому адресу за... три тысячи долларов.

Приятно улыбаясь, он объяснил ситуацию:

— С матерью я поругался давно, уже несколько лет не живу с ней, а тут беда: украли паспорт. Идти к маменьке на поклон, просить, чтобы она, как ответственный квартиросъемщик, подписала бумаги, мне западло, к тому же у меня сперли сумку, а там лежали все бумаги, не только паспорт, но и военный билет в придачу. Представляете, какой геморрой все восстанавливать?

Нина Ивановна, услыхав об огромной сумме, мигом согласилась и сделала парню необходимые документы. Но через пару недель Женя появился снова и попросил еще два паспорта, на любые имена. Главное, чтобы имелась постоянная московская прописка.

Нина Ивановна заколебалась, история запахла криминалом.

— Десять тысяч баксов за две ксивы, — пообещал парень, и пожилая женщина дрогнула, у нее имелось оправдание. Любимая внучка мечтала учиться в МГИМО, но в прошлом году она не добрала баллов, а на платное отделение денег взять было негде.

Так в Москве появились Борис Луковский и Павел Леонтьев, прописаны парни были в одной из хитрых квартир, которые имеются при многих жэках. Хозяин хором умер, наследников у него не оказалось, жилплощадь должна была отойти государству. Нина Ивановна и воспользовалась моментом. Ее, получившую огромные деньги, уже не смутил тот факт, что Женя Славский попросил наклеить в паспорт Бориса Луковского свою фотографию.

Больше Нина Ивановна Евгения не видела. Олег запросил адресное бюро и мигом получил ответ: Борис Луковский и Павел Леонтьев, проживавшие ранее в одной квартире, разъехались по разным адресам.

Проверка имени Евгения Славского дала много интересных фактов. Парень проходил фигурантом сразу по нескольким делам, все они так или иначе были связаны с похищением детей. Дочку крутой бизнесвумен Татарниковой увезли в школьном автобусе. Водителем был Евгений Славский. Он нанялся на работу за месяц до происшествия и уволился на следующие сутки после похищения девочки. Сынишку владелицы сети супермаркетов «Орион» увезли на автомобиле, доставлявшем на дом воду в бутылях. Угадайте, кто сидел за баранкой? Правильно, все тот же Женя, пришедший в фирму «Родник» за пару дней до киднепинга. Еще одного малыша, чья мамочка занималась оптовой продажей лекарств, умыкнули на автомобильчике с надписью «Доставка пиццы». Последним было дело о похищении Настены.

Просматривалась интересная закономерность. Ни водитель школьного автобуса, ни разносчик воды, ни доставщик пиццы не вызвали у окружающих никаких подозрений. Похищались только дети одиноких богатых матерей. Никто из них — ни бизнесвумен, ни королева продуктов, ни «аптекарша», ни Сильвия Яновна — не стали сразу заявлять о похищении в милицию. В правоохранительные органы они обращались тогда, когда уже было поздно. Положив деньги в кейс, матери шли на встречу с похитителями. Они абсолютно твердо были уверены, что сумеют выкупить своих детей, но все они ошибались. Всех их обманывали, отбирали деньги, и матерям оставалось только рыдать.

Олег, пораженный глупостью, которую проявили эти умные, жесткие, сумевшие подняться на высоты бизнеса дамы, спросил у них:

— Ну почему вы сразу не пришли в милицию?

Бизнесвумен мрачно ответила:

— А то вы поможете! Еще больше бабок придется платить.

Владелица супермаркетов заявила:

— Но они же сказали, что обязательно отдадут ребенка за деньги!

Олегу оставалось только удивляться столь глубокой наивности.

Все дела о похищениях зашли в тупик. Следователи мигом выясняли, где прописан Славский, так же быстро им становилось известно, что Евгений пропал без вести в Чечне. Дальше следствие пробуксовывало. Свидетели говорили разное. Одни утверждали, что шофер был черноволос и усат, другие утверждали обратное: белокур и без всякой растительности на лице. Не смогли достичь консенсуса и в отношении фигуры. Фоторобот составить не сумели. Одним словом, типичные висяки. Да еще все преступления были совершены в противоположных концах Москвы, дела завели в разных отделениях, объединили их в одно только после того как за них взялся Олег.

Куприн велел начать наблюдение за Борисом Луковским и Павлом Леонтьевым. Парни вели себя тихо. Борис был вдовец, его жена Аглая погибла. Но когда Олег узнал, где работала няней Аглая, он сразу понял, что идет по горячему следу. Однако пока ничего ни Павлу, ни Борису предъявить было нельзя. Юноши работали, они не встречались и не созванивались, вели, как говорится, правильный образ жизни. Жили парни не шикарно, квартирки имели более чем дешевые, из машин — потрепанные «Жигули» имелись только у Павла Леонтьева. Борис Луковский водить не умел. Правда, автомобиль был куплен и зарегистрирован на имя... Евгения Славского, но это не улика. Многие люди, приобретая машину, не переоформляют ее на себя, годами ездят по доверенности, выданной старым владельцем. Спроси в милиции у Павла:

— Где Славский?

Парень бы спокойно ответил:

— Фиг его знает, дома, наверное, я его с момента покупки «жигуля» на рынке не видел.

Олег чуть не плакал от разочарования. И Павел, и Борис утром ходили на работу, вечером возвращались и сидели дома. Борис служил продавцом в крупной компании, поставлявшей электробытовые приборы, Павел — шофером на рейсовом автобусе.

Олег отправил сотрудников на службу к одному и другому. Кадровики просто захлебывались от восторга, рассказывая о подчиненных: не пьют, не курят, никогда не опаздывают, услужливые, ничего не требуют от начальства, одним словом, чистые ангелы, теперь таких просто не бывает. Но если на репутации Бориса не было ни одного, даже самого крохотного пятнышка, то у Павла все же имелся изъян. К сожалению, он довольно часто болел. Мог пропустить неделю, две, целый месяц.

— Мальчик прошел Чечню, — пояснила заведующая отделом кадров, — был ранен, естественно, у него проблемы со здоровьем. Он каждый раз приносит бюллетень, и мы, конечно же, никогда не упрекаем такого хорошего работника, всегда идем навстречу, поощряем материально. Вот в прошлом году вручили ему телевизор.

Олег посмотрел на числа, когда болел Павел, и увидел странную закономерность. Каждый раз, когда Леонтьев заболевал, Славский участвовал в киднепинге.

Бюллетени Павлу выдавал один и тот же доктор, и Куприн понял, что Леонтьев просто платил терапевту. Кстати, потом это предположение подтвердилось, участковый врач признался, что брал взятки, но Олег не побежал сразу в поликлинику, чтобы не спугнуть Леонтьева.

За квартирами двух «идеальных» парней продолжали наблюдать, а кадровичке автобусного парка приказали немедленно сообщить в органы, если Павел заболеет.

И такой момент настал. Первого декабря Леонтьев сообщил, что подцепил грипп. Второго числа он, под именем Евгения Славского, устроился в фирму «Колесо-маркет», получил небольшой автобусик и целые сутки совершенно честно возил по разным адресам коробки с продуктами. Следственная бригада поняла, что готовится новое преступление, и утроила бдительность. Но... потом произошло непредвиденное. К Павлу приехала гостья с ребенком, четвертого числа он не вышел на работу. Оперативники, следившие за его квартирой, терялись в догадках. Спустя несколько часов началась суета. Прибыла машина «Скорой помощи», вытащили носилки, заплаканная тетка помогла нести капельницу... Работники уголовного розыска мигом выяснили, в чем дело: с Павлом Леонтьевым случился инсульт.

Олег поехал в больницу, переговорил с лечащим врачом и понял: на этот раз Павел не прикидывается, он на самом деле лежит в реанимации, парализованный, лишенный речи, зрения и слуха. Слабую искру жизни в нем поддерживает специальная медицинская аппаратура, прогноз специалистов весьма неутешителен.

— Такой молодой, — удивился Олег, — и вдруг инсульт.

Но заведующий отделением мигом ответил:

— Увы, сердечно-сосудистые заболевания стремительно молодеют. Вы пройдитесь по нашим палатам, сплошь тридцатилетние лежат. Время суровое, а молодые у нас нежные, вот их и косит.

Женщина, поселившаяся у Павла в квартире, вела себя тихо. В доме, где живет Леонтьев, не слишком благополучный контингент, и никто из вечно пьяных соседей не лез к ней с расспросами.

Олег навел о ней справки. Звали ее Эльза Марковна Бауманн, по национальности она являлась немкой. Эльза ни в чем плохом замечена не была, одна воспитывала крохотную внучку Марту, сын и невестка Эльзы Марковны погибли в автомобильной катастрофе. У Бауманн в России не было никаких родственников, а вот в Германии проживал ее двоюродный брат. Примерно год тому назад Эльза Марковна стала оформлять бумаги, для того чтобы отбыть на постоянное место жительства туда, где похоронены ее предки. Тридцать первого декабря она и Марта должны были сесть в самолет. Все формальности завершились. Бауманн продала квартиру, а вещи, погруженные в контейнер, уже ехали в город Визенбург. Оставалось неясным, какие отношения связывали Эльзу Марковну и Павла, почему именно у него решила поселиться дама, дожидаясь самолета. За квартирой продолжали наблюдать, следили и за Борисом Луковским, но тот лег на дно и не совершал никаких резких телодвижений.

Олег тем временем тщательно изучал все обстоятельства предыдущих похищений и вдруг понял, кем являлась Эльза Марковна. Дама работала репетитором, преподавала иностранный язык, она часто ходила по квартирам и скорее всего являлась наводчицей. Стали копать дальше, и тут выяснилась поразительная вещь. У бизнесвумен, потерявшей дочку, был племянник, к которому приходила репетиторша, у торговки продуктами имелась подруга, учившая иностранный язык, к той даме, что занималась поставками лекарств, на фирму нанялась преподавательница, переводившая разные документы. Ефим Иванович, любовник Сильвии Яновны, помогал своей неимущей сестре, оплачивал педагога для ее сына-двоечника. Стоит ли говорить, что ко всем заглядывала одна и та же женщина, милейшая...

— Эльза Марковна! — закричала я. — Она служила источником информации. Между прочим, надомная учительница очень быстро узнает о всех проблемах семей своих учеников. К тому же дети болтливы, много и охотно рассказывают о родителях и их друзьях! Теперь я точно знаю, как обстояло дело!

— Ты торопыга, — в сердцах воскликнул Олег, — всегда спешишь с выводами, лезешь поперед батьки в пекло и не умеешь слушать, от этого и садишься вечно в лужу!

Я возмутилась до глубины души:

— Ни в какой луже никогда не сидела! И тоже способна делать логические выводы.

— Ну-ну, — покачал головой Олег, — и что же ты надумала?

— Да теперь все понятно! Краснов и Славский узнали, что лейтенант будет перевозить бриллианты, и убили своих товарищей, чтобы завладеть камнями. Они полагали, что военные припишут это преступление чеченцам, и не ошиблись. Вот только не понимаю, каким образом Краснова объявили умершим?

— Ну это просто, — вздохнул Олег, — Ваня повесил свой медальон на шею убитого Хрекова, а в карман сунул ему свою записную книжку. Тело Андрея было сильно изуродовано, вот его и приняли за труп Краснова. Остальные погибшие были узнаваемы, поэтому Славскому проделать такую же операцию не удалось.

— Парни вернулись в Москву, — с жаром продолжила я, — они правильно рассчитали, что в огромном мегаполисе легко раствориться. Вот только допустили одну оплошность — Славскому не надо было покупать паспорт на свое настоящее имя.

— Да, — кивнул Олег, — здесь была допущена ошибка. Ваня очень ругал Евгения. А потом даже отправился к его матери под видом товарища сына, отдал несчастной Инессе Матвеевне золотую цепочку и полностью убедил бедную женщину, что ее сын мертв. Ваня ушел от матери Жени успокоенным, он понял, что Инесса Матвеевна морально абсолютно раздавлена, никуда она с заявлениями не ходит, сына не ищет, окончательно пала духом и заперлась дома.

Была допущена еще одна, грубейшая ошибка: покупка машины на имя Славского. Ване страшно хотелось иметь автомобиль, документов на имя Луковского и Леонтьева еще не было. У парочки имелся один паспорт на двоих, на имя Евгения, вот Иван и воспользовался им. Дурацкий поступок, еще глупее было продолжать ездить на этой машине, в конце концов она их и сгубила. Когда автомобиль в очередной раз забарахлил, Иван явился в сервис и налетел на Антона. Испугавшись, мерзавцы взорвали сервис.

— Но у них было столько денег, — удивилась я, — отчего бы не купить по хорошей тачке?

— Боялись привлечь к себе внимание, — пояснил Олег, — жили в бедности специально, хотя кое-что приобрели. У Леонтьева был дорогущий домашний кинотеатр, но это не такая вещь, которую все видят, а машина просто барометр благосостояния.

Жить под именем Славского Евгению было крайне неразумно, Ване нужны были документы, и тогда они купили новые паспорта. Но бумаги на имя Славского им тоже пригодились. Иван-Павел превращался в Женю в момент совершения преступления. Мозговым центром всех историй были Борис-Евгений и...

— Эльза Марковна, — подхватила я.

Олег крякнул:

— Опять торопишься!

— Разве не так?

— Ну... Значит, тебе все абсолютно ясно? — ухмыльнулся Олег.

— Нет!!! Полно вопросов! Кто убил Ксюшу? Где Аня?

— Это уже другая история, — вздохнул Олег, — связанная с первой, но другая. Будешь слушать ее?

Он еще и издевается над женой!

— Конечно, милый, я вся внимание.

— Только не перебивай, очень не люблю, когда мешают говорить.

— Хорошо, хорошо, обязательно куплю себе таблетки от болтливости.

— Они помогут тебе, как микстура от косоглазия, — ухмыльнулся Олег.

— Все, молчу, словно рыба!

Глава 32

Иногда господь вдруг решает проявить справедливость и начинает разоблачать преступников. Ваня-Павел, водивший рейсовый автобус, совершенно не предполагал, какие испытания его ждут. Кстати, приехав из Чечни, раздобыв документы и купив себе более чем скромные квартирки, парни далеко не сразу решили заниматься похищениями. Первое время они вели себя очень тихо, камни не продавали. Бриллианты, спрятанные в укромном месте, ждали своего часа. Юноши еще не решили, чем заняться дальше, и пока спокойно работали, не привлекая к себе ничьего внимания.

Но если Женя-Борис абсолютно не вспоминал о своей матери и умершем отце, то Ваня-Павел частенько думал об Ане и дочке, которую он никогда не видел. Думал, думал и не выдержал. Пару раз он звонил Ане и слушал в трубке ее голос, потом, нацепив парик и приклеив усы, поехал в свой родной двор, уж очень ему хотелось поглядеть на Полину. Девочка сидела в песочнице. Отец подошел к ней, заговорил. Полина абсолютно не испугалась незнакомца, и парень был потрясен, какую бурю эмоций вызвала в его душе эта встреча. Жене он ничего о своем походе не рассказал, понимая, что Славский не одобрит такого поведения и потребует прекратить встречи.

Ваня начал ездить к девочке, однажды он привез ей куклу, но не успела Полина взять подарок, как на парня налетела хорошо знакомая женщина.

Она с гневом заявила:

— Сейчас вызову милицию! Вы — педофил, пристаете уже не первый раз к Полине.

Голос дамы перешел в крик. Ваня испугался, он совсем не хотел привлекать к себе внимание.

— Успокойтесь, — шепнул он, — я ее отец, Иван Краснов.

Женщина оторопела.

— Не ври, он убит.

Ваня отклеил усы. Она чуть не упала замертво.

— А ну пошли поговорим, — велела дама.

Ваня и женщина давно знали друг друга, и, в отличие от никого и никогда не любившего Жени, Ваня был человеком хоть и жестоким, но сентиментальным. На преступление он решился только потому, что хотел жениться на Ане, купить квартиру, дачу, машину и жить спокойно, тихой жизнью мещанина. К тому же Славский пообещал подельнику, что дело выеденного яйца не стоит. О том, что придется добивать раненых товарищей, Ваня и не предполагал. А когда бриллианты оказались в их руках, ситуация тоже начала развиваться не так, как хотелось Краснову, он не мог открыто вернуться домой. Его, как это ни банально звучит, мучила совесть, очень хотелось облегчить душу, рассказать хоть кому-нибудь о том, как тяжело на сердце. Но кому? Одно время Ваня даже подумывал сходить в церковь исповедаться, а тут вдруг налетел на достаточно пожилую женщину, свою бывшую учительницу, человека, которого Ваня очень уважал и которому доверял.

— Эльза Марковна! — подскочила я. — Она знакома с Аней и Еленой Тимофеевной.

— Как бы отучить тебя перебивать старших, — скривился Олег, — мне кажется, что подобное поведение требует наказания. Ладно, Эльза Марковна на самом деле очень хорошо знала Аню и Елену Тимофеевну. С последней они вместе учились в институте. А одно время, пока была жива бабушка Вани, паренек брал уроки иностранного языка у...

— Эльзы Марковны!

Олег скривился:

— Ты слушай!

Учительница выслушала покаянную речь Вани и повела себя неожиданно.

— Да уж, — вздохнула она, — наломал ты дров. Теперь тебе всю жизнь придется вздрагивать, вдруг кто узнает.

— Так некому, — попытался возражать Ваня, — я живу совсем в другом районе, работаю в Подмосковье.

Преподавательница пожала плечами:

— Неисповедимы пути господни, всяко может случиться. Вот что, надо уезжать отсюда за границу.

— Куда?

— Ну это мы обсудим, — спокойно заявила она, — хоть бы в Германию. Но сначала надо еще заработать, да столько, чтобы потом ни в чем не нуждаться.

Ее спокойная речь завораживала. Ваня пого-

ворил с Женей, и преступное сообщество зарабо-
тало.

Учительница находила кандидатуру для похищения, Женя и Ваня выполняли «практическую»
работу. Вернее, вся черновая часть лежала на
Краснове. Славский нашел людей, тоже готовых
участвовать в преступлении, — женщин. Это
были: его жена Аглая и ее подруга Нюся. Жадный Славский, готовый удавиться за копейку,
естественно, не платил супруге, а Нюсе он давал
небольшие суммы. Впрочем, много от девушки
он не требовал. Ей отводилась самая «простая»
часть — она выхватывала из рук жертвы сумку
с валютой. Славский старательно соблюдал меры
безопасности. Ваня Краснов не знал Нюсю, а
последняя и не предполагала, что сердцем пре-
ступного сообщества является учительница.

Банда осуществила три похищения, и Жене-
Борису стало казаться, что он суперпреступник,
поймать которого просто невозможно. Рано или
поздно с удачливыми членами криминального
сообщества случается такое, и тогда они, потеряв
бдительность, начинают делать ошибки. Потом
учительница договорилась с Ефимом Иванови-
чем. Тут был особый случай. Отец хотел выкрасть дочку. Деньги, триста тысяч, он велел потребовать, чтобы Сильвия Яновна была абсолютно уверена: Настену похитили ради выкупа. Отец
получил ребенка и отбыл в Америку, велев не
брать денег у Сильвии.

Но Борис рассудил иначе. Зачем оставлять
такую большую сумму, если она сама плывет в
руки?

— Постой, — забормотала я, — а что они делали с другими детьми? Насколько я понимаю, домой ребята не вернулись.

— Правильно, — кивнул Олег, — малышей, к счастью, не убивали. Учительница отправляла их к людям, которые занимаются незаконным вывозом детей из России и продажей их бесплодным, богатым иностранцам. Бандиты во главе с педагогом зарабатывали на несчастных детях дважды: сначала присваивали себе выкуп, а потом получали еще и процент от торговцев детьми. Но случай с Настеной особый. Девочку решил украсть родной отец, поэтому негодяи проигрывали в сумме «гонорара». Впрочем, Ефим Иванович заплатил за Настену, но Женя-Борис решил получить еще триста тысяч долларов, более того, он не собирался ставить об этом в известность Ваню-Павла и учительницу.

Боря решил устроить дело как всегда, но все пошло наперекосяк. Первую подлянку подложила его супруга Аглая. Участвовавшая до этого в трех похищениях, Аглая неожиданно стала плакать, твердить, что ей жаль Сильвию, говорить о том, что матери надо сообщить, что девочка жива. Борис наорал на жену и даже поколотил ее. Тогда Аглая «сменила песню». Приходя домой, она валилась на диван и начинала тупо бубнить:

— Нас поймают, посадят в тюрьму надолго, на всю жизнь, я боюсь, боюсь, боюсь.

Сначала Женя-Борис велел супруге пить валерьянку, а потом понял, что Аглая может всех выдать. Ей пришлось, изображая жертву нападения, продолжать ходить к Сильвии на работу. Управляющая банком не обратилась в милицию, но велела няне сидеть день-деньской у телефона, чтобы не пропустить звонок от похитителей.

В день, когда у Сильвии отняли триста тысяч, она, вернувшись домой, налетела на Аглаю с криком:

— Знаю, это ты виновата! Ты в сговоре с похитителями, впустила их в дом!

На самом деле Сильвия кричала от бессилия и отчаяния. Она ни на минуту не подозревала няню, которой преступники сильно рассекли голову, но Аглая испугалась до потери сознания и... повесилась от страха.

Бориса такой поворот событий не расстроил. Он и сам подумывал об устранении истерички-жены, способной «утопить» их прибыльный бизнес.

«Баба с возу, кобыле легче», — решил «любящий» супруг и приказал Нюсе вырвать сумку у Сильвии. Но тут Нюся, до сих пор беспрекословно ходившая на дело, уперлась рогом.

— Не хочу, — заявила она, — не стану этого делать, боюсь, три раза с рук сошло, на четвертый поймают. Ищи других.

Единственное, чего Борис сумел добиться от Нюси, это ее согласия взять у метро сумку у той девушки, которая осуществит отъем денег.

Парень начал перебирать в уме знакомых и вспомнил про одноклассницу Аглаи, Аню Кузовкину, иногда приходившую к ним в гости. Девушка постоянно жаловалась на безденежье и на то, как тяжело дома, где ее постоянно пилит мама. Еще Анечка со смехом рассказывала Аглае о том, как вместе со своей подружкой Ксюшей Савченко дурит клиентов Элизы.

— Представляешь, — веселилась Аня, — га-

далка им предсказывает ограбление, а мы с Ксюхой отнимаем сумки и прячем. Элиза же на сле-
дующем сеансе сообщает им, где лежит пропажа.
Прямо цирк! Ты не поверишь, сколько идиоток
на такой трюк покупаются.

Борис припомнил все эти рассказы и позвонил Ане. Он не стал рассказывать ей правду, а
придумал историю о своем приятеле, который
якобы хочет отучить жену шляться по ночам неизвестно где.

— Испугается грабителей и сядет дома, —
с самым честным лицом врал Женя-Борис, —
тебе за это сто пятьдесят баксов перепадет, хорошая сумма за пять секунд работы, главное, ничего нового, ты подобным уже занимаешься.

Ане и в голову не могло прийти, что в сумке,
которую ей предлагалось выхватить у жертвы,
должны лежать триста тысяч долларов. Она только сказала Борису:

— Ладно, но одна я не пойду, мне Ксюха, как
всегда, поможет, ей тоже пусть полторы сотни
отсыпят.

Женя-Борис тут же согласился. Он намере-
вался получить огромную сумму и решил особо
не жадничать, конечно, жаль лишние сто пятьдесят баксов, но вдвоем девки гарантированно
справятся, такие операции у них отработаны до
автоматизма.

Но, как я уже говорила, если господь решил
наказать преступников, он сделает так, чтобы
негодяи попались. Борис не знал о некоторых
обстоятельствах. Первое. Примерно месяц назад
Анечка нанялась к богатой соседке, матери кап-
ризной Зиты, той самой Лиане Варкесовне, которая подарила ей белую куртку, выгуливать

собак. Лиана Варкесовна попросила Аню посидеть у нее дома часок, должны были привезти пакет из прачечной. Девушка, услыхав звонок в домофон, спросила:

— Кто там?

— Белье из «Кристалла», — ответил очень знакомый голос, — шофер Евгений Славский.

Аня впустила парня в прихожую и чуть не упала в обморок. Водитель как две капли воды походил на ее погибшего гражданского мужа Ваню. У него, правда, были светлые, а не темные волосы, аккуратные усы и бородка, но в остальном похож как две капли воды, в особенности ее завораживал голос.

Ваня, который по трудовой книжке Славского опять устроился в «Кристалл», тоже удивился и испугался одновременно, но у него нашлись силы не выказывать изумления. А еще он понял, что не в силах еще раз расстаться с Аней, поэтому назначил ей свидание. У молодых людей начался роман. Анечка была твердо уверена, что ее нового кавалера зовут Женя Славский. Банда вовсю готовилась к похищению Настены. Ваня решил пока не открывать правды Ане, он собирался это сделать чуть позже, но не успел, потому что в дела банды активно вмешался господин Случай. Борис-Женя не знал о «знакомстве» Ани с Иваном, привлекая девушку к делу. Но еще ему и в голову не могло прийти, что Сильвия Яновна, холодная, расчетливая, очень умная управляющая банком побежит к гадалке. Бедная женщина, пытаясь найти дочь, схватилась за соломинку. Вспомнив, что от кого-то из знакомых она слышала про Элизу, Сильвия полетела в салон. Она пришла на прием и рассказала «ясновидящей» все: про похищение девочки и требование трехсот тысяч баксов.

К чести Эли, надо сказать, что она, поняв, в какой ситуации оказалась бедная мать, сказала той:

— Я подобными услугами не занимаюсь, вам надо незамедлительно отправиться в милицию. Ни в коем случае не несите выкуп одна, дело закончится плохо.

Сильвия вышла в холл, расплакалась, сестра Эли, Майя, стала утешать клиентку, а потом рассказала Ане всю историю.

Выслушав историю Сильвии, Анечка, мать крошечной Полины, от души пожалела тетку. Потерять ребенка, что может быть страшней!

За день до назначенного нападения на Сильвию Ксюша мрачно сказала Ане:

— Не могу с тобой пойти.

— Почему? — удивилась подруга.

— Аборт делать надо, — вздохнула Ксюша, — я договорилась со знакомой медсестрой, бесплатно почистит, но только вечером, в свою смену. Найди другую напарницу.

И Аня обратилась к соседке Лизе. Борису она о «рокировке» рассказывать не стала, и тот был абсолютно уверен, что на дело пошли Аня и Ксюша. Когда Анечка, одетая во все черное, с лицом, прикрытым шлемом-маской, налетела на Сильвию, она сразу узнала в ней женщину, рыдавшую в приемной у Элизы. На улице стояла темень, но в том месте, где произошло ограбление, ярко горел фонарь, и у Ани не возникло сомнений: перед ней управляющая банком. Вырвав из ее рук портфельчик, Аня не пошла, как было договорено к Нюсе. Девушка тут же поняла: никакого мужа, решившего проучить супругу-гуле-ну, нет, в сумке выкуп за Настену. Аня забежала в ближайший подъезд, открыла замок и ахнула: внутри лежали тугие пачки зеленых купюр, пере-хваченные разноцветными резинками. Надо ска-зать, что Аня до сих пор не отличалась мораль-ной чистоплотностью, она совершенно спокойно участвовала в «спектаклях», срежиссированных Элей, но принимать участие в настоящем похи-щении ребенка она побоялась.

Прибежав домой, Аня позвонила Борису и устроила истерику. Тот сделал вид, что очень удивлен.

— Какие триста тысяч? С ума сойти! Подо-жди, сейчас все узнаю!

Аня продолжала орать, ее разговор услышала некстати вернувшаяся домой Елена Тимофеевна. Поняв, что с дочерью происходит что-то нелад-ное, она вошла в комнату и потребовала немед-ленных объяснений. Аня начала плакать, показа-ла матери деньги и рассказала той все. Елена Ти-мофеевна пришла в ужас. Но тут позвонил Борис и успокоил Аню:

— Черт-те что получилось. Эта дура, оказыва-ется, несла домой часть выручки. Вот что, мы ей сказали, будто две честные девушки нашли чемо-данчик и отдадут его хозяйке, если та заплатит им по десять тысяч баксов. Идиотка согласна. Приезжайте сейчас ко мне, только обязательно вдвоем, появишься одна — ничего не получите.

Аня вытерла слезы и объяснила матери ситуа-цию. Та велит ей немедленно, прихватив Ксюшу, мчаться к Борису и избавиться от денег.

Анечка не колеблется. На дело с ней ходила Лиза, девчонки великолепно знают друг друга, можно сказать, с детства. Но Лиза просто хорошая знакомая, соседка, а Ксюша — лучшая подруга, ясно, что десять тысяч долларов должны достаться ей, а не Лизе, с той и ста пятидесяти баксов хватит!

Аня звонит Ксюше и командует:

— Немедленно собирайся, поехали.

— Не могу, — стонет подруга, — у меня кровотечение, все болит, наверное, аборт плохо сделали, мне надо к врачу.

— Глупости, — злится Аня, — тысячи баксов на кону.

— Не могу, — ноет Ксюша, — мне очень плохо, кровь течет.

— С ума сошла, — орет Аня, — такие деньги! Запихни туда десяток тампонов, получишь бабки и отправишься к врачу, ничего с тобой за час не случится. Давай собирайся, клуша! Через двадцать минут встречаемся у метро.

Спустя полтора часа Аня и Ксюша приходят к Борису. Тот берет чемоданчик, пересчитывает баксы и спокойно говорит:

— Сейчас придет банкирша и отсчитает вашу долю. Что это ты, Ксюша, такая синяя?

— Плохо мне, — шепчет девушка, — где у тебя туалет?

— По коридору налево, — отвечает парень.

Ксения идет в санузел, едва держась на ногах. Из нее просто водопадом хлещет кровь. Девушка огромным усилием воли пытается не потерять сознание.

Тем временем в комнате Борис убивает Аню.

Тело он кладет на диван, прикрывает пледом, издали похоже, что девушка просто спит. Теперь очередь Ксюши. Борис стучит в туалет.

— Эй, ты там не утонула?

— Нет, — стонет Ксюша, — мне совсем плохо.

— Долго еще тут сидеть намерена?

— Пока не могу выйти.

— Хрен с тобой, — бросает Борис, — только не шуми. Анька заснула.

— Почему? — удивляется Ксюша.

— Водки выпила на радостях, что баксы сейчас получит, — засмеялся Борис.

И тут раздался звонок в дверь — пришел сосед, с порога начавший ругаться:

— Опять на лестницу помойку выставил! Воняет же, унеси вниз!

— Чуть позже можно? — сопротивляется Борис.

— Нет, сейчас, — злится сосед, — а то домоуправа приведу, сию минуту к нему пойду и участковому пожалуюсь.

Парню приходится согласиться. Подумав, что Ксюша с больным желудком (Борис не знает про аборт) не рискнет далеко уйти от унитаза, Борис-Женя бежит с ведром на помойку.

Ксюша выходит из сортира, идет в комнату, приближается к Ане и понимает, что подруга мертва. В полном ужасе девушка бросается в прихожую, хватает куртку Ани, то ли по ошибке, то ли решив, что умершей такая обновка ни к чему, и выбегает из квартиры.

У нее хватает ума не ехать на лифте, чтобы не столкнуться с Борисом, а спуститься по лестнице пешком, но каждый шаг дается Ксюше с огромным трудом — внизу живота горит огнем, а на улице ей становится еще хуже. В полуобморочном состоянии Ксюша проходит пару кварталов, потом, понимая, что сил больше нет, она заходит в первый попавшийся дом, начинает подниматься по лестнице, хочет позвонить в первую же квартиру и попросить вызвать «Скорую помощь».

Но тут силы оставляют ее, Ксюша сползает на ступеньку и проваливается в обморок. Время позднее, из квартир никто не выходит, окоченевшее тело несчастной находят лишь утром, его отправляют в морг как неопознанное.

— Значит, девушка погибла... — растерянно пробормотала я.

— От криминального аборта, — кивнул Олег, — только, думается, Борис все равно бы убил ее как ненужную свидетельницу. Труп Ани он вывез в Подмосковье и зарыл в лесу. Ване и учительнице ничего не сказал, триста тысяч оставил себе.

Краснов, естественно, узнал, что Аня пропала, Елена Тимофеевна сказала ему о том, что дочка ушла на почту за деньгами.

— Погоди, — оторопела я, — Елена Тимофеевна знала о Ване? Была в курсе того, что он жив? Ты ничего не путаешь?

Олег укоризненно покачал головой:

— Сама ведь говорила, что станешь молчать как рыба! Ты столько раз перебивала меня, когда я хотел договорить до конца, что не поняла суть. Да, Елена Тимофеевна великолепно знала про Ваню. Ты еще не догадалась, в чем дело?

— Нет, — прошептала я, — извини, но нет!

— Да ну? Так и не поняла, кто эта учительница, мозг банды, милая репетиторша, наводчица, похитительница детей?

— Эльза Марковна!!!

— Да, — подхватил Олег, — у дамочки были документики на это имя, причем абсолютно подлинные, только настоящая Эльза Марковна и ее несчастная внучка погибли в огне пожара, в квартире, принадлежавшей лучшей подруге учительницы. Та позвала Эльзу Марковну временно пожить у себя, потом подлила жертвам в чай снотворное, взяла их документы, подожгла квартиру и съехала вместе с Полиной к Ване-Павлу. Вечером парень получил от милой старушки убийственную, прости за неуместный каламбур, дозу лекарства. Лже-Эльза Марковна надеялась, что Иван скончается, но с тем случился инсульт, впрочем, врачи считают состояние Краснова-Леонтьева безнадежным.

Внезапно у меня в мозгу ракетой вспыхнуло воспоминание. Вот маленькая девочка-школьница сетует:

— Такая хорошая училка была, обед мне грела, жаль, погибла, сгорела в квартире. Я ведь к ней в тот день приходила, но позаниматься не сумела, у Елены Тимофеевны внучка свинкой заболела.

А потом девочка рассказала, что на лестницу выскочил хохочущий ребенок и Елена Тимофеевна быстро сказала:

— Соседка пришла за мукой со своей дочкой. Вот из этой квартиры.

Учительница ткнула пальцем в дверь. Но я-то знаю, что с ней на одной лестничной клетке проживала Лиза и мужик-пьяница, никаких женщин с крохотными детьми там не было. Так вот что насторожило меня тогда в рассказе пятиклассницы, вот почему я испытала какое-то легкое недоумение...

— Не может быть, — прошептала я. — Елена Тимофеевна! Нет, неправда.

— Очень даже правда, — мрачно заявил Олег. — Помнишь, ты рассказала мне, что Елена Тимофеевна, открыв тебе дверь, ну, в тот день, когда ты явилась к ней в куртке дочери, воскликнула: «Аня?» — и упала в обморок. Знаешь почему?

— Ну...

— Ты стояла на лестнице, позади было окно. День выдался солнечный, яркий свет бил тебе в спину, лица нежданной гостьи Елена Тимофеевна не разглядела, зато куртку узнала сразу, и на какое-то страшное мгновение ей показалось, что домой вернулась убитая Аня. Женщина на самом деле на секунду лишилась чувств, но потом, быстро придя в себя, подслушала разговор, который вели вы с Лизой, и сообразила — это невероятная случайность.

— Зачем же она отправила меня узнавать, откуда в секонд-хенде взялась куртка?

— А что ей было делать на глазах у любопытной Лизы, которая развесив уши внимательно следила за разворачивающимися событиями? Только и оставалось, что изображать мать, готовую выложить за сведения о судьбе дочери любые деньги!

— Она сама убила Аню!

— Чужими руками, — сказал Олег. — Елена Тимофеевна великолепно понимала, что Борис-Женя уничтожит и Аню, и Ксюшу, уберет их, как ненужных свидетельниц, но не остановила дочь, а попросила ее поторопиться. Впрочем, мне кажется, вернись Аня домой живой и невредимой, мать нашла бы способ избавиться от нее.

— Но почему?

— Боялась, что Аня пойдет в милицию. Перед тем как уйти к Борису, девушка сказала: «Не верю я ему, кто же носит с собой в сумочке просто так триста тысяч! Нет уж, мы с Ксюхой, конечно, съездим к Борьке и поговорим с Сильвией. Если она скажет, что и впрямь как дура тащила такое количество баксов, тогда возьмем по десять тысяч, но что-то мне подсказывает: врет Борис. Может, лучше сразу в милицию податься?»

«В отделение всегда успеешь, — быстро сказала мать, — сначала поезжай на встречу, вдруг дело обстоит так, как говорит твой знакомый».

Женя-Борис убивает Аню. Ване-Павлу он ничего не сказал о происшествии, потому что решил единолично завладеть огромной суммой. Родителей Ани преступник не знает, Аглая рассказывала мужу, что ее подруга живет вместе с матерью, воспитывает одна ребенка, никогда не была замужем и очень нуждается. Борису и в голову не приходит, что Аня дочь Елены Тимофеевны и ребенок у нее от Вани-Павла.

Елена Тимофеевна в свою очередь тоже ничего не сообщает Ване о судьбе Ани. А тот, страшно волнуясь, боится рассказать ей о том, что встречался с Аней под именем Жени Славского.

Одним словом, все друг другу врут, но до поры до времени ситуация остается стабильной.

Испуганный Борис, убив Аню, чувствует себя не слишком уютно, при этом его пугает сбежавшая Ксюша. О том, что девушка умерла, преступник не подозревает. Борис решает временно затаиться и говорит Ване-Павлу:

— Больше пока не буду участвовать в делах.

Приятель соглашается:

— И мне что-то не по себе.

Больше всех хочется продолжить преступное занятие Елене Тимофеевне, но ей приходится нести в милицию заявление о пропаже дочери. Учительница понимает, что какое-то время она будет под пристальным вниманием правоохранительных органов и должна вести себя соответственно.

Таким образом, по разным причинам члены банды решают отойти от дел и залечь на дно.

Проходит год. Аню, естественно, не находят, Ксюшу никто и не ищет. Елена Тимофеевна начинает думать, каким образом ей уехать из страны. Денег у нее накоплено много, но вот как получить нужные визы? Елена Тимофеевна уже не молода, да еще с крохотной внучкой, ни одна европейская страна не примет такую парочку.

И тут ей звонит хорошая подружка Эльза Марковна и рассказывает о том, что уезжает с внучкой в Германию, вот только квартиру продаст.

В голове Елены Тимофеевны мигом возникает план. Пожилые женщины отдаленно похожи, фотография на паспорте у Эльзы Марковны отвратительная, снимок сделан два года назад, за этот период женщина сильно постарела. Полина же, беленькая и голубоглазая, вылитая внучка Эльзы Марковны. Елена Тимофеевна преподает английский, но немецким она тоже владеет. Двоюродный брат Эльзы Марковны, к которому она отправляется в Германию, никогда не видел свою сестру. Да и пограничники не станут особо разглядывать пожилую бабу с ребенком, улетающую навсегда из страны. Елене Тимофеевне кажется, что задуманная авантюра просто обречена на успех. Она предложила своей подруге, когда квартира продастся, пожить у нее до отъезда.

Легкое беспокойство ей доставляет визит идиотки, купившей в секонд-хенде невесть как попавшую туда куртку Ани. Но буквально через час после ухода Виолы звонит Эльза Марковна и сообщает:

— Едем к тебе, квартиру продали!

Елена Тимофеевна решает, что это судьба. Ночью она поджигает свою жилплощадь и убегает с Полиной к Ивану-Павлу. Ему она, естественно, говорит, что стала погорелицей.

Елена Тимофеевна знает, что Ваня с радостью примет и ее, и дочь. Учительница жадна до невероятности. Она вполне способна снять квартиру, но предпочитает переехать к парню, чтобы не тратиться. И потом, она чувствует себя в полной безопасности. Елена Тимофеевна Кузовкина и ее внучка Полина погибли в огне. Никто не знает, куда отправилась Эльза Марковна, родственников у нее нет, из подруг только Елена Тимофеевна. Пожар не должен никого удивить, сосед-пьяница уже пару раз горел, найдут два неузнаваемых трупа и похоронят как Елену Тимофеевну Кузовкину и Полину, а «Эльза Марковна» благополучно отбудет в Германию.

Приехав к Ване, учительница с негодованием узнает, что парни решили, не поставив ее в известность, вновь заняться похищениями. Они полагали, что проведенный тихо год замел все следы. Преподавательница пугается, ей совсем не хочется, чтобы сейчас, когда она под видом Эльзы Марковны живет у Вани, он попал в лапы милиции. Есть только один способ спасти ситуацию, и она недрогнувшей рукой подливает лекарство в суп.

Теперь ей остается ждать тридцать первое декабря, сидеть тихо-тихо, не высовываясь, что она и делает, день-деньской проводя в квартире, стараясь лишний раз не выходить на улицу. Борис, считающий, будто подельник смертельно болен, естественно, отменяет задуманное. Елена Тимофеевна ликует, до конца года меньше месяца, в ее руках не только собственные деньги, но и то, что спрятал Ваня.

— Так вот почему женщина, открывшая дверь в квартиру Павла, увидев меня, бросилась наутек!

— Правильно, — кивнул Олег, — она тебя узнала, а ты ее нет.

— Я не разглядела лица, в коридоре стояла темень.

— У Елены Тимофеевны при виде тебя сдали нервы, — подвел итог Олег, — и она решила спасаться бегством. Во дворе же с утра сидела оперативная группа, мы собирались брать ее, но тут появилась ты, и разработанный план полетел в тартарары.

— Ужасно, — прошептала я, — ради денег она убила свою дочь, подругу, ее внучку...

— Впиши еще в этот список Ивана-Павла, он тоже не жилец, — мрачно констатировал Олег, — и Аглаю, жену Бориса-Жени.

— Но она сама покончила с собой!

— Да, но мне кажется, Аглая тоже жертва.

— А еще подруга Лизы, Рита, сгоревшая в

квартире. Кстати, ты уверен, что поджог сделала Елена Тимофеевна? Лиза считает: в произошедшем виноват ее сожитель Юра, я же рассказала тебе историю со страховкой.

— Нет, — ответил Олег, — экспертиза установила точно: очаг возгорания был в спальне Елены Тимофеевны и Полины. Лиза тут ни при чем. Единственное, что можно ей вменить, — это обман страхового агента. В полисе указано, что квартира нашпигована бытовой техникой и сверкает евроремонтом, а на самом деле там ничего подобного и близко не было!

Эпилог

Елена Тимофеевна, пытаясь облегчить свою участь, мигом принялась топить Бориса-Евгения. Она же рассказала о всех похищенных детях. Эта часть следствия самая светлая, потому что благодаря показаниям учительницы малыши были, правда спустя очень длительный срок, возвращены матерям. Сильвия Яновна привезла из Канады Настену и теперь изо всех сил старается стереть у дочери воспоминания о месяцах, проведенных рядом с любящим папочкой.

Ваня умер в больнице. Он так и не пришел в сознание, не узнал, кто убил его любимую Анечку.

Лиза так и не получила от страховой компании деньги, ей пришлось делать ремонт в старой квартире, я больше с девушкой не встречалась.

Эля по-прежнему дурит народ, обещая доверчивым клиенткам уличные ограбления. На нее никто не жалуется, и салон «Волшебный шар» процветает.

На могиле, где похоронены Эльза Марковна и ее внучка, сменили табличку, раньше на ней значились имена Елены Тимофеевны и Полины.

Сама Елена Тимофеевна ждет своей участи в СИЗО. Полину забрала к себе сестра учительницы, Мария Тимофеевна.

— Что же это такое делается? — бормотала женщина, увозя двоюродную внучку. — Может, Елена заболела психически? Ни один ведь человек в здравом уме такого не сотворит! Нет, она точно умом тронулась!

Но экспертиза признала Елену Тимофеевну вменяемой, и теперь ей грозит очень тяжелое наказание, максимальное, которое может получить в нашей стране женщина.

Борису-Евгению светит пожизненное заключение, но больше всего на свете парень боится суда. Вовсе не потому, что ему придется смотреть в глаза родственникам похищенных детей, а потому, что на процессе в качестве свидетельницы должна выступить Инесса Матвеевна. Хладнокровный убийца, не пожалевший в свое время ни своих сослуживцев, ни единственного оставшегося в живых автомеханика Антона (вы, конечно, поняли, что газовый баллон в сервисе взорвался не сам по себе), ни Аню, человек, не проронивший слезинки по своей жене Аглае, буквально ползал в ногах у Олега, умоляя:

— Не надо привозить маму.

Но Куприн жестко ответил:

— Тебе придется пройти через это. Инесса Матвеевна сама захотела принять участие в процессе, сказала, что желает просто посмотреть тебе в глаза.

Но до суда пока далеко, состоится он только в будущем году. Вчера я спросила у Олега:

— Как ты думаешь, удалось бы Елене Тимофеевне под видом Эльзы Марковны пересечь границу?

Муж отодвинул пустую тарелку.

— Думаю, маловероятно, хотя все случается.

Наша жизнь течет по прежнему руслу. Кристя бегает в школу, Томочка хлопочет по хозяйству, Семен и Олег пропадают на работе. Я написала свой детектив и отнесла в издательство. Вежливо улыбнувшись, Олеся Константиновна заявила:

— Ну наконец-то! Вы, Виола Ленинидовна, хороший автор, если бы еще проявили большее усердие! Кстати, не желаете новую книгу Смоляковой? Вон на подоконнике лежит. Берите, не стесняйтесь.

Я подошла к окну и уставилась на яркий томик. «Не будите спящую собаку». Да уж, пытаться угнаться за этой дамой — пустое занятие.

— Милада Сергеевна каждый день пишет по двадцать страниц, берите с нее пример, — назидательно вымолвила Олеся Константиновна.

— Обязательно, — попятилась я к двери, — всенепременно, прямо сегодня и начну, два десятка, и ни страницей меньше.

Редактор прищурилась:

— Верится с трудом, но в жизни бывают неожиданности.

Ощущая себя ребенком-двоечником, который по недоразумению получил «четыре» за очередную контрольную, я приехала домой и налетела на Марину Степановну.

— Тише, — зашикала старуха, — Лорочка спит, у нее концерт! Детке следует отдохнуть! У Лоры страшно нервная работа.

Я села на стул и принялась стаскивать сапоги. Может, Лора и устает, бегая по сцене и разевая рот под фонограмму, но с тех пор, как певичка поселилась у нас, остальным хоть вон беги. Нам нельзя громко разговаривать, включать телевизор и радио, греметь кастрюлями, бурно выражать восторг или негодование. Марина Степановна на полном серьезе заявила Томочке: «Велите Никите замолчать», а мне она сказала: «Прикажите собаке не лаять, Лорочка должна выспаться».

К слову сказать, «девочка» дрыхнет до пяти вечера, потом, растрепанная и опухшая, выползает в коридор и плетется в ванную. Там за закрытой дверью происходит метаморфоза, уж не знаю, каким образом Лора достигает подобного эффекта, но примерно через полчаса из ванной появляется не гадкая серая куколка, а яркая бабочка. Личико Лоры радует глаз нежной кожей, красные прыщики испаряются со щек как по мановению волшебной палочки, слипшиеся, жидкие волосы трансформируются в роскошные, переливающиеся кудри, мутные глазки приобретают блеск, тонкие губы расцветают, словно нежные розовые бутоны. Оно понятно, что противная певичка накладывает на себя тонну косметики, но мне очень интересно, какая фирма выпускает столь чудодейственные средства. Если я пытаюсь приукраситься при помощи косметики, результат, как правило, бывает противоположным.

Кстати, сама Лора, чей покой неусыпно стережет Марина Степановна, абсолютно не стесняется. Домой она заявляется около трех ночи, с шумом хлопает дверью и орет:

— Вован, неси чай!

Мне всякий раз хочется стукнуть ее, останавливает лишь лень, просто неохота вылезать из-под одеяла. А еще Лора вечно всем недовольна, ходит с надутым лицом и постоянно делает нам замечания. «Чай пахнет веником. Никита отвратительно визглив. К Кристине без конца шляются подруги. Они топают и кричат!» Заканчиваются все монологи заунывным воплем: «Ну когда мы наконец уедем из этой дыры!»

Одно хорошо, после приезда обожаемой невестки Марина Степановна скользит по дому, аки тать, замечания всем делает шепотом, а едва завидев выходящую из комнаты певичку, мигом затыкается и шмыгает к себе.

Как ни странно, в моей душе поселилась жалость к старухе, похоже, та на самом деле любит нахалку и гордится своим родством с ней, а Лора ни в грош не ставит свекровь.

Сапог выпал у меня из рук и с легким стуком упал на пол.

— Тише, — зашипела Марина Степановна, — Виолетта, вы...

Но тут из коридора полетел гневный крик:

— Какого черта визжишь постоянно у меня над ухом!

— Лорочка проснулась, — всплеснула руками старуха, — а все из-за вас, Виолетта! Какая вы неаккуратная. Лоронька, детка, сейчас принесу тебе чаю.

— Вылей его себе в... — сообщила невестка, — отвяжись от меня, старая дура! Надоела! Помирать пора, а она все суетится.

Марина Степановна осеклась, сникла, сгорбилась и сразу стала ниже ростом. Ее глаза начали медленно наполняться слезами. У меня защемило сердце. Нет, эта Лора настоящая дрянь. Куда только смотрит Вован! Отчего не надает женушке затрещин? Конечно, и муж, и свекровь полностью материально зависят от звездульки, но ведь это не повод, чтобы разрешать ей столь по-хамски вести себя.

— Не плачьте, — попыталась я утешить старуху.

— И не думала даже, — сердито отбрила меня Марина Степановна, — у меня началась аллергия, вы, Виолетта, слишком много пыли в дом на сапогах принесли!

Я со всего размаху швырнула обувь в ботиночницу. Все, мое терпение лопнуло. Сегодня же поставлю Олегу ультиматум. Либо Вован с семейством съезжает от нас, либо я уйду из дома.

Охота жалеть Марину Степановну пропала без следа. Я пошла на кухню, нашла на столе пустую бутылку и обозлилась еще больше. Значит, здесь кто-то пил «Клинское». Кто бы он ни был, хлебать напиток из хмеля ему нельзя. Олегу и Семену вкушать пиво строго-настрого запретил врач, а Лениниду не разрешаю это делать я. Папашка любит залить за воротник, начнет со светлого, легкого, потом доберется до водки!

Кипя от негодования, я уже собралась сунуть пустую тару в ведро, но тут в кухню влетела Лора.

— Безобразие! Теперь не сумею нормально

отпеть концерт, — завела она, — грохочешь, словно обезьяна в посудной лавке.

Я посмотрела на пивную бутылку. Может, треснуть ею Лору? При всей своей злобности и крикливости бабенка тощая, без всяких признаков мускулов. Я легко сумею победить ее в кулачном бою. Но тут в голову пришла лучшая мысль.

Я вернула бутылку на место.

— Извини, — улыбнулась я, — вот, уронила тару от «Клинского» и разбудила тебя.

— Фу, — скривилась Лора, — пить пиво вульгарно.

— Я его не употребляю.

— А бутылка откуда?

— Это для Кристи.

— Девчонка хлещет пиво?

— Нет, эксперимент решила провести.

— Какой? — проявила любопытство Лора.

— Понимаешь, если сунуть сюда, в горлышко, указательный палец, он ни за что не вылезет назад. Это сказала учительница, девочка не поверила ей, хочет проверить.

Лора молчала. Я приуныла, неужели не попадется, вдруг она не настолько глупа, как кажется?

— Ерунда, — рявкнула Лора, — что вошло, то спокойно вылезет.

— А вот и нет, — подначила я ее.

— Да!

— Нет!!

— Да!!!

— Нет!!!

— Смотри же, — взвизгнула звездулька, схватила бутылку и... Сами понимаете, что случилось потом.

Поняв, что самостоятельно избавиться от бутылки она не в состоянии, Лора потеряла лицо. Какие слова девица выплескивала из себя, я здесь приводить не стану, скажу только, что была искренне удивлена. Проведя детство на улице, я пребывала в уверенности, что хорошо владею «русским арго». Ан нет, Лора за десять минут значительно обогатила мой словарь.

С работы был вызван Вован, он повез истерически рыдающую, матерящуюся жену в травмопункт. Я закрыла за ними дверь, села на стул и засмеялась. Конечно, я повела себя как маленький ребенок, но на душе отчего-то был праздник.

— Виолетта, — заявила Марина Степановна, материализуясь в коридоре, — вы сделали это нарочно! Подначили Лорочку!

Секунду я молчала, потом храбро ответила:

— Да. Ваша невестка противнее скунса.

Сейчас, конечно, Марина Степановна налетит на меня и начнет клевать в темечко, но старуха неожиданно улыбнулась и заявила:

— Наверное, Виола, мне следует сказать вам спасибо.

Я обомлела. Во-первых, совершенно непонятно, почему Марина Степановна решила благодарить меня, а во-вторых, она впервые назвала мое настоящее имя.

— Но за что? — воскликнула я.

Старуха вскинула голову:

— Я сейчас внезапно поняла, что обожала чудовище... Но всякая любовь продолжается столько, сколько заслуживает ее объект.

Вымолвив эту фразу, Марина Степановна,

царственно выпрямившись, прошествовала на кухню. Я осталась сидеть на стуле в полном обалдении. Ну и ну, держись, Лора! Кажется, певичку ждут большие сюрпризы. Она абсолютно уверена, что может помыкать домашними. Ей покажется абсурдным предположение, что Марина Степановна когда-нибудь перестанет боготворить ее. Но Лоре еще предстоит узнать, что абсурдное и неправдоподобное случается в жизни чаще, чем в романах.

Литературно-художественное издание

Донцова Дарья Аркадьевна

МИКСТУРА ОТ КОСОГЛАЗИЯ

Ответственный редактор *О. Рубис*
Редактор *Т. Семенова*
Художественный редактор *В. Щербаков*
Художник *Е. Рудько*
Компьютерная обработка оформления *И. Дякина*
Технический редактор *Н. Носова*
Компьютерная верстка *Т. Комарова*
Корректоры *Т. Гайдукова, Г. Киселева*

ООО «Издательство «Эксмо»
127299, Москва, ул. Клары Цеткин, д. 18, корп. 5. Тел.: 411-68-86, 956-39-21.
Интернет/Home page — www.eksmo.ru
Электронная почта (E-mail) — info@ eksmo.ru
По вопросам размещения рекламы в книгах издательства «Эксмо»
обращаться в рекламное агентство «Эксмо». Тел. 234-38-00.

Оптовая торговля:
109472, Москва, ул. Академика Скрябина, д. 21, этаж 2.
Тел./факс: (095) 378-84-74, 378-82-61, 745-89-16.
Многоканальный тел. 411-50-74. E-mail: **reception@eksmo-sale.ru**

Мелкооптовая торговля:
117192, Москва, Мичуринский пр-т, д. 12/1. Тел./факс: (095) 411-50-76.

Книжные магазины издательства «Эксмо»:
Супермаркет «Книжная страна». Страстной бульвар, д. 8а. Тел. 783-47-96.
Москва, ул. Маршала Бирюзова, 17 (рядом с м. «Октябрьское Поле»). Тел. 194-97-86.
Москва, Пролетарский пр-т, 20 (м. «Кантемировская»). Тел. 325-47-29.
Москва, Комсомольский пр-т, 28 (в здании МДМ, м. «Фрунзенская»). Тел. 782-88-26.
Москва, ул. Сходненская, д. 52 (м. «Сходненская»). Тел. 492-97-85.
Москва, ул. Митинская, д. 48 (м. «Тушинская»). Тел. 751-70-54.
Москва, Волгоградский пр-т, 78 (м. «Кузьминки»). Тел. 177-22-11.

Северо-Западная Компания представляет весь ассортимент книг издательства «Эксмо».
Санкт-Петербург, пр-т Обуховской Обороны, д. 84Е.
Тел. отдела реализации (812) 265-44-80/81/82.

Сеть книжных магазинов «БУКВОЕД». Крупнейшие магазины сети:
Книжный супермаркет на Загородном, д. 35. Тел. (812) 312-67-34
и Магазин на Невском, д. 13. Тел. (812) 310-22-44.

Сеть магазинов «Книжный клуб «СНАРК» представляет самый широкий ассортимент книг
издательства «Эксмо». Информация о магазинах и книгах в Санкт-Петербурге по тел. 050.

Всегда в ассортименте новинки издательства «Эксмо»:
ТД «Библио-Глобус», ТД «Москва», ТД «Молодая гвардия»,
«Московский дом книги», «Дом книги в Медведково», «Дом книги на Соколе».

Весь ассортимент продукции издательства «Эксмо»
в Нижнем Новгороде и Челябинске:
ООО «Пароль НН», г. Н. Новгород, ул. Деревообделочная, д. 8. Тел. (8312) 77-87-95.
ООО «ИКЦ «ДИС», г. Челябинск, ул. Братская, д. 2а. Тел. (8512) 62-22-18.
ООО «ИнтерСервис ЛТД», г. Челябинск, Свердловский тракт, д. 14. Тел. (3512) 21-35-16.

Книги «Эксмо» в Европе — фирма «Атлант». Тел. + 49 (0) 721-1831212.

Подписано в печать с готовых монтажей 18.06.2003.
Формат 84×108 $^1/_{32}$. Гарнитура «Таймс». Печать офсетная.
Бум. газ. Усл. печ. л. 21,84. Уч.-изд. л. 15,7.
Доп. тираж 20 100 экз. Заказ 9387.

Отпечатано в полном соответствии
с качеством предоставленных диапозитивов
в ОАО «Можайский полиграфический комбинат».
143200, г. Можайск, ул. Мира, 93.

Галина Куликова –
автор 18 классных романов!

Писательница – страстная поклонница детективов, голливудских мелодрам и КВНов! Она считает, что три кита развлекательного чтения – это загадка, любовь и юмор. Если смешать эти ингредиенты, получится не что иное, как

Иронический детектив

Самые лучшие книги